Alain Finkielkraut

Nous autres, modernes

Quatre leçons

ellipses / École Polytechnique

Du même auteur

Le Nouveau Désordre amoureux, en collaboration avec Pascal Bruckner, Seuil, 1977.

Au coin de la rue, l'aventure, en collaboration avec Pascal Bruckner, Seuil, 1979.

Ralentir : mots-valises !, Seuil, 1979.

Le Juif imaginaire, Seuil, 1980.

Le Petit Fictionnaire illustré, Seuil, 1981.

L'Avenir d'une négation : réflexion sur la question du génocide, Seuil, 1982.

La Réprobation d'Israël, Denoël, 1983.

La Sagesse de l'amour, Gallimard, 1984.

La Défaite de la pensée, Gallimard, 1987.

La Mémoire vaine, Gallimard, 1989.

Le Mécontemporain. Péguy, lecteur du monde moderne, Gallimard, 1991.

Comment peut-on être croate ?, Gallimard, 1992.

L'Humanité perdue : essai sur le XXe siècle, Seuil, 1996.

L'Ingratitude : Conversation sur notre temps, avec Antoine Robitaille, Gallimard, 1999.

Une voix vient de l'autre rive, Gallimard, 2000.

Internet, l'inquiétante extase, avec Paul Soriano, Mille et Une Nuits, 2002.

L'Imparfait du présent, Gallimard, 2002.

Au nom de l'Autre : réflexions sur l'antisémitisme qui vient, Gallimard, 2003.

Les Battements du monde (un dialogue avec Peter Sloterdijk), Pauvert, 2003.

ISBN 2-7298-2528-2

32, rue Bargue 75740 Paris cedex 15

ISBN 2-7302-1288-4

91128 Palaiseau cedex

www.editions-ellipses.fr

www.polytechnique.fr

« … nous ne pouvons plus choisir nos problèmes. Ils nous choisissent l'un après l'autre. Acceptons d'être choisis. »

Albert Camus, *L'Homme révolté*

Table des matières

Troisième leçon

Penser le XXe siècle 177

Quatrième leçon

La question des limites 283

Présentation

Quand on me demande quelle matière j'enseigne à l'École polytechnique, je suis embarrassé, je bafouille, je ne sais jamais quoi répondre. *La* philosophie ? Je n'ai pas cette prétention totalisante. L'histoire des idées ? Ce serait présupposer que rien, pas même les idées, n'échappe à la juridiction de l'histoire. Or cette évidence moderne mérite elle-même d'être interrogée. Si je pouvais être tout à fait sincère, je dirais que je cherche d'abord à tirer au clair la métaphysique, c'est-à-dire le rapport fondamental à l'être qui se manifeste dans la sensibilité, les façons d'agir, de faire, les mœurs, les habitudes caractéristiques de notre temps. Comme le dit avec force Barbey d'Aurevilly : « La spéculation la plus escarpée a les pieds dans la pratique de la vie et les principes mènent les hommes et les plus brutes d'entre eux, la chaîne de la logique au cou ». Ce que Hans Jonas, plus près de nous, confirme en ces termes : « Descartes non lu nous détermine que nous le voulions ou non. »

Cette détermination est l'objet premier de mon enseignement. Ce n'est pas *la* philosophie, c'est *leur* philosophie que je m'efforce d'apprendre à mes élèves.

Mais à quoi Descartes nous détermine-t-il ? À quoi nous mène-t-il, la chaîne de la logique au cou ? Hier encore, il était possible de répondre : à nous rendre méthodiquement, polytechniquement, princes de toutes choses, seigneurs et maîtres de la nature pour soulager le sort des hommes et rendre leur vie plus agréable. Il y avait différentes versions politiques de ce projet, elles se sont affrontées avec une violence inouïe et au moment même où l'une d'entre elles semble triompher sans partage, voici que, selon la belle formule de Milan Kundera, « le maître et possesseur de la nature se rend compte qu'il ne possède rien et n'est maître ni de la nature (celle-ci se retire peu à peu de la planète) ni de l'histoire (elle lui échappe) ni de soi-même. »

Les réalités nées de la philosophie de l'homme moderne semblent mettre un malin plaisir à contredire les ambitions de cette philosophie, à transformer ses promesses en menaces, à fonctionner pour elles-mêmes. La rationalité règne indubitablement mais il est devenu difficile d'opposer, sans autre forme de procès, les calculs de la raison aux ténèbres de la superstition car les processus que la raison déchaîne n'ont rien de raisonnable.

C'est ce paradoxe, c'est cette surprise philosophique réservée à la philosophie, c'est cet ébranlement de la modernité par elle-même que j'ai voulu inlassablement explorer et interroger dans les leçons que l'on va lire. Aux questions que l'intelligence pose de sa propre initiative, selon son projet ou ses plans, et auxquelles elle met le monde en demeure de répondre, j'ai donc préféré les questions que le monde pose et impose à une intelligence qui n'en peut mais, je me suis mis à l'école de l'événement et j'ai choisi pour maxime pédagogique cette confidence de l'immense professeur que fut aussi Michelet : « J'ai toujours eu l'attention de ne jamais enseigner que ce que je ne savais pas. J'avais trouvé ces choses comme elles étaient alors dans ma passion, nouvelles, animées, brûlantes, sous le premier attrait de l'amour. »

Première leçon

Faut-il être moderne ?

Chapitre I

Les deux injonctions de l'avant-garde

Le 13 août 1977, Roland Barthes note dans son journal : « Tout d'un coup, il m'est devenu indifférent de ne pas être moderne. »

Phrase stupéfiante si l'on y réfléchit bien. À cette date, en effet, il était fortement recommandé, sinon même vital, d'être moderne et, dans le domaine esthétique, c'est Barthes lui-même qui apposait le précieux label. L'auteur du *Degré zéro de l'écriture* était alors de ceux, très peu nombreux, triés sur le volet, qui faisaient la pluie et le beau temps en matière de modernité. Il était l'un des sélectionneurs de l'équipe. Entre l'ancien et le nouveau, Barthes souverainement tranchait. Il ne cessait de séparer l'actuel du caduc, le contemporain du périmé. Et le voici qui, seul avec lui-même, reconnaît que la ligne de partage passait par son propre cœur. Il était le juge et aussi l'accusé. Il exerçait à ses dépens un droit de vie et de mort sur les choses de l'esprit. Il excluait ce qu'il aimait ; ses valeurs proclamées condamnaient certaines de ses inclinations profondes. Son goût souffrait de ses verdicts, mais il n'osait pas l'avouer de peur de *ne pas* être moderne. Une crainte étrange et tenace faisait de lui le dissident clandestin de sa propre doctrine. Tout d'un coup, l'intimidation tombe. Il n'a plus peur. Son autre moi sort de sa cachette et respire enfin à l'air libre. Paradoxale liberté : la libération n'est-elle pas le geste moderne par excellence ? Qu'est-ce qu'être moderne précisément sinon s'affranchir de l'autorité des Anciens, sur le modèle toujours actif de Charles Perrault bravant le mimétisme et l'académisme par ces vers intrépides :

> La belle Antiquité fut toujours vénérable
> Mais je ne crus jamais qu'elle fût adorable
> Je vois les Anciens sans plier les genoux.
> Ils sont grands, il est vrai, mais hommes comme nous.

Davantage : n'est-ce pas depuis qu'il est moderne que l'homme a abandonné le concept de *nature* humaine pour se concevoir et se définir comme *liberté* ? L'homme moderne, l'homme en tant que moderne fait sa première et superbe apparition, en 1482, dans l'*Oratio de hominis dignitate* de Pic de la Mirandole. Cet admirable discours commence par un récit, et pas n'importe quel récit : la Genèse. Dieu crée le monde et une fois bâti « l'auguste temple de sa divinité », une fois la région supra-céleste ornée d'esprits, les globes dans l'Éther animés d'âmes éternelles, la fange du monde inférieur garnie d'une foule d'animaux de toutes espèces, l'architecte souverain est soudain saisi du désir qu'il y ait « quelqu'un pour admirer la raison d'une telle œuvre, pour en aimer la beauté et s'émerveiller de sa grandeur. »

Seulement voilà : au moment de produire ce contemplateur de l'univers, Dieu constate, penaud, qu'il a épuisé ses ressources. Son magasin d'archétypes est vide. Tout a déjà été distribué entre les ordres supérieurs, intermédiaires et inférieurs. Mais il ne convient pas à la sagesse divine d'hésiter dans une œuvre si nécessaire. Le suprême artisan fait donc de nécessité vertu : il prend l'homme « chef-d'œuvre à l'image indistincte » et l'ayant placé au milieu du monde, il lui tient ce langage : « Je ne t'ai donné ni place déterminée, ni visage propre, ni don particulier, ô Adam, afin que ta place, ton visage et tes dons, tu les veuilles, les conquières et les possèdes par toi-même. La nature enferme d'autres espèces en des lois par moi établies. Mais toi que ne limite aucune borne, par ton propre arbitre, entre les mains duquel je t'ai placé, tu te définis toi-même. [...] Je ne t'ai fait ni céleste ni terrestre, ni mortel ni immortel, afin que souverain de toi-même, tu achèves ta propre forme librement, à la façon d'un peintre ou d'un sculpteur. Tu pourras dégénérer en formes inférieures, comme celles des bêtes, ou, régénéré, atteindre les formes supérieures qui sont divines. »

Véritable Bible de l'âge moderne, ce récit des origines donne une forme religieuse à la désactivation du texte sacré et l'apparence de l'hétéronomie (d'une décision venue d'en haut) à la définition de l'homme comme être entièrement autonome. Adam est constitué en *auteur* par l'Auteur des choses. Ce qui lui est révélé, ce n'est pas la loi qui le fonde c'est qu'il est lui-même source de ses lois. Cette créature a ceci de différent de toutes les autres qu'elle se crée, qu'elle se façonne elle-même et que nulle autorité, nulle transcendance, nulle instance supérieure ne lui défend de se lancer à la conquête des attributs divins de l'omniscience et de la toute-puissance. La rupture avec la tradition chrétienne et avec la sagesse des Anciens se camoufle en continuité : Pic de la Mirandole met dans la bouche de Dieu une splendide déclaration d'indépendance humaine.

La dignité de l'homme ne tient plus à la position qui lui aurait été assignée, une fois pour toutes, dans l'édifice cosmique. Ce qui constitue sa dignité, tout au contraire, c'est que rien pour lui, rien en lui n'est une fois pour toutes. Abolition du définitif. L'homme est l'être dont l'agir ne découle pas de l'être mais dont l'être découle de l'agir. Il n'est, à proprement parler, *rien*. Comme l'écrit Ernst Cassirer, commentant les philosophes de la Renaissance : « Au lieu de recevoir son existence toute prête de la nature ainsi que les autres êtres et de la tenir d'elle en fief, pour ainsi dire, définitivement, il est dans la nécessité de l'acquérir, de lui donner forme par la *vertu* et l'*art.* » Le phénomène humain n'est plus substance mais liberté et la volonté d'artificialité prime sur la propension à se conformer à un modèle déterminé ou à une autorité normative.

Mais où donc réside la vérité s'il n'y a plus de nature pour la circonscrire ni d'écrits canoniques pour l'énoncer ? Quelque cent cinquante ans après Pic de la Mirandole, Francis Bacon donne la réponse dans son *Novum Organum* : la vérité est fille du Temps et non de l'Autorité. Puisque la dignité de l'homme ne consiste plus dans l'accomplissement de sa nature mais dans ses possibilités infinies, il lui incombe d'aller toujours de l'avant et de se dépasser. Sous l'impact des premiers succès de la pensée scientifique, l'être perd sa prééminence ontologique au profit du devenir, et l'humanité bascule dans l'élément de l'Histoire. Non plus les histoires mais l'Histoire ; non plus le fablier de l'humanité mais l'itinéraire qu'emprunte le genre humain pour accomplir une vocation que nulle frontière ne limite, nulle définition n'incarcère. « Qu'est-ce que l'Histoire ? » demande un personnage du *Docteur Jivago*. Et voici sa réponse : « C'est la mise en chantier des travaux destinés à élucider progressivement le mystère de la mort et à le vaincre un jour ».

Au prestige et à l'emprise des Anciens succède donc la fascination du mouvement. Qui ne se meut pas, en effet, qui traîne, qui flâne, qui regarde derrière lui croit exister. En fait, il retarde sur la vie. Il s'accroche à ce qu'il n'est plus possible d'être. Toutes les choses qu'il aime, toutes les conduites qu'il adopte, tous les jugements qu'il émet sont sortis de la pratique des hommes. C'est une anomalie, un *has-been*, un poids mort, un scandale métaphysique. La phrase de Barthes témoigne d'un temps où il faut être de son temps pour être pleinement vivant.

Et qu'est-ce qu'un écrivain vraiment moderne, pleinement vivant ? C'est précisément un *écrivain* et non un *écrivant*. Alors que l'écrivant témoigne, proteste, explique, enseigne, bref écrit quelque chose, l'écrivain, lui, écrit. Son activité est intransitive. Comme dit Michel Foucault dans *Les Mots et les Choses*, il rompt avec une éloquence tout entière tendue vers une finalité extérieure au langage pour un discours qui « n'a rien d'autre à dire que soi, rien d'autre à faire que scintiller dans l'éclat de son être. »

Modernité ici rime avec pureté, car ce qui est moderne, ce n'est pas seulement l'*illimitation*, c'est la *séparation*, ce n'est pas seulement la déposition de l'être par le devenir ou de la perfection par la perfectibilité infinie, c'est aussi la logique qui attire toutes les activités, toutes les occupations vers elles-mêmes et les concentre dans la manifestation ou le déploiement de leur propre essence. « Pour le marchand du Moyen Âge, rappelle Hermann Broch dans son roman *Les Somnambules*, le principe "les affaires sont les affaires" était sans valeur, la concurrence était pour lui quelque chose de prohibé, l'artiste du Moyen Âge ne connaissait pas "l'art pour l'art", mais seulement le service de la foi, la guerre du Moyen Âge ne réclamait la dignité d'une cause absolue que lorsqu'elle était faite au service de la seule valeur absolue : au service de la foi. C'était un système total du monde reposant dans la foi, un système du monde relevant de l'ordre des fins et non pas des causes, un monde entièrement fondé dans l'être et non dans le devenir, et sa structure sociale, son art, ses liens sociaux, bref toute sa charpente de valeurs était soumise à la valeur vitale de la foi, qui les comprenait toutes. » Quand Dieu quitte la place d'où Il avait dirigé l'univers et que naissent les Temps modernes, les différents secteurs d'activité se séparent et sont progressivement conduits à chercher en eux-mêmes leur propre légitimité. Affranchis de la tutelle religieuse, l'art, l'économie, la politique, le sport, la guerre se développent en quelque sorte chacun pour soi. Libres de l'absolu, ils se professionnalisent. L'esprit qui les anime, dit encore Broch, est « l'esprit de la logique dirigée vers son objet et rien que vers son objet sans regarder à droite ni à gauche ». Ces spécialités développent toutes les conséquences des postulats qui les régissent avec une cohérence imperturbable et que nulle considération, nul scrupule extérieurs n'empêchent d'avancer. De même qu'il appartient à la logique de l'homme d'affaires de faire des affaires, « de même, constate Broch, il appartient à la logique du peintre de conduire les principes de la peinture à leur aboutissement avec leur conséquence la plus extrême au risque de faire naître une création complètement ésotérique que le producteur seul est en état de comprendre. »

Ainsi, en effet, s'écrit l'histoire de la peinture, de Manet porté aux nues pour avoir su faire apparaître ce que la représentation faisait oublier — la matérialité de la toile — jusqu'à Kandinsky et à Malevitch crédités d'avoir dégagé l'art de sa gangue figurative au profit d'une pure composition de lignes, de figures non identifiables et de couleurs. « Les peintres doivent rejeter les sujets et les objets s'ils veulent être des peintres purs », proclame Malevitch. Et ceci encore : « Quand la conscience aura perdu l'habitude de voir dans le tableau la représentation de coins de nature, de madones et de Vénus impudentes, nous verrons l'œuvre purement picturale. »

Même désir de pureté, même passion soustractive, même volonté de faire abstraction de tout ce qui n'est pas réductible aux catégories propres de son art, chez Claude Simon quand, dans son discours de Stockholm il répond au critique qui suggérait qu'en lui décernant le prix Nobel de littérature, on avait voulu confirmer le bruit que le roman était vraiment mort : « Ce critique ne semble pas s'être aperçu que si par "roman", il entend le modèle littéraire qui s'est épanoui au cours du XIXe siècle, celui-ci, en effet, est bien mort, en dépit du fait que dans les bibliothèques de gare ou ailleurs on continue, et on continuera longtemps encore, à vendre et à acheter par milliers d'aimables ou terrifiants récits d'aventure à conclusion optimiste ou désespérée et aux titres annonceurs de vérités révélées comme, par exemple, *La Condition humaine*, *L'Espoir*, ou *Les Chemins de la liberté*. »

Roman de gare rime avec ringard comme modernité rime avec pureté. Mais l'accusation vise, entre autres, le fondateur de la revue *Les Temps modernes*. Or cette appellation n'était pas le fruit du hasard. Ce nom n'avait rien d'arbitraire. C'était l'étendard d'un engagement, une manière pour Sartre de se placer sans équivoque dans le camp de la modernité. Le directeur des *Temps modernes* poussait même si loin l'exigence d'épouser son époque qu'il érigeait le renoncement à l'immortalité en maxime tout à la fois esthétique, politique et morale. L'écriture était, pour lui, une modalité de l'action. Elle ne pouvait donc prétendre désobéir ou faire exception à l'histoire. Elle en relevait comme le reste. Et Sartre, dans sa radicalité, entendait bien séculariser cet ersatz de religion, cet ultime bastion des âmes pieuses : la littérature. Contre les dévots de l'œuvre immortelle, il affirmait que « le salut se fait sur la terre, qu'il est de l'homme entier par l'homme entier et que l'art est une méditation de la vie non de la mort ». La méditation de la mort spécule sur la vie future. La méditation de la vie se consacre sans réserve au *hic et nunc*, aux exigences et aux urgences de l'heure. Elle constitue le présent en horizon indépassable et parce qu'elle est moderne, c'est-à-dire athée, elle programme sa propre obsolescence : « Un livre a sa vérité absolue dans l'époque. Il est vécu comme une émeute, comme une famine. Avec beaucoup moins d'intensité, bien sûr, et par moins de gens : mais de la même façon. C'est une émanation de l'intersubjectivité, un lien vivant de rage, de haine ou d'amour entre ceux qui l'ont produit et ceux qui le reçoivent. [...] On a souvent dit des dattes et des bananes : "Vous ne pouvez rien en dire : pour savoir ce que c'est, il faut les manger sur place, quand on vient de les cueillir". Et j'ai toujours considéré les bananes comme des fruits morts dont le goût vivant m'échappait. Les livres qui passent d'une époque à l'autre sont des fruits morts. Ils ont eu, en un autre temps, un autre goût, âpre et vif. Il fallait lire l'*Émile* et les *Lettres persanes* quand on venait de les cueillir. »

En collant au présent, en écrivant délibérément et exclusivement pour son époque, Sartre choisit donc *la modernité c'est-à-dire le momentané* contre toutes les formes d'*éternité*, postérité incluse. Il n'est pas le premier. « En hâtant le progrès, nous hâtons notre mort », disait déjà Renan : « Autrefois tout était considéré comme étant. On parlait de droit, de religion, de politique, de poésie d'une façon absolue. Maintenant tout est considéré comme en voie de se faire. » Et l'auteur de *L'Avenir de la science* était moderne en ceci qu'il approuvait, qu'il glorifiait même la dissolution, ou même la liquéfaction de tous les *monuments*, — « ses propres œuvres comprises » —, dans le *mouvement* général.

Mais Sartre, à la différence de Renan, voit l'histoire comme un long fleuve *intranquille*. Il n'attend pas du développement de la science qu'il établisse, à lui tout seul, le règne humain. Le progrès, pour Sartre, n'est pas linéaire mais tumultueux : il naît du choc des contraires. Le Nouveau ne succède pas à l'Ancien. Il l'affronte. Et le présent est le théâtre de cette bataille dont l'enjeu est l'accomplissement de l'idéal : « Nous voulons que l'œuvre soit en même temps un acte ; qu'elle soit expressément conçue comme une arme dans la lutte que les hommes mènent contre le mal ».

Le pathos de la modernité prend ici une tournure dramatique. Être moderne, ce n'est pas un constat ; c'est un combat. Toute la réalité est articulée autour de la lutte entre les vivants et les vestiges, ceux qui réalisent les promesses de l'Histoire et ceux qui font tout pour qu'elles ne se réalisent pas. Le sens de l'actualité réside dans le duel sans merci que se livrent le Bien moderne et le Mal rétrograde. D'où vient cette dramatisation ? De la nécessité où se trouve l'humanisme de rendre compte de la violence, de l'aliénation, de l'oppression dans une histoire qui n'est plus faite par Dieu. Comme l'écrit Odo Marquard, dès lors qu'est reconnue à l'homme la capacité de fonder son propre destin, « l'insatisfaction à l'égard du monde, jadis dirigée vers le transcendant, doit être réexpédiée vers l'immanent, l'intra-historique. » Quand les choses tournent mal, la philosophie de l'Histoire qui ne peut plus s'en prendre à Dieu, découvre comme figure décisive les autres, les hommes qui empêchent le Bien voulu par les hommes, c'est-à-dire les adversaires, les ennemis.

Et pourquoi des hommes voudraient-ils empêcher le bien voulu par les hommes ? Parce que dire, comme le Dieu de Pic de la Mirandole, que l'homme est ontologiquement libre, c'est retirer, du même coup, tout fondement ontologique à la hiérarchie entre les êtres humains. À la différence du Dieu médiéval qui répartissait inégalement le céleste et le terrestre et justifiait ainsi que les uns commandent ou s'adonnent à la vie spirituelle pendant que les autres accomplissent les tâches nécessaires à la satisfaction des besoins corporels, ce Dieu humaniste ne donne rien à personne ou plutôt *il donne à tout le monde le rien*, l'indétermination, la non-coïncidence avec sa place ou son rang social. En faisant de la liberté, la marque distinctive de l'humanité, l'humanisme met les hommes à égalité. Ce qui angoisse les privilégiés et les conduit à ralentir ou même à saboter la dynamique égalitaire. Ainsi naît l'identification du Bien, de l'égalité et du mouvement et l'idée d'une confrontation mortelle opposant ce parti aux bénéficiaires du statu quo.

Sartre se veut le continuateur de cette modernité belliqueuse apparue avec la Révolution française et amplifiée par le marxisme. Il décide, en créant les *Temps modernes*, de prendre une part active à la lutte des classes qui est aussi une lutte entre l'ancien et le nouveau. Il choisit sans ambiguïté son camp et son temps. Et quand, lors d'une conférence des prix Nobel sur les promesses et les menaces du XXIe siècle, Claude Simon déclare : « Il n'y a rien d'autre à faire, pour le scientifique, pour l'artiste, que ce qui a été fait de tout temps par leurs semblables qui ont laissé leurs marques, c'est-à-dire œuvrer chacun au mieux dans les domaines qui leur sont propres et sans se soucier d'aucune autre considération », il est certes moderne au sens, décrit par Hermann Broch, d'une logique inflexible, d'une autonomie déchaînée, et d'une relève du commandement éthique par la formule de l'accomplissement du devoir professionnel à cent pour cent, mais, dans la perspective de l'engagement sartrien, cette proclamation fait de lui un bourgeois, c'est-à-dire un Ancien. En s'enfermant dans son art, il renforce l'ordre établi. En reprenant à son compte la division du travail, il retarde l'avènement du règne humain.

Dans cette bataille, Barthes, le Barthes d'avant la soudaine et souveraine indifférence, ne prend pas parti. Ou plutôt, il réalise et, avec lui toute l'avant-garde, la synthèse entre Sartre et Claude Simon. Avec Claude Simon, il délivre l'écriture de toute finalité extérieure à son déploiement : l'engagement est le fait de l'écrivant mais, et c'est là où il rejoint Sartre, Barthes retraduit l'exigence de pureté dans le langage progressiste de la révolution. Il fait de la « libération du signifiant » et de la rupture du discours littéraire avec la représentation, l'équivalent ou le prolongement de la rupture politique avec la société bourgeoise. Et la promesse d'égalité le conduit, comme Sartre, à ne pas s'accommoder de la distinction entre l'artiste et les autres hommes. Sartre conclut *Les Mots* — son autobiographique mise au tombeau de la littérature — par cette épitaphe : « un homme fait de tous les hommes et qui les vaut tous et que vaut n'importe qui ». Et Barthes écrit dans *S/Z* : « L'enjeu du travail littéraire (de la littérature comme travail) c'est de faire du lecteur, non plus un consommateur mais un producteur de textes. Notre littérature est marquée par le divorce impitoyable que l'institution littéraire maintient entre le fabricant et l'usager du texte, son propriétaire et son client, son auteur et son lecteur. » Il faut donc mettre fin à ce divorce, ajouter à « la pauvre liberté de recevoir ou de rejeter le texte », la possibilité d'accéder pleinement à l'enchantement du signifiant, à la volupté de l'écriture. De chaque lecteur, autrement dit, Barthes fait un auteur potentiel. Et il ne s'arrête pas en si bon chemin. Poussant à son paroxysme le refus moderne de la hiérarchie entre les êtres, il noie l'auteur dans l'océan de l'*intertextualité*. L'eschatologie égalitaire réclame à la fois que nous soyons tous auteurs et que s'efface pour de bon la figure paternelle, transcendante, intimidante de l'Auteur. Tous auteurs, dans un monde sans auteur : telle est la formule ultime de l'égalité : « Nous savons maintenant qu'un texte n'est pas fait d'une ligne de mots dégageant un sens unique, en quelque sorte théologique (qui serait le message de l'auteur-Dieu) mais un message à dimensions multiples où se marient et se contestent des écritures variées dont aucune n'est originelle : le texte est un tissu de citations issues des mille foyers de la culture. »

L'art est devenu art à l'âge moderne. Comme dit Malraux, dans *Le Musée imaginaire* : « Un crucifix roman n'était pas d'abord une sculpture ; la Madone de Cimabue n'était pas d'abord un tableau, même l'Athéna de Phidias n'était pas d'abord une statue. » Ils ont acquis cette qualité sous le regard des Modernes. C'est à nous, modernes, qu'il revient d'avoir défini l'homme comme l'être qui faisant exception à l'être, achève librement sa forme à la façon d'un peintre ou d'un sculpteur, et du même élan, d'avoir dissocié ces objets de l'enseignement qu'ils délivraient dans leur monde d'origine, des finalités sociale, religieuse ou politique qu'ils y remplissaient, pour en faire *d'abord* des œuvres d'art.

Le sujet artiste salue les artistes. Et puis, il se reprend : si tout homme est artiste, pourquoi exhausser les artistes au-dessus de l'humanité commune ? S'il incombe à chacun de réaliser ses virtualités poétiques, pourquoi faire tout un plat des poètes ? « L'art lève la tête où les religions perdent du terrain », a écrit Nietzsche. Mais on doit ajouter aussitôt ce codicille : là où prévaut une conception artistique de l'homme, la religion de l'art finit inévitablement par être mise en question.

Culte de l'art ; soupçon sur l'art : l'avant-garde, hyperconscience moderne, oscille entre ces deux postulations. « Jusqu'ici, déclare Malevitch, il n'y a pas eu de tentative picturale en tant que telle, sans toutes sortes d'attributs de la vie réelle. La peinture était une cravate sur la chemise amidonnée d'un gentleman et le corset rose compressant le ventre gonflé d'une dame adipeuse. La peinture, c'était le côté esthétique de l'objet, mais elle n'a jamais constitué son propre but. Les peintres étaient des juges d'instruction, des gradés de la police qui établissaient différents procès verbaux à propos des produits avariés, des vols, des meurtres et des clochards. » À cette véhémente recherche d'identité, Duchamp oppose le sarcasme iconoclaste du *ready-made*, « cet objet usuel promu objet d'art par le simple choix de l'artiste ». Et depuis l'exposition, sous le nom de *Fontaine*, d'un urinoir renversé, son innombrable postérité a travaillé avec acharnement à brouiller la frontière entre l'artiste et les autres mortels ou entre ce qui fait partie intégrante de l'art et toutes les choses triviales, quotidiennes, ordinaires qui sont exclues de cette sphère sacrée.

Docile aux deux injonctions contradictoires de l'avant-garde, Barthes a longtemps défendu une écriture à la fois *intransitive* et *généralisée*. Contre l'usage commun de la langue, il a été le chantre de la séparation ; contre l'élitisme, il a été le héraut de l'indistinction. La modernité s'est imposée à lui sous la modalité *hyper-aristocratique* de l'écrivain pur et sous celle, *archi-égalitaire*, du « tous écrivains ». Un jour cependant il lui est devenu indifférent de ne pas être moderne. La terreur s'est dissipée. L'injonction a perdu son pouvoir. Le Barthes officieux a cessé de plier les genoux devant le Barthes officiel. Pourquoi ? Que s'est-il passé ? Quelle leçon pouvons-nous tirer de ce branle-bas minuscule ?

Chapitre II

Le Moderne et le survivant

Quelques semaines avant le congé donné sans préavis au surmoi moderne, Barthes note dans son journal : « Je vois la mort de l'être cher, m'en affole etc. » L'être cher, c'est sa mère agonisante. Et il y a un lien entre cet affolement et ce limogeage. Barthes a cessé de se dire moderne et de faire la navette entre ses critères et ses goûts *lorsqu'il a vu mourir sa mère.* « *Tout d'un coup*, il m'est devenu indifférent de ne pas être moderne » : son changement d'attitude provient non d'une réflexion doctrinale, mais d'un événement. Événement intime et infime au regard des valeurs indissolublement politiques et artistiques en jeu dans son adhésion à la modernité. C'est un deuil privé qui a conduit Barthes à dénoncer son image publique. C'est un chagrin, qui n'est même pas un chagrin d'amour, c'est une douleur affreuse mais tellement inscrite dans l'ordre des choses qu'on s'excuserait presque de l'éprouver, qui a eu raison des précautions de Barthes et de son conformisme. Pourquoi ? Parce que le deuil a fait de lui un survivant et qu'on ne peut être à la fois survivant et intégralement moderne. Parce qu'il y a dans le simple fait de survivre à ceux qu'on aime un démenti à la représentation du temps que véhicule l'idée même de moderne.

Le Moderne, c'est celui à qui le passé pèse. Le survivant, c'est celui à qui le passé manque. Le Moderne voit dans le présent un champ de bataille entre la vie et la mort, un passé étouffant et un futur libérateur. Parce qu'il aime un mort, l'élan du survivant vers le futur est cassé. Le Moderne, c'est celui qui court plus vite que le vieux monde parce qu'il a peur d'être rattrapé par lui — « Cours, Camarade, le Vieux Monde est derrière toi » disait un des plus fameux slogans de 68 —, le survivant court après le vieux monde, en sachant qu'il n'a aucune chance de le rattraper. Le Moderne se réjouit de dépasser le passé, le survivant en est inconsolable. Car le passé, pour lui, n'est pas mortifère, mais mortel ; n'est pas oppressif, mais précaire. Être moderne, c'est se séparer, c'est surmonter, progresser, avancer, dépasser, transcender : mouvement actif, conquérant, volontaire. Survivre, c'est être quitté. Le Moderne va de l'avant, le survivant regarde vers l'arrière. L'un est projet ; l'autre, regret. « Mon cœur appartenait aux morts » écrit Hölderlin ; et dans une conférence prononcée en 1978 au Collège de France, Barthes dit son désir de rompre « avec la nature uniformément intellectuelle » de ses écrits antérieurs, et d'entamer une *vie nouvelle*, c'est-à-dire une pratique d'écriture qui le sortirait de lui-même en le conduisant non plus vers l'« arrogance de la généralité » mais vers la sympathie avec l'Autre : « Il s'agirait de dire ceux que j'aime (Sade, oui, Sade disait que le roman consiste à peindre ceux qu'on aime), et non pas de leur dire que je les aime (ce qui serait un projet proprement lyrique) ; j'espère du roman une sorte de transcendance de l'égotisme dans la mesure où dire ceux qu'on aime, c'est témoigner qu'ils n'ont pas vécu (et bien souvent souffert) “pour rien” ».

« Dire ceux que j'aime » : cette formulation abolit d'un seul coup l'antithèse de l'écrivant obsédé par ce qu'il a à dire et de l'écrivain qui, tel le peintre abstrait, se détache de toute visée mimétique ou figurative. En donnant à l'écriture dont il rêve un *complément d'objet direct* (les êtres dont la mort advenue ou à venir, l'affecte plus encore que la sienne), Barthes retrouve Hölderlin et Sade qui écrit, en effet, dans sa Préface aux *Crimes de l'amour* : « L'homme est sujet à deux faiblesses qui tiennent à son existence, qui la caractérisent. Partout il faut qu'il *prie*, partout il faut qu'il *aime* ; et voilà la base de tous les romans. Il en a fait pour peindre les êtres qu'il implorait, il en a fait pour célébrer ceux qu'il aimait. » Et par-delà Sade, par-delà Hölderlin, Barthes renoue avec l'inspiration transitive du premier des poètes : Orphée.

Tant qu'il était moderne, ou affectait de le paraître, Barthes pensait le mouvement de l'art par analogie avec le progrès par péremption du passé qui gouverne les sciences. Prométhée, alors, était son modèle. Il a fallu l'épreuve du deuil pour que l'artiste prométhéen soit détrôné par une autre image et un autre itinéraire : ceux de l'homme attiré par le royaume des ombres. Orphée brave les enfers parce qu'il a perdu son Eurydice. C'est l'être aimé qu'il veut ravir au monde des morts. Barthes a perdu sa mère et pour l'évoquer, pour la faire revivre, ce n'est pas seulement la prostration du deuil en lui qu'il faut vaincre, c'est, chez son lecteur, le préjugé : un préjugé d'autant plus présent qu'il se confond avec la volonté de ne pas s'en laisser accroire. Engloutie par la mort, sa mère risque de l'être aussi par la figure générique et interchangeable de la Mère telle que la psychanalyse l'a fixée et victorieusement diffusée dans la conscience commune. S'il ne témoigne pas pour elle, sa mère disparaîtra dans le néant ; s'il laisse la psychanalyse témoigner pour lui, elle disparaîtra dans l'impersonnalité de son essence. C'est avec ce double souci que Barthes écrit *La Chambre claire* et qu'il introduit, sans avoir l'air d'y toucher, la dimension de *nouveauté* à laquelle il aspire. *La Chambre claire* n'est pas un roman, c'est un essai ou, comme le dit son sous-titre, une *note* sur la photographie. Mais en son cœur se situe la découverte extraordinairement romanesque d'une photo très ancienne de sa mère « âgée de cinq ans » avec son frère qui en avait sept « au bout d'un petit ponton de bois dans un Jardin d'Hiver au plafond vitré ». Cette image est la seule que Barthes commente sans la montrer. C'est donc à l'écriture, et à l'écriture uniquement, que la communication de l'émotion procurée par une présence incomparable revient en partage : « J'observai la petite fille et je retrouvai enfin ma mère. La clarté de son visage, la pose naïve de ses mains, la place qu'elle avait occupée docilement sans se montrer ni se cacher, son expression enfin, qui la distinguait, comme le Bien du Mal, de la petite fille hystérique, de la poupée minaudante qui joue aux adultes, tout cela formait la figure d'une *innocence* souveraine (si l'on veut bien prendre ce mot selon son étymologie, qui est "Je ne sais pas nuire") tout cela avait transformé la pose photographique dans ce paradoxe intenable et que toute sa vie elle avait tenu : l'affirmation d'une douceur. »

Barthes cependant n'est pas naïf. Il n'ignore rien du rôle structurant de l'*instance maternelle* dans la constitution de la personnalité. Il ne s'exempte pas non plus du symptôme. Il sait ce qu'a d'œdipien son voyage d'Orphée. Et il fait sa place à cette vérité incontournable : « Lisant certaines études générales, je voyais qu'elles pouvaient s'appliquer d'une façon convaincante à ma situation. [...] Je pouvais donc comprendre ma généralité ; mais l'ayant comprise, invinciblement, je m'en échappais. Dans la Mère, il y avait un noyau rayonnant, irréductible : ma mère. On veut toujours que j'aie davantage de peine parce que j'ai vécu toute ma vie avec elle ; mais ma peine vient de *qui elle était* ; et c'est parce qu'elle était qui elle était que j'ai vécu avec elle. À la Mère comme Bien, elle avait ajouté cette grâce, d'être une âme particulière. [...] On dit que le deuil, par son travail, par son travail progressif, efface lentement la douleur ; je ne pouvais, je ne puis le croire ; car, pour moi, le Temps élimine l'émotion de la perte (je ne pleure pas), c'est tout. Pour le reste, tout est resté immobile. Car ce que j'ai perdu, ce n'est pas une Figure (la Mère), mais un être ; et pas un être, mais une *qualité* (une âme) : non pas l'indispensable, mais l'irremplaçable. »

Depuis que Barthes a écrit ces lignes, une autre figure est apparue, et qui fait planer sur sa tendresse une menace, non plus *scientifique*, mais *sentimentale*. « Mère », en effet, est un concept à l'abandon. Dans l'espace public comme à la maison, sur RTL comme sur Arte ou France-Culture, le concept est balayé par l'affect, et tout le monde — enfants, adolescents, adultes, vieillards, journalistes, animateurs, industriels, employés, artistes, ouvriers, hommes politiques — parle de sa maman ou de la « maman de Poutine », de la « maman d'Alain Juppé » qui est morte à la veille de son procès, de la « maman de Nathalie Sarraute » qui écrivait, elle aussi, des romans et des contes pour enfants. « Mère » était un statut, un rôle, une place dans un système ou dans un ordre institutionnel. « Maman » est un câlin. Avec « Maman » à la place de « Mère », l'anonymat du cœur prend le pas sur celui de la structure, l'idyllique triomphe du symbolique, le privé fait son *outing*, le neutre disparaît du monde. La terminologie courante se dévêt des vocables austères, et le rêve moderne d'affranchir l'humanité de tous les protocoles se réalise sous la forme radieuse d'une intimité générale.

Maman, Mère : deux modalités de la réduction, deux visages de l'interchangeable. Or ce que tente Barthes, dans *La Chambre claire*, c'est de penser l'irréductible. L'écriture a toujours été pour lui une lutte avec le stéréotype. Mais alors que le Barthes moderne rêvait de dissoudre tous les syntagmes figés dans le *texte*, c'est-à-dire dans un espace où les langages circulent sans que rien — ni paternité de l'Auteur, ni naïveté mimétique, ni signification définitive — n'en arrête la prolifération heureuse, Barthes endeuillé, en un mouvement qu'il qualifie lui-même de « palinodie », attend de l'œuvre littéraire qu'elle sache, comme la photographie, déjouer la propension du stéréotype à s'emparer du référent et à le vider ainsi de sa concrétude, de sa singularité, de sa contingence. « C'est à la cime du particulier, dit Proust, qu'éclôt le général ». Et c'est à cette cime du particulier — l'expérience du deuil — que Barthes a retrouvé deux lectures : « La première est celle d'un grand roman comme, hélas, on n'en fait plus : *Guerre et Paix* de Tolstoï. On ne parle pas ici d'une œuvre mais d'un bouleversement ; ce bouleversement a pour moi son sommet à la mort du vieux prince Bolkonski, au dernier mot qu'il adresse à sa fille Marie, à l'explosion de tendresse qui, sous l'instance de la mort, déchire ces deux êtres qui s'aimaient sans jamais tenir le discours (le verbiage) de l'amour. La seconde lecture est celle d'un épisode de la *Recherche* qui est la mort de la grand-mère ; c'est un récit d'une pureté absolue ; je veux dire que la douleur y est pure, dans la mesure où elle n'est pas commentée (contrairement à d'autres épisodes de la *Recherche*) et où l'atroce de la mort qui vient, qui va séparer à jamais, n'est dit qu'à travers des objets et des incidents indirects : la station au pavillon des Champs-Élysées, la pauvre tête qui balance sous les coups de peigne de Françoise. »

« Un grand roman comme, hélas, on n'en fait plus » : ce *hélas* est le soupir du grand retournement. Barthes cesse brusquement d'excuser ou de faire valider son goût pour les œuvres du passé par ce qui en elles préfigure l'avant-garde. Il ose, à l'inverse, reprocher à l'avant-garde prométhéenne d'avoir perdu de vue l'une des vocations essentielles de l'art qui est de veiller sur le scandale de la mort : « Il m'importe peu de savoir si Dieu existe ou non, mais ce que je sais et que je saurai jusqu'au bout, c'est qu'il n'aurait pas dû inventer en même temps l'amour et la mort ».

Roland Barthes est mort en 1980, trop tôt pour découvrir un roman comme on n'en fait plus : *Vie et Destin* de Vassili Grossman, le *Guerre et Paix* du XXe siècle. La France est le premier pays à avoir publié *Vie et Destin*, en 1983, soit vingt-trois ans après que Grossman en eut achevé la rédaction.

Né à Berditchev en Ukraine en 1905, Vassili Grossman fait des études techniques à Kiev puis à Moscou. Il travaille quelques années comme ingénieur avant de choisir la littérature. Encouragé par Gorki, il s'impose très vite comme l'un des grands espoirs du réalisme socialiste. Au début de sa carrière, en effet, il est imbu de l'esprit du régime et se soumet sans réticences à ses directives : héros positifs, optimisme historique, enthousiasme pour la construction du socialisme… La Seconde Guerre mondiale marque un tournant dans la vie de cet écrivain soviétique et fier de l'être. Il suit l'Armée rouge pendant quatre ans comme correspondant du principal journal de l'Armée, *L'Étoile rouge*. Il parcourt tous les fronts, et fréquentant aussi bien les quartiers généraux des commandants de groupement d'armées que les tranchées aux avant-postes de la ligne de front, il connaît la guerre sous tous ses aspects : la retraite de Gomel à Stalingrad, l'interminable bataille de Stalingrad et la contre-offensive de Stalingrad à Berlin. Il est aussi le premier écrivain au monde à pénétrer dans le camp de Treblinka en septembre 1944. Il prend alors la mesure de ce qui s'est passé et dans un article publié deux mois plus tard il décrit minutieusement les différentes phases du processus d'anéantissement : « Treblinka n'était pas une fabrique de morts aux procédés primitifs : elle empruntait ses méthodes à la grande production industrielle moderne, elle travaillait à la chaîne. » François Furet écrit justement qu'« aucun écrivain soviétique n'a eu, comme lui, l'imagination du malheur juif et le courage d'en parler. » Cette imagination et ce courage le désignent pour diriger avec Ilya Ehrenbourg la rédaction d'un livre noir « sur l'extermination scélérate des juifs par les envahisseurs fascistes allemands dans les régions provisoirement occupées d'URSS et dans les camps d'extermination en Pologne pendant la guerre de 1941-1945 ». Le livre est prêt en 1946. Mais la direction de la Propagande refuse finalement de l'éditer et, en 1948, la terreur stalinienne s'abat sur la population juive. La culture yiddish est anéantie, ses plus célèbres poètes sont assassinés, des procès « anti-sionistes » sont montés dans les pays satellites, dix médecins juifs sont arrêtés à Moscou et accusés d'avoir tenté d'empoisonner Staline, le procès connu sous le nom de « Procès des blouses blanches » doit préluder à la déportation massive de tous les juifs en Sibérie orientale. La mort de Staline en mars 1953 empêche la réalisation de ce plan. Cette mort sauve aussi Vassili Grossman qui, en 1952, avait publié *Pour une juste cause*, une fresque épique sur la guerre, conforme jusque dans son titre aux canons en vigueur, mais dont l'auteur et son héros étaient juifs, ce qui avait valu à Grossman un véritable lynchage critique.

Témoin et victime potentielle de la terreur qui, trois ans seulement après l'interruption de la Solution finale, s'abat sur ceux que la haine stalinienne qualifie alternativement de *sionistes* et de *cosmopolites*, Grossman connaît alors une crise intérieure dont le roman *Vie et Destin*, qu'il met dix ans à écrire, est le résultat. Ce roman est, en apparence, la suite de *Pour une juste cause*, mais il s'est produit entre les deux un changement de perspective, une mutation du regard. Stalingrad désormais, c'est la victoire de la civilisation sur la barbarie (ce premier revers de Hitler annonce et induit toutes les autres défaites), une bouffée d'air pur et de liberté, le renouveau inespéré de l'initiative individuelle dans la Russie totalitaire, mais c'est aussi ce moment de vérité où, tout en s'affrontant mortellement, le nazisme et le stalinisme sont proches jusqu'à se toucher et à se reconnaître l'un dans l'autre. La collision révèle la collusion et Grossman met en scène le face à face inouï d'un SS et d'un vieux bolchevik détenu dans un camp de concentration : « Quand nous nous regardons, dit le SS, nous ne regardons pas seulement un visage haï, nous regardons dans un miroir. Là réside la tragédie de notre époque. Le monde n'est-il pas pour vous comme pour nous volonté ; y a-t-il quelque chose qui peut vous faire hésiter ou vous arrêter ? […] Vous croyez que vous nous haïssez, mais ce n'est qu'une apparence : vous vous haïssez vous-mêmes en nous. C'est horrible n'est-ce pas ? Si c'est vous qui gagnez, nous périrons mais nous continuerons à vivre dans votre victoire. C'est un paradoxe : si nous perdons la guerre, nous la gagnerons, nous continuerons à nous développer sous une autre forme mais en conservant notre essence. »

Le dégel amorcé en 1956 laissait espérer à Grossman qu'il pourrait faire publier son roman, mais le KGB saisit le manuscrit et Souslov, le responsable de la direction de la Propagande, le convoque au Kremlin pour lui dire que même en coupant les passages les plus litigieux, « ce livre ne pourra pas être édité avant deux cents ou trois cents ans. » Souslov s'est trompé, mais Grossman n'a jamais revu son manuscrit.

Une vénérable tradition fait de *classique* l'antonyme de *moderne* mais c'est entre moderne et *tragique* que réside la véritable alternative existentielle. Aussi éloignées qu'aient pu être leur prose et leur expérience, Roland Barthes et Vassili Grossman ont été modernes, puis le tragique s'est imposé à eux. Ils sont allés de l'avant jusqu'à ce que la conscience de survivant leur fasse faire demi-tour. Certes — et c'est une différence qui rend scabreux et presque sacrilège le rapprochement entre les deux auteurs — Barthes médite la perte de l'être cher tandis que Grossman, outre la mort de sa mère dans le ghetto de Berditchev, médite, entre autres, la perte de son peuple. Mais c'est que, pour Barthes, la marche du temps est restée une métaphore tandis qu'elle s'est horriblement matérialisée sous les yeux de Vassili Grossman. Lénine, en effet, a déchaîné en Russie la cruauté de l'Histoire. L'Histoire, c'est-à-dire non pas la succession des événements historiques auxquels nul n'échappe mais le parti pris tout ensemble narratif et philosophique qui fait de l'affrontement des oppresseurs et des opprimés la structure fondamentale, le paradigme de la réalité humaine.

Dans le grand récit rédempteur dont Lénine se grise, dans le monde verbal où ce matérialiste se meut, la bataille d'idées est une guerre à mort et la guerre à mort, une bataille d'idées. L'être est tout entier roman et slogan. Rien ne sort de la fable, rien n'échappe à la généralité, même le sang qui coule. Ce ne sont pas des corps physiques mais des corps de part en part politiques, des personnages conceptuels, des entités, des notions — le koulak, le bourgeois, le capitaliste, le ci-devant, le réactionnaire — qui tombent sous les coups d'assassins « trempés dans l'acier » par amour de l'Homme. À ce *narratocrate* et à ses abstractions sentimentales, Grossman n'oppose pas d'autres hommes politiques plus pragmatiques, plus modérés, plus sages comme Stolypine ou, comme Trotsky, prétendument plus purs. Le nom qui vient à l'idée dans *Vie et Destin*, c'est celui d'un écrivain : Tchekhov. « La voie de Tchekhov, écrit Grossman, c'était la voie de la liberté. Nous avons emprunté une autre voie, comme a dit Lénine. Essayez donc de faire un peu le tour de tous les personnages tchekhoviens. Seul Balzac a su peut-être introduire dans la conscience collective une telle quantité de gens. Non, même pas. Réfléchissez un peu, des médecins, des ingénieurs, des avocats, des instituteurs, des professeurs, des propriétaires terriens, des industriels, des boutiquiers, des gouvernants, des laquais, des étudiants, des fonctionnaires de tous grades, des marchands de bestiaux, des entremetteuses, des sacristains, des évêques, des paysans, des ouvriers, des cordonniers, des modèles, des horticulteurs, des zoologistes, des aubergistes, des gardes-chasses, des prostituées, des pêcheurs, des officiers, des sous-officiers, des artistes-peintres, des cuisinières, des écrivains, des concierges, des religieuses, des soldats, des sages-femmes, des forçats de Sakhaline… »

Quand Lénine, ce *terrible simplificateur*, n'a d'yeux que pour l'antagonisme de l'Ancien et du Nouveau, respectivement incarnés par le propriétaire et le prolétaire, Tchekhov déjoue l'hypnose dualiste. Comme Proust ou Tolstoï selon Barthes, il bloque la dialectique, il va de la réduction à l'irréductible, il repeuple patiemment le monde schématisé par le grand récit moderne dans ses diverses variantes. « Et cela, écrit Grossman, s'appelle la démocratie. »

Chapitre III

Le don des larmes

« La Raison, écrit Hegel, ne peut s'éterniser auprès des blessures infligées aux individus. Car les buts particuliers se perdent dans le but universel. Dans la naissance et la mort, la Raison voit l'œuvre que produit le travail universel du genre humain. »

La Raison et l'Histoire, cela faisait deux pour les Anciens. Cela ne fait plus qu'un pour les Modernes. Alors que les Anciens voient d'abord dans l'histoire un cycle de déraison et de crimes, les Modernes, comme leur nom l'indique, pensent que l'Histoire a un sens, que ce sens conduit jusqu'à eux, et que la masse immense de besoins, de désirs, d'intérêts, d'opinions et de représentations individuelles constituent les moyens dont se sert la Raison pour établir son règne. Le mal lui-même n'est plus un scandale qui laisse sans voix et qui fait monter les larmes, c'est une étape indispensable dans le laborieux processus de parturition du genre humain. Ceux qui pleurent au spectacle des événements terribles passent, nous dit Hegel, à côté de la vraie pièce. Tourmentés par les dégâts du négatif, ils en ignorent le travail. Prisonniers du monde phénoménal, ils en restent à l'écume chaotique des choses. Là où il y a nécessité, ils s'émeuvent de la contingence ; et la marche de l'universel leur est dérobée par l'anarchie des catastrophes particulières. Captivés mais superficiels, ils sont donc un mauvais public car ils ne voient pas que la Raison se réalise dialectiquement par son contraire manifeste, et que les passions les plus apparemment dévastatrices portent en elles le destin des fins supérieures. En moderne conséquent, Hegel se fait fort de remplacer *l'agrégat* par le *processus* et l'effroi devant l'empilement désordonné des souffrances par la réconciliation admirative avec le grandiose tableau de l'humanité en devenir. Comme l'écrit, en un raccourci saisissant, Michel Foucault : « L'épreuve décisive pour les philosophes de l'Antiquité, c'était leur capacité à produire des Sages ; au Moyen Âge, à rationaliser le dogme ; à l'âge classique, à fonder la science ; à l'époque moderne, c'est leur aptitude à rendre raison des massacres. Les premiers aidaient l'homme à supporter sa propre mort, les derniers à accepter celle des autres. »

Écoutons maintenant Michelet : « J'avais une belle maladie qui assombrit ma jeunesse mais bien propre à l'historien. J'aimais la mort. J'avais vécu neuf ans à la porte du Père-Lachaise, alors ma seule promenade. Puis j'habitais vers la Bièvre, au milieu de grands jardins de couvents, autres sépulcres. Je menais une vie que le monde aurait pu dire enterrée, n'ayant de société que celle du passé et pour amis, les peuples ensevelis. En faisant leur légende, je réveillais en eux mille choses évanouies. Certains chants de nourrice dont j'avais le secret, étaient d'un effet sûr. À l'accent, ils croyaient que j'étais un des leurs. Le don que Saint Louis demanda et n'obtint pas, je l'eus : *le don des larmes.* »

Le don des larmes : cette expression humble et sublime nous vient de la tradition mystique du catholicisme. Dans cette tradition, pleurer était considéré comme une grâce. C'était même, souligne le philosophe Jean-Louis Chrétien, « un charisme de l'Esprit saint », un bienfait qui libère notre vie de son égoïsme. Et, selon le témoignage d'un chroniqueur du Moyen Âge cité par Michelet, « Saint Louis, à la fin de sa vie, se plaignait à son confesseur de ce que les larmes lui défaillent, et il lui disait débonnairement, humblement et privément, que quand l'on disait en la litanie ces mots : "Ô Sire Dieu, nous te prions que tu nous donnes fontaine de larmes", le saint roi disait dévotement : "Ô Sire Dieu, je n'ose requérir fontaine de larmes ainsi me suffirait petite goutte de larmes à arroser la sécheresse de mon cœur" ».

« Ce don que Saint Louis demanda et n'obtint pas, je l'eus », affirme crânement Michelet. Mais cette affirmation est bien plus qu'une coquetterie ou une vantardise romantique. Les larmes ne révèlent pas seulement une sensibilité hors du commun, elles sont, avant tout, un don de clairvoyance. Il y a indubitablement pour Michelet une *heuristique des pleurs.* « Qui ne pleure pas ne voit pas » dit Victor Hugo et Michelet précise en substance : qui ne pleure ne voit que les grands singuliers collectifs des Temps modernes, c'est-à-dire de l'époque du mouvement : l'Histoire, le Progrès, la Révolution. À penser cependant l'Humanité comme un sujet on oublie le fait ontologique de la pluralité humaine. À la percevoir comme un tout, on fait bon marché de la mort. Or la mort existe. Autrement dit, la Raison, qui refuse de s'attarder auprès des blessures infligées, gagne peut-être en compréhension, mais elle perd simultanément la notion de l'irréparable. En consolant de ce qui arrive aux hommes par ce que l'Homme accomplit, elle ne remplit pas son office : elle se veut extralucide, mais quelque chose d'essentiel lui échappe. Bref, la sécheresse de cœur n'est pas moins inexacte qu'immorale. Ce que découvre, en revanche, le don des larmes, Michelet l'écrit en conclusion de son récit de la mort de Louis d'Orléans (assassiné le mercredi 23 novembre 1407 par les Bourguignons) : « Chaque homme est une humanité, une histoire universelle... Et pourtant cet être, en qui tenait une généralité infinie, c'était en même temps un individu spécial, un être unique, irréparable, que rien ne remplacera. Rien de tel avant, rien après ; Dieu ne recommencera point. Il en viendra d'autres, sans doute ; le monde, qui ne se lasse pas, amènera à la vie d'autres personnes, meilleures peut-être, mais semblables, jamais, jamais... »

Dieu ne recommencera point. Cette petite phrase vertigineuse introduit la *mortalité* au cœur de la *modernité*. Nous sommes partie prenante d'une totalité qui engendre majestueusement les siècles, et cette totalité est brisée par chaque mort individuelle. Il y a Prométhée et il y a Orphée. Il y a le processus et il y a l'abîme ; il y a l'épopée de l'universel que relate la philosophie et il y a l'innombrable épitaphe du « rien de tel avant, rien après » qui nourrit la littérature. Modernes et mortels, nous sommes tiraillés entre *l'Histoire à la Hegel* et *l'Histoire à la Michelet.* Mais peut-être ce tiraillement lui-même est-il devenu impossible. Peut-être l'époque nous commande-t-elle de délaisser, une fois pour toutes, le philosophe qui assignait à la philosophie le mandat d'éliminer la contingence, pour celui qui, seul contre son siècle, nous dit Barthes dans *La Chambre claire*, conçut l'Histoire comme une *protestation d'amour*.

Nous sortons d'un siècle, en effet, où sous la double forme d'une cohérence implacable et d'une fiction haletante, la philosophie de l'Histoire s'est jetée sur l'histoire. Des logiciens forcenés soutenus par la certitude d'avoir raison et de jouer un rôle dans le scénario de l'émancipation humaine, ont traqué sans relâche les représentants de l'Ancien Monde. Le présent leur apparaissait comme le théâtre d'une lutte sans merci entre les vivants porteurs de l'universel et les survivants monstrueux du temps de l'exploitation de l'homme par l'homme. Imbus jusqu'à l'ivresse du Bien à venir, ils ont accéléré sans état d'âme la disparition des classes agonisantes. La Raison guidait leurs pas et, pire que tout, *cette Raison pleurait.* Ces officiants s'endurcissaient contre la violence qu'ils infligeaient en la dédiant aux damnés de la terre. Tel Robespierre accusant ceux qui rechignaient à faire usage de la guillotine d'être « tendres pour les oppresseurs » parce qu'ils étaient « sans entrailles pour les opprimés », ils se sont montrés impitoyables à force de « zèle compatissant » et inhumains au nom des droits de l'humanité souffrante. L'accès à la singularité que ménage le don des larmes, leur était barré par les sanglots qu'ils versaient sur des archétypes. Cruauté idéologique, idéologie lacrymale ; horreur noire, bibliothèque rose : c'est en fuyant philosophiquement le tragique dans le gigantesque mélodrame de l'histoire avec un grand H qu'ils sont devenus des assassins et qu'ils ont déchaîné un désastre sans pareil.

Ce désastre ébranle (ou devrait ébranler) la foi moderne dans l'accomplissement progressif de l'identité du réel et de l'idéal, c'est-à-dire d'un monde où le Bien s'inscrirait définitivement dans l'être. « Là où se lève l'aube du Bien, des enfants et des vieillards périssent, le sang coule », dit Ikonnikov, ce personnage secondaire et essentiel de *Vie et Destin* qui a vu en action dans son pays « la force implacable de l'idée de bien social ». Mais cet ébranlement ne le mène pas au nihilisme. Car à côté de ce grand Bien si terrible et des grands récits qui le prennent en charge, il existe, hors idéologie, hors progrès, hors histoire, la flamme éternelle, intermittente, chétive mais vivace jusque dans la nuit du monde de la *petite bonté* : « C'est la bonté d'une vieille, qui, sur le bord de la route donne un morceau de pain à un bagnard qui passe, c'est la bonté d'un soldat qui tend sa gourde à un ennemi blessé, la bonté de la jeunesse qui a pitié de la vieillesse, la bonté d'un paysan qui cache sous sa grange un vieillard juif. C'est la bonté de ces gardiens de prison, qui risquant leur propre liberté, transmettent des lettres des détenus adressées aux femmes et aux mères. » Bonté, le mot même que fait surgir, dans *La Chambre claire*, la photographie du Jardin d'Hiver : « Sur cette image de petite fille, je voyais la bonté qui avait formé son être tout de suite et pour toujours sans qu'elle la tînt de personne. »

Bonté et non niaiserie. Il n'y a rien d'éthéré dans l'enseignement d'Ikonnikov. Ce qui se révèle à lui et qu'il oppose, toute espérance bue, à la tentation du nihilisme, ce n'est pas le sourire des anges. C'est, pour le dire avec les mots d'Emmanuel Lévinas, « l'incompatibilité foncière du spirituel et de l'idyllique. »

Chapitre IV

La bataille des grands récits

Mais le Moderne n'a pas dit son dernier mot.

En janvier 1977, l'année même où Barthes observe, déconcerté, que le devoir d'être moderne a cessé de lui mener la vie dure en préemptant ses goûts, deux cent quarante et un intellectuels tchèques diffusent une pétition adressée au pouvoir communiste de l'époque pour l'inviter à respecter les engagements internationaux auxquels il avait souscrit, notamment en matière de droits de l'homme. Deux ans auparavant, en effet, la Tchécoslovaquie avait signé avec tous les pays du bloc de l'Est les accords d'Helsinki créant la Conférence pour la sécurité et la coopération en Europe (CSCE). L'acte final d'Helsinki stipulait que les États participants devaient encourager « l'exercice effectif des libertés et droits civils, politiques, économiques, sociaux, culturels et autres qui découlent tous de la dignité inhérente à la personne humaine et qui sont essentiels à son épanouissement libre et intégral. » Le même article précisait, enfin, que « les États participants reconnaissent et respectent la liberté de l'individu de professer et pratiquer, seul ou en commun, les religions ou une conviction en agissant selon les impératifs de sa propre conscience. »

L'initiative suscite aussitôt la vindicte des Autorités. *Rude Pravo*, l'organe du Parti, se déchaîne : « Un groupe de personnes provenant de la bourgeoisie tchécoslovaque réactionnaire déchue ainsi que les organisateurs avilis de la contre-révolution de 1968, à la demande des centrales anticommunistes et sionistes, ont remis à certaines agences de presse occidentales un pamphlet intitulé Charte 77. Ce pamphlet démagogique, antisocialiste et antipopulaire, calomnie vulgairement et de façon mensongère la République tchécoslovaque et les acquis révolutionnaires de notre peuple. Les auteurs de ce pamphlet accusent notre société de ne pas régir la vie selon ses opinions bourgeoises et élitistes ». Et l'éditorialiste conclut que ceux qui défendent ainsi « les positions de classe de la bourgeoisie réactionnaire vaincue » sont eux-mêmes un « amas de cadavres politiques et de ruines humaines. » La répression renchérit sur l'injure. Le philosophe Jan Patocka, porte-parole de la Charte 77, meurt entre les mains de la police après neuf heures d'interrogatoire. Le jour de son enterrement, le gouvernement ordonne aux fleuristes de fermer boutique et, tout au long de la cérémonie, les hélicoptères de la police tournoient au-dessus du cimetière pour couvrir les voix de ceux qui rendent un ultime hommage au philosophe disparu.

La même année, la biennale de Venise est dédiée aux signataires de la Charte 77 et à tous ceux que l'on appelle désormais les *dissidents*. Jean Daniel, directeur du *Nouvel Observateur*, y fait cette déclaration remarquable : « Nous autres, intellectuels européens et français, avons mis longtemps, trop longtemps, à comprendre ce qui se passait réellement, dans les pays qui, scandaleusement, usurpent le noble vocable de socialisme. » Le rideau de fer, il est vrai, n'était plus étanche. L'information circulait. On ne pouvait pas dire qu'on ne savait pas. Mais, reconnaît en substance Jean Daniel, un mécanisme de refoulement était en place qui censurait toutes les réalités pouvant faire le jeu de la réaction. Sous l'impact de la dissidence, la digue a fini par céder. Et Jean Daniel termine son intervention par ce serment solennel : « Notre solidarité à l'égard des dissidents, notre attention non seulement à leur sort mais à leur message, ne peut pas nous conduire à des seules attitudes humanitaires. Elle doit nous contraindre à avancer sur la voie d'une révision théorique qui est le charisme, la mystique, et l'ascendant des grandes révolutions dont les peuples de la terre se sont inspirés. »

Cet engagement a-t-il été tenu ? Une chose est sûre, en tout cas : 1977 est un tournant. À partir de cette date, la mise en ordre marxiste du train du monde n'est plus seulement frappée de discrédit par un grand nombre d'intellectuels occidentaux, elle est aussi et surtout frappée d'obsolescence. Une autre épopée prend la relève. Un autre « grand récit » (l'expression est de Jean-François Lyotard) exerce son ascendant : celui que fait Tocqueville dans *De la démocratie en Amérique*, un livre mal vu et même mis à l'index tant que la nouveauté s'identifiait avec le communisme. Pour le dire autrement, au moment précis où Barthes laisse tomber l'impératif de modernité, ce qu'il croyait être moderne tombe dans la trappe du passé et un nouveau progressisme met en forme le devenir universel. Le moteur de l'histoire, ce n'est plus la lutte des classes, c'est ce que Tocqueville, admiratif et tremblant, appelle le « développement graduel de l'égalité des conditions ». L'égalité des conditions, c'est le fait de voir l'homme semblable à l'homme sous la diversité des statuts et des positions. Ce fait est plus profond que l'égalité religieuse devant un seul et même Dieu, que l'égalité juridique devant la loi, et que l'égalité politique des citoyens. Rien, en effet, ne lui résiste : « Il n'obtient pas moins d'empire sur la société civile que sur le gouvernement : il crée des opinions, fait naître des sentiments, suggère des usages et modifie tout ce qu'il ne produit pas. » Ce fait n'est pas, comme la prise de la Bastille, un événement, et il ne laisse indemne aucun secteur de l'existence, aucune institution, aucune hiérarchie, aucun comportement — pas même les rapports du serviteur et du maître. Certes, « on n'a point encore vu de société où les conditions fussent si égales qu'il ne s'y rencontrât point de riches ni de pauvres et, par conséquent de maîtres et de serviteurs. La démocratie n'empêche point que ces deux classes d'hommes n'existent. » Mais, dit Tocqueville, sans avoir l'air d'y toucher, elle change radicalement la donne. Si la dissymétrie demeure, sa signification n'est plus du tout la même. Là où règne l'inégalité permanente des conditions, « le serviteur occupe une position subordonnée dont il ne peut sortir. Près de lui se trouve un autre homme, qui tient un rang supérieur qu'il ne peut perdre. D'un côté, l'obscurité, la pauvreté, l'obéissance à perpétuité. De l'autre, la gloire, la richesse, le commandement à perpétuité. » Bref il y a deux classes qui se côtoient bien sûr, mais qui forment deux mondes distincts. Quand le principe hiérarchique domine les mœurs, l'appartenance est une définition : chacun tire son être de son rang. La démocratie n'abolit pas les hiérarchies, elle les fait flotter, elle les découple, en quelque sorte, de l'ordre du monde. Les membres des classes supérieures ne peuvent plus se prévaloir de leur naissance pour justifier leur prééminence. Ce qui relevait de la nature relève maintenant de la convention. Ce qui se donnait pour nécessaire comporte une part d'arbitraire. Ce qui est pourrait être autrement. L'idée du semblable ne se laisse pas impressionner par la hauteur. Il y a du *jeu* désormais entre les individus et la position qu'ils occupent. La contingence règne là où prévalait le sentiment de l'incontestable. « Les serviteurs ne sont pas seulement égaux entre eux ; on peut dire qu'ils sont, en quelque sorte, les égaux de leurs maîtres. »

Ce paradoxe demande à être expliqué. Alors Tocqueville précise et enfonce le clou : « À chaque instant, le serviteur peut devenir maître et aspire à le devenir ; le serviteur n'est donc pas un autre homme que le maître. Pourquoi donc le premier a-t-il le droit de commander et qu'est-ce qui force le second à obéir ? L'accord momentané et libre de leurs deux volontés. Naturellement ils ne sont point inférieurs l'un à l'autre ; ils ne le deviennent momentanément que par l'effet du contrat. Dans les limites de ce contrat, l'un est le serviteur et l'autre le maître ; en dehors, ce sont deux citoyens, deux hommes. » Et voici le point d'orgue de la description : « En vain la richesse et la pauvreté, le commandement et l'obéissance mettent accidentellement de grandes distances entre deux hommes, l'opinion publique, qui se fonde sur l'ordre ordinaire des choses, les rapproche du commun niveau et crée entre eux une sorte d'égalité imaginaire en dépit de l'inégalité réelle de leur condition. »

Alexis de Tocqueville n'est pas naïf ; il n'est pas non plus roublard. On ne peut l'accuser d'être dupe des apparences ou de vouloir donner aux privilèges l'onction du nouvel esprit du temps. La particule n'est pour rien dans sa démonstration. En aucune façon, l'aristocrate qu'il est ne s'emploie à jeter la poudre aux yeux du « tous pareils » sur la situation violemment contrastée des hommes réels. Réel est même le mot qu'il utilise pour désigner l'écart persistant entre les nantis et la plèbe ; c'est pourquoi il appelle *imaginaire* l'égalité qui traverse les classes. Mais dans le lexique de Tocqueville — et c'est toute la force de sa démarche —*imaginaire* ne veut pas dire *illusoire* ou *fictive*. L'imagination dont il crédite l'opinion démocratique n'est pas folle, mais révélante. Elle ne s'absorbe pas dans les images, elle brise les idoles. Elle ne fabule pas, elle déconstruit. Loin de fuir par le fantasme la monotonie des jours ou de projeter sur un quotidien qui n'en peut mais ses préjugés et ses chimères, elle refuse de prendre la matérialité pour argent comptant et de laisser les disjonctions de fait se prolonger en hétérogénéité de nature. Dans l'autre homme, aussi lointain soit-il, géographiquement ou socialement, cette *perspicace du logis* sait voir l'homme, c'est-à-dire l'invisible et pas seulement le spectacle de l'altérité. Une telle puissance d'abstraction a des retombées très concrètes. Née du rapprochement des classes, l'imagination *sans frontières* démonte en retour les anciennes cloisons et, des relations professionnelles aux rapports privés, bouleverse, en dépit des oppositions et des résistances, tous les aspects de la vie. Un siècle et demi après Tocqueville, nous voyons le résultat : la fracture *économique* ne s'est pas résorbée, les écarts de revenus entre dirigeants et employés sont même vertigineux, mais, comme le dit Renaud Camus, il faut être sourd, aveugle et amnésique pour croire qu'il y a encore une fracture *sociale*. Les barrières ont cédé : l'indifférenciation règne. Du bas en haut de l'échelle, des marges à la *jet set*, le même homme démocratique, soucieux d'être authentiquement ce qu'il est par-delà le rôle, le rang ou le moment, déchire le voile des convenances et s'exprime avec la même décontraction, dans le même idiome relâché. Tout en restant divisée, la société s'homogénéise et la pensée critique qui s'entête à opposer les droits formels aux droits réels passe à côté de l'essentiel, c'est-à-dire de la pression qu'exerce continûment la cravache de l'imagination démocratique sur la réalité effective. En d'autres termes, le processus moderne de libération des individus n'est pas immobilisé ou empêché par le système de représentations que l'opinion publique superpose à la hiérarchie sociale. Au contraire, disent maintenant les lecteurs de Tocqueville échaudés par l'expérience totalitaire, c'est ainsi que ce projet s'accomplit *hic* : sous nos yeux, là où nous vivons — *et nunc* : jour après jour. Et ces enthousiastes du monde comme il va ou plutôt comme il fonce, voient, avec jubilation, la dynamique de la démocratie déboucher sur un nivellement général. Il n'y a plus même de différence entre les différences qui échappent encore à l'unification : tout devient progressivement égal pour qu'il soit bien clair que tous les hommes sont égaux.

1977. Tout d'un coup, il est devenu moderne d'épouser le mouvement démocratique vers l'équivalence généralisée des « pratiques culturelles ».

Chapitre V

La consommation du monde

Les Modernes naguère exaltaient les masses et dénigraient la culture de masse. Ils réagissaient par la radicalité critique au double phénomène de l'entrée du plus grand nombre dans l'univers des loisirs et de l'apparition des grands médias audiovisuels. Moderne était le discours qui rappelait la dure réalité de la division sociale et qui laissait entendre le grondement de la bataille à un public plongé dans l'hypnose du divertissement planétaire. Moderne était Barthes dénonçant, mois après mois, entre 1954 et 1956, les *mythologies* de la vie quotidienne française. Le départ de cette réflexion était le plus souvent « un sentiment d'impatience devant "le naturel" dont la presse, l'art, le sens commun affublent sans cesse une réalité qui pour être celle dans laquelle nous vivons, n'en est pas moins parfaitement historique. » Historique, c'est-à-dire ni éternelle ni absolue, ni universelle ni indiscutable, ni sacrée ni fatale, mais, tout au contraire, contingente, passagère, friable, sujette à caution et à transformation. Au grand déferlement de l'industrie culturelle, Barthes reprochait de figer les choses. Avec la majorité des chercheurs en sciences sociales, il jugeait la culture de masse anti-moderne dans son principe même puisqu'elle avait pour motif essentiel la dénégation du temps. Dans ses fictions mais aussi dans ses reportages, le sémiologue avisé voyait disparaître l'histoire comme par enchantement. La télévision, la radio, le cinéma, la presse regorgeaient certes de péripéties palpitantes, mais aucune d'entre elles ne troublait la sérénité des essences. Elles la renforçaient à l'inverse par le moyen de la *vaccine*. Barthes nommait ainsi dans les *Mythologies* l'opération narrative qui consiste à reconnaître les défauts accessoires d'une institution de classe pour mieux en masquer le caractère foncièrement pernicieux. Par cette petite inoculation critique, on défend le système contre le risque d'une subversion généralisée. Exemple de vaccine : *Sur les quais*, le film d'Elia Kazan. C'est l'histoire d'un beau docker indolent et fruste (joué par Marlon Brando) dont la conscience s'éveille peu à peu grâce à l'amour et à un curé de choc : « Comme cet éveil coïncide avec l'élimination d'un syndicat frauduleux et abusif et semble engager les dockers à résister à quelques-uns de leurs exploiteurs, certains se sont demandé si l'on n'avait pas affaire à un film courageux, à un film de "gauche", destiné à montrer au public américain le problème ouvrier. » Mauvaise lecture, affirme Barthes, car ce désaveu de l'ordre est, en fait, au service de l'ordre : « On dérive sur un petit groupe de gangsters la fonction d'exploitation du grand patronat, et par ce petit mal confessé, fixé comme une légère et disgracieuse pustule, on détourne du mal réel, on évite de le nommer, on l'exorcise. » La morale de cette fable qui fortifie le système par le spectacle même de ses turpitudes ou de ses abus, c'est que tout est pour le mieux dans le meilleur des mondes *possibles.* Par la vaccine et par quelques autres figures dont Barthes dresse le catalogue à la fin de *Mythologies*, l'idée de changement est subrepticement évacuée des consciences : « Comme la seiche jette son encre pour se protéger », l'idéologie bourgeoise « n'a de cesse d'aveugler la fabrication perpétuelle du monde, de le fixer en objet de possession infinie, d'inventorier son avoir, de l'embaumer, d'injecter dans le réel quelque essence purifiante qui arrêtera sa transformation, sa fuite vers d'autres formes d'existence. » En restituant à sa vérité temporelle cette éternité mensongère, il s'agissait pour Barthes, penseur moderne, c'est-à-dire critique, de *défataliser* le monde et d'aider ainsi l'histoire à poursuivre sa marche en avant.

Jusqu'au jour où l'*avant* s'est confondu avec l'*affreux* de la dictature totalitaire. Alors le dénigrement de la culture de masse a cessé d'aller de soi, la passion révolutionnaire s'est retournée contre ses titulaires officiels, la posture accusatrice de la radicalité a été elle-même accusée de déguiser en critique intransigeante de l'*aliénation* la haine aristocratique de l'égalité et l'hostilité au mouvement moderne vers la reconnaissance de l'homme par l'homme. Voici, par exemple, ce qu'écrit Claude Lefort, l'un des penseurs français à qui l'on doit la réorganisation de la philosophie politique autour de l'opposition de la démocratie et du totalitarisme : « Instruire le procès de la culture de masse ou de l'individualisme sans comprendre que ces phénomènes sont eux-mêmes irréversibles sans tenter de discerner quelle est la contrepartie de leur vice, décider par exemple que la diffusion de l'information, la découverte de pays étrangers, la curiosité pour les spectacles, pour les œuvres autrefois réservées au petit nombre, le considérable élargissement de l'espace public n'ont d'autres conséquences que de faire apparaître au grand jour la bêtise de l'homme moderne, c'est faire preuve d'une arrogance qui n'est pas elle-même exempte de bêtise. »

Les contempteurs de la culture de masse prétendent défendre les promesses démocratiques de l'histoire ; en réalité, affirme Lefort, ils sont tellement occupés à mesurer la distance qui les sépare du commun des mortels qu'ils ne voient pas la démocratie à l'œuvre. La critique de la bêtise est ici renversée en bêtise de l'élitisme : là où l'avant-garde voyait les ravages de l'aliénation, c'est le travail de taupe de la révolution démocratique qui s'impose au regard. C'est ainsi qu'au discrédit de la société de consommation, a succédé, chez les éclaireurs du public éclairé, la stigmatisation de ses adversaires. Impitoyablement *ringardisés*, ceux-ci se voient condamnés par des sociologues toujours plus pugnaces au nom même des valeurs d'égalité, de liberté et de laïcité dont ils se réclament. L'industrie culturelle, dit ce réquisitoire, n'est pas une machine à décerveler. Elle ne conditionne pas les hommes, elle ne paralyse pas leur faculté critique, elle ne les décourage pas d'agir pour changer le monde, elle ne dépouille pas de toute autonomie. En les affranchissant, au contraire, de ce qui restait dans leurs manières d'être de préjugés indiscutés, d'admirations protocolaires, d'obéissance aux traditions, de respect des hiérarchies et d'hétéronomie sous toutes ses formes, c'est elle qui change le monde. La culture de masse n'en a pas à l'individu mais aux Puissances qui le contraignent et qui l'entravent.

Dans un livre qui a fait date, *Le Culte de la performance*, le sociologue Alain Ehrenberg entend ainsi montrer que loin de s'abrutir, de se *vider la tête*, le spectateur d'un match de football, d'une course cycliste ou d'un meeting d'athlétisme voit « comment le premier venu devient quelqu'un ou reste dans l'anonymat en fonction de ses capacités personnelles. » Tout repose sur l'affrontement ici et maintenant, rien sur les positions acquises. Nulle mystification donc. En substituant le mérite à la naissance (« Il n'y a ni héritier ni rentier sur les stades »), c'est la démocratie elle-même que le sport met en scène, c'est le principe démocratique qu'il fait jouer et qu'il offre au regard, ce sont les valeurs de l'égalité qu'il popularise et qu'il enracine, en douceur, par le biais du spectacle, chez ceux qui les ignorent encore ou qui leur sont réfractaires.

Un autre sociologue, Gilles Lipovetsky, ratifie avec la même délectation paradoxale le triomphe de la publicité dans un livre intitulé *L'Empire de l'éphémère*. « La pub sort ses griffes », constate-t-il, mais il n'y a pas à s'alarmer car elle fonctionne à la *séduction* et non à la manipulation, à la coercition, au contrôle totalitaire des consciences. Aguiché dès son entrée dans la vie, étourdi de marchandises, racolé par la multitude des images gourmandes avant même qu'il n'ait l'usage de la parole, l'individu contemporain est tout de suite mis en situation de choisir ce qui lui plaît au lieu, comme les malheureuses générations précédentes, d'exécuter servilement des ordres venus d'en haut. Rien n'est plus obligatoire, tout devient optionnel. Systématiquement et dans chaque secteur de l'activité humaine, les formules à la carte remplacent l'imposition disciplinaire. Le consommateur n'est donc pas l'homme aliéné, conditionné, ou selon la formule d'Herbert Marcuse « unidimensionnel » ; c'est un centre décisionnel permanent, un sujet ouvert et mobile ne se déterminant plus en fonction d'une légitimité collective antérieure, mais seulement en fonction des mouvements de sa raison et de son cœur. S'il est vrai que la publicité a pour principal objectif de régler la disparition accélérée des produits en indexant leur valeur d'usage sur leur valeur-mode, s'il est indiscutable, comme le disent depuis longtemps ses détracteurs, que la société de consommation consacre un budget toujours plus important à organiser le suicide perpétuel du parc des objets qu'elle fabrique, il ne faut pas, répond le sociologue, déplorer mais célébrer ce gaspillage et cette obsolescence généralisée même et surtout lorsqu'ils touchent la sphère intellectuelle : « Les techniques promotionnelles ne détruisent pas l'espace de la discussion et de la critique, elles mettent en circulation les autorités intellectuelles, elles démultiplient les références, les noms et les célébrités, elles brouillent les repères en rendant équivalents le toc et le chef-d'œuvre, en égalisant le superficiel et le sérieux. Alors même qu'elles ne cessent de porter aux nues des ouvrages de deuxième zone, elles minent l'ancienne hiérarchie aristocratique des œuvres intellectuelles, elles placent sur le même plan les valeurs universitaires et les valeurs médiatiques. Mille penseurs, dix mille œuvres contemporaines incontournables : on peut certes sourire, reste que par là est enclenché un processus systématique de *désacralisation* et de *rotation* accéléré des œuvres et des auteurs. » Grâces en soit rendues au tourbillon publicitaire : au lieu de s'imposer aux hommes de l'extérieur, sous la forme d'une autorité transcendante, la culture devient, comme le reste, objet de consommation et ses œuvres, dépouillées de leur aura intimidante, sont offertes à la libre appréciation de chacun. « En ce sens, conclut Lipovetsky, le marketing de la pensée accomplit un travail démocratique ; même s'il consacre régulièrement des starlettes de kermesse, il dissout en même temps les figures absolues du savoir et les attitudes de révérence immuables au bénéfice d'un espace d'interrogation à coup sûr plus confus mais plus large, plus mobile, moins orthodoxe. »

À moderne, moderne et demi. Les archéo-Modernes déclarent que la société de consommation retire à l'individu la libre disposition de lui-même, qu'elle lui interdit de s'inventer, qu'elle bloque, par ses représentations, ses images, ses mirages, ses sortilèges, la dynamique égalitaire de l'histoire. Les néo-Modernes s'enthousiasment pour ses vertus laïques et lui savent gré de poursuivre, sous les quolibets, la grande trajectoire profanatrice de la sécularisation et de la démocratisation.

Mais ni les uns ni les autres ne sont à l'écoute du vocabulaire qu'ils emploient. Il revient à Hannah Arendt d'avoir pris le mot au mot et d'avoir su percevoir la consommation comme une activité culinaire. Consommer, c'est ingurgiter. Nous tendons à devenir des omnivores, des bouffe-tout, des mangeurs de monde, écrit, en substance,

Hannah Arendt, dans son maître-livre, *La Condition de l'homme moderne.* Saisis d'une goinfrerie universelle, nous avalons, pour ainsi dire, « nos maisons, nos meubles, nos voitures, comme s'il s'agissait des *bonnes choses* de la nature qui se gâtent sans profit à moins d'entrer dans le cycle incessant du métabolisme humain. » En nous bombardant d'artifices et en nous inculquant de faux besoins, la consommation nous éloigne toujours davantage de la vie naturelle. Mais l'essentiel n'est pas là, selon Hannah Arendt. L'essentiel, et le plus inquiétant, est la « croissance non naturelle du naturel », la restitution de toutes les réalités du monde au processus vital. Ce qui avait autrefois une consistance propre, une stabilité, une indépendance, apparaît maintenant comme le corrélat d'un appétit aussi impérieux qu'éphémère. Aucun objet n'échappe à cette boulimie, pas même les œuvres d'art. Le but de la culture de masse, en effet, n'est ni de diffuser la culture dans les masses, ni de libérer les masses du fétichisme de la Grande Culture, ni de leur faire oublier la vérité de leur condition. Il s'agit bien plus trivialement de faire du *reader's digest*, c'est-à-dire de rendre comestibles les productions de l'esprit : « La culture de masse apparaît quand la société de masse se saisit des objets culturels, et son danger est que le processus vital de la société (qui, comme tout processus vital, attire insatiablement tout ce qui est accessible dans le cycle de son métabolisme) consomme littéralement les objets culturels, les engloutisse et les détruise. Je ne fais pas allusion, bien sûr, à la diffusion de masse. Quand livres ou reproductions sont jetés sur le marché à bas prix, et sont vendus en nombre considérable, cela n'atteint pas la nature des objets en question. Mais leur nature est atteinte quand les objets eux-mêmes sont modifiés — réécrits, condensés, digérés, réduits à l'état de pacotille par la reproduction ou la mise en image. »

Comme les théoriciens de l'aliénation, Hannah Arendt s'inquiète de la culture de masse. Mais ce qu'elle critique, ce n'est pas l'assujettissement de la vie aux normes bourgeoises, c'est la constitution du monde en proie pour la vie. Comme les tenants de la révolution démocratique, elle se méfie de la condescendance et fustige les impostures de la distinction : « La vérité est que nous nous trouvons tous engagés dans le besoin de loisirs et de divertissements sous une forme ou sous une autre, parce que nous sommes tous assujettis au grand cycle de la vie ; et c'est pure hypocrisie ou snobisme social que de nier pour nous le pouvoir d'amusement des choses, exactement les mêmes, qui font le divertissement et le loisir de nos compagnons humains. » Mais ce que craint Hannah Arendt, c'est que *les* loisirs en viennent à régner sans partage sur la sphère *du* loisir. Cette crainte totalement étrangère aux tocquevilliens d'aujourd'hui était pourtant déjà présente dans *De la démocratie en Amérique.* Tocqueville voyait avec angoisse la passion du bien-être s'emparer de l'homme moderne jusqu'à lui faire oublier l'existence des autres aspirations humaines. Le processus démocratique est en marche, disait-il, mais vers quoi ? « Je vois clairement dans l'égalité deux tendances, l'une qui porte l'esprit de chaque homme vers des pensées nouvelles et l'autre qui le réduirait volontiers à ne plus penser. » Il n'y a plus de place pour la pensée, en effet, dans des esprits universellement occupés par « le soin de satisfaire les moindres besoins du corps et de pourvoir aux petites commodités de la vie. » Bref le mouvement démocratique qui emporte les hommes n'est pas nécessairement un mouvement vers le mieux. Il pourrait même, au contraire, « s'établir dans le monde une sorte de matérialisme honnête qui ne corromprait pas les âmes mais qui les amollirait et finirait par détendre sans bruit tous leurs ressorts. »

C'est le retentissement de la dissidence dans les pays de l'autre Europe qui a inspiré ou orienté, on l'a vu, la relecture enthousiaste et univoque de Tocqueville. Or, à y regarder de près, la même inquiétude, la même critique s'exprime chez Tocqueville, chez Arendt, et sous la plume des dissidents les plus incontestables. Dans le *Pouvoir des sans-pouvoir*, un texte fondateur écrit en 1978, Vaclav Havel met en garde ses lecteurs potentiels contre la tentation d'opposer le monde libre et le bloc soviétique comme deux entités non seulement antagonistes mais incomparables. Son pays est alors sous la botte, mais ce n'est plus la botte stalinienne. La dictature classique avec son climat de violence, d'héroïsme, d'esprit de sacrifice et d'enthousiasme révolutionnaire a disparu depuis longtemps. Le bloc soviétique « n'est plus de longue date une enclave isolée du reste du monde civilisé, développé et insensible au processus qui s'y déroule. Il en fait au contraire partie intégrante, il partage et contribue à construire son destin global. » Et ce destin n'est pas rassurant. Affirmant avec force que « le système post-totalitaire s'est développé sur le terrain de la rencontre historique de la dictature avec la société de consommation », Havel établit un rapport entre l'adaptation générale de la vie dans le mensonge et sa « capacité à renoncer à tout sens supérieur face aux appâts superficiels de la société moderne. » Et il pose cette question sacrilège : « La grisaille et le vide de la vie dans le système post-totalitaire ne sont-ils pas finalement l'image caricaturale de la vie moderne en général ? »

Ce qui fait le vide et la grisaille de la vie, dit ici un intellectuel persécuté, ce n'est pas seulement le harcèlement du Pouvoir, sa censure, sa surveillance, son idéologie étouffante et ses violations des droits de l'homme, c'est la vie, la vie tout court, la vie comme seul horizon de la vie, la vie cyclique, la vie affairée des hommes « qui tournent sans repos sur eux-mêmes pour se procurer de petits et vulgaires plaisirs dont ils emplissent leur âme » comme dit Tocqueville à la fin de son grand ouvrage.

Cette vie peut bien être luxueuse, elle n'est pas pleinement humaine. Car l'humain dans la vie se signale précisément par l'*interruption* du processus vital : « Afin qu'il y eût un commencement, fut créé l'homme avant qui nul autre n'était. » (*Initium ut esset, creatus est homo ante quem nemo fuit.*) répète Hannah Arendt après saint Augustin. Mais pour que le commencement soit, il ne suffit pas qu'il y ait des hommes, encore faut-il qu'il y ait un monde humain. Tout au long de son œuvre, Hannah Arendt ne cesse d'insister sur le lien entre *création* du nouveau et *conservation* du monde. Et l'école moderne, en tant qu'elle forme à l'autonomie, lui apparaît comme le sanctuaire de cette fragile conjonction. « C'est justement pour préserver ce qui est neuf et révolutionnaire dans chaque enfant que l'école doit être conservatrice. » On n'accède pas à l'émancipation en suivant simplement la *flèche* du temps, mais en faisant un *détour* par les signes d'humanité déposés dans les œuvres de culture. À l'école de Cicéron, on n'apprend pas à être Cicéron mais à être soi-même, disaient déjà les maîtres de la Renaissance. Et cela vaut pour chaque enfant, ajoute Arendt. La société moderne ayant placé l'égalité des hommes au principe du vivre-ensemble, nul nouveau venu sur la terre ne doit être *exclu du passé.* Nous sommes tous des héritiers en puissance. Qu'il adhère au mouvement moderne ou qu'il assigne au mouvement la mission de renverser le monde comme il va, l'homme absolument et intégralement moderne néglige au profit de la *table rase* d'un passé inégalitaire, l'aspiration démocratique, c'est-à-dire éminemment moderne, à faire *table ouverte.* En proie au vertige du dépassement ininterrompu, il oublie la promesse universelle d'héritage. Il regarde résolument devant lui, l'avenir l'aspire, comme si la tradition avait un seul visage : celui, compassé, du traditionalisme, et que l'essentiel ne pouvait pas mourir. Or *l'essentiel est mortel*, rien ne nous garantit contre son dépérissement. La table que l'on voulait ouverte à tous peut se vider pour tous ou, du moins, n'offrir bientôt à tous que les plaisirs fugaces de produits commerciaux, c'est-à-dire alimentaires. Et la langue, cette tradition constituante, cette médiation primordiale, est déjà la première victime de la réduction de la vie à l'entretien ou au déchaînement du processus vital. Il faut à l'expression des sentiments comme à l'attention pour les êtres ou pour les choses, l'antériorité d'une langue. Mais la voracité est sans phrase. Ou presque : elle n'a besoin pour se satisfaire ni d'un vocabulaire précis ni d'une syntaxe élaborée. Elle veut aller droit au but. Les formes l'impatientent, les moindres délais l'exaspèrent. Ce qui fait, dit mélancoliquement le dernier Barthes, dans son dernier cours au Collège de France, qu'« un écrivain, raisonnablement, s'il réfléchit un peu, doit penser sa vie posthume non en termes de contenu ou d'esthétique (car ceux-ci peuvent être repris, en spirale, par des modes ultérieures), mais en terme de langue. Si Racine passe un jour (c'est déjà plus ou moins fait), ce n'est pas parce que sa description de la passion est ou sera périmée, mais parce que sa langue sera aussi morte que le latin de l'Église conciliaire. Prudence et intelligence de Flaubert (1872, cinquante et un ans) : "Car j'écris non pour le lecteur d'aujourd'hui mais pour tous les lecteurs qui pourront se présenter *tant que la langue vivra*" ».

La résolution d'être moderne est également partagée aujourd'hui par les champions de la société contemporaine et par ses détracteurs les plus radicaux. La bataille des Modernes et des Modernes fait rage. Elle redouble même d'intensité depuis la chute du communisme. Débarrassé de ce repoussoir, allégé de toute référence effective, le progressisme sartrien a repris du poil de la bête. Mais il y a, chez ces mouvementistes antagonistes, une même infidélité à tout ce qui dans la promesse moderne ne se laisse pas enfermer dans la volonté d'être moderne.

Chapitre VI

Le divorce de la promesse et du progrès

Le mot de *moderne* abrite donc deux attentes distinctes. Il faut maintenant interroger cette dualité. Je partirai pour ce faire de Péguy, car, plus qu'aucun autre auteur avant ou après lui, il fut à la fois rigoureusement moderne et éperdument anti-moderne.

C'est la prise au sérieux de l'idée moderne d'égalité qui détermine l'entrée de Péguy en politique et en littérature. À quoi s'engage-t-on quand on voit son semblable non plus seulement dans un membre de sa caste, mais dans l'être humain comme tel ? À ostraciser l'ostracisme. « Nous n'admettons pas qu'il y ait des hommes qui soient repoussés d'aucune cité, écrit solennellement le jeune Péguy, nous n'admettons pas que l'on ferme la porte au nez à personne. » Ce « nous » est moderne et même ultramoderne dans la mesure où il ne se contente pas de faire allégeance à l'évidence centrale qu'imprime la société démocratique dans la sensibilité de ses membres — nul homme n'est par nature autre que l'homme ou moins que l'homme —, il pose comme scandale suprême l'exil de certains hommes hors du monde humain. Et les hommes, en tant qu'ils sont des hommes justement, ne coïncident pas complètement avec leur moi vivant, ils sont toujours plus vieux qu'eux-mêmes. Aussi est-ce trahir la promesse moderne que de fermer la porte de la cité au nez des morts : « Les anciennes croyances, les anciennes religions, les anciennes vies, les anciennes cultures, les anciennes philosophies ont donné des sentiments en héritage aux citoyens de la cité harmonieuse. Ainsi tous les fidèles de toutes les anciennes croyances, tous les fidèles et tous les saints de toutes les anciennes religions, tous les hommes de toutes les anciennes vies, tous les civilisés de toutes les anciennes cultures, tous les sages et tous les saints de toutes les anciennes philosophies, tous les hommes de toutes les anciennes vies, les Hellènes et les Barbares, les Juifs et les Ariens, les Bouddhistes et les Chrétiens sont devenus sans se dépayser les citoyens de la cité harmonieuse. »

La nouveauté moderne exerce alors sur Péguy un attrait si puissant qu'il choisit spontanément dès sa première œuvre — *Marcel ou la Cité harmonieuse* — la forme de l'utopie. Mais ce qui caractérise le Nouveau dont Péguy s'éprend et dont il explore les possibilités ultimes, ce n'est pas l'effacement des traces de l'Ancien, c'est leur pluralité présente ; ce n'est pas l'abrogation du passé, c'est le caractère rétroactif de la révolution égalitaire. Pour le dire avec les mots de Michelet, l'un des grands inspirateurs de Péguy, la cité dont nul ne doit être exilé est « une cité commune entre les vivants et les morts. »

Or, constate Péguy en 1897, nous sommes très loin du compte. Et il devient socialiste parce que tous les membres de l'espèce humaine n'ont pas droit de cité. Ce qui veut dire, d'entrée de jeu, que le socialisme pour lui n'est pas un couronnement, un achèvement, une apothéose, c'est un préalable. Ce n'est pas non plus une ambition matérialiste pour l'humanité, c'est la révolte contre la condamnation d'une partie de l'humanité à une vie exclusivement matérielle : « Aussi longtemps que les miséreux ne sont pas retirés de la misère, les problèmes de la cité ne se posent pas ; retirer de la misère les miséreux sans aucune exception constitue le devoir social avant l'accomplissement duquel on ne peut même pas examiner quel est le premier devoir social. » C'est la misère, pour Péguy, qui est un scandale, non la pauvreté. La vie économique du pauvre est assurée : certes nombre de commodités lui sont inaccessibles mais il est libre. Libre de lever la tête, de regarder devant et derrière lui, d'avoir d'autres inquiétudes que celle du lendemain, de soustraire une part de son existence à l'intendance d'exister, de desserrer l'étreinte du *conatus essendi*, de s'oublier lui-même. Les miséreux, en revanche, ne s'oublient pas. Toute transcendance leur est interdite. Toute tradition leur est barrée. Ils tournent en rond dans la cellule du souci. Rivés à eux-mêmes, placés sous l'autorité absolue de leur corps, ils ne perçoivent et n'entendent que ce que les affres de la nécessité leur donnent à percevoir et entendre. La persévérance dans l'être constitue le seul horizon de leur être.

Selon la magnifique formule de Camus dans *Le Premier Homme*, « la misère est une forteresse sans pont-levis. »

Pas de dehors pour l'homme dont l'existence économique n'est pas assurée. Pas de donnée stable. Rien, jamais, ne lui apparaît comme une chose : il ne saisit de l'environnement que ce qui est proie éventuelle ou possibilité d'assouvissement. Se nourrissant pour vivre, vivant pour se nourrir, il est englouti dans un processus cyclique, répétitif, sans commencement ni fin. « Le misérable, écrit Péguy, n'a plus qu'un seul compartiment de vie et tout ce compartiment lui est occupé désormais par la misère ; il n'a plus qu'un seul domaine ; et tout ce domaine est irrévocablement pour lui le domaine de la misère ; son domaine est un préau de prisonnier ; où qu'il regarde, il ne voit que la misère ; et puisque la misère ne peut évidemment recevoir une limitation que d'un espoir au moins, puisque tout espoir lui est interdit, sa misère ne reçoit aucune limitation ; littéralement, elle est infinie. » La vie dans la misère, c'est l'impossibilité faite aux individus de décoller de l'espèce, c'est la soumission uniformisante aux normes du biologique ; c'est la vie tout court, ce n'est jamais la vie de quelqu'un. Il faut un monde à la vie pour qu'elle devienne vie individuelle. Le socialisme selon Péguy répond à cette exigence préjudicielle : « Il suffit qu'un seul homme soit tenu sciemment, ou ce qui revient au même, sciemment laissé dans la misère pour que le pacte civique tout entier soit nul ; aussi longtemps qu'il y a un homme dehors, la porte qui lui est fermée au nez est une porte d'injustice et de haine. »

Ouvrir et même, si besoin est, forcer cette porte afin que nul ne soit maintenu en exil dans la misère : telle est la tâche qui requiert Péguy. Il n'adhère pas, en effet, à une promesse d'*abondance* (« Quand tout homme est pourvu du nécessaire, du vrai nécessaire, le pain et le livre, peu nous importe la répartition du luxe ») mais à une promesse de *mémoire* et une promesse de *cité*. Il n'apporte pas la solution définitive du problème humain ; il réclame l'accès de tous à la condition humaine et à ses problèmes insolubles. Loin de vouloir l'unité du peuple, il aspire au déploiement de sa pluralité constitutive. « Plus je vais, écrit Péguy en 1901, plus je découvre que les hommes libres et les événements libres sont variés. Ce sont les esclaves et les servitudes et les asservissements qui ne sont pas variés, ou qui sont le moins variés. Les maladies qui sont en un sens des servitudes sont beaucoup moins variées que les santés. Quand les hommes se libèrent, quand les esclaves se révoltent, quand les malades guérissent, bien loin qu'ils avancent dans je ne sais quelle unité, ils s'avancent en variations croissantes. [...] Les ouvriers écrasés de fatigue sont en général beaucoup plus près d'une certaine unité. À mesure que la révolution sociale affranchira l'humanité des servitudes économiques, les hommes éclateront en variétés inattendues. »

C'est la même intraitable fidélité à la logique moderne de la similitude et de la dissemblance de tous les êtres humains qui fait de Péguy un ardent dreyfusard. Il en va, pour lui, du « traître parce que juif » des antisémites, comme de la misère sociale. Certes le scandale, en l'occurrence, est idéologique et non économique. Mais dans les deux cas, le fléau de la réduction est à l'œuvre, toute originalité est effacée, l'anonymat règne. L'homme racisé est, à l'instar du crève-la-faim, empêché de se révéler pour qui il est. Ces deux hommes d'ailleurs n'en feront qu'un, cinquante ans après l'Affaire, dans les camps de la mort, tant il est vrai que seul le dénuement absolu peut simultanément dépouiller l'être humain de sa singularité individuelle et de sa ressemblance avec les autres hommes.

Péguy, il est vrai, renonce assez vite à l'utopie juvénile d'une « république socialiste universelle. » Il prend acte de la division de l'humanité en nations et, face à la montée des périls, il s'enflamme pour la sienne avec une éloquence qui lui attire la sympathie des anti-dreyfusards à un moment où ceux-ci, bien que vaincus sur le terrain judiciaire, tiennent le haut du pavé et dominent la vie intellectuelle. Mais Péguy leur oppose, quinze ans après le déclenchement de l'Affaire, une catégorique fin de non-recevoir : « Nous disions une seule injustice, un seul crime, une seule inégalité surtout si elle est officiellement enregistrée, confirmée, une seule injure à l'humanité, une seule injure à la justice et au droit, surtout si elle est universellement, légalement, nationalement, commodément acceptée, un seul crime rompt et suffit à rompre tout le contrat social, une seule forfaiture, un seul déshonneur suffit à perdre d'honneur, à déshonorer tout un peuple. » Péguy n'utilise ici l'imparfait que pour mieux le mettre au présent. Il persiste et il signe car il ne démord pas de l'exigence de ne fermer la porte au nez de personne : « On peut publier demain matin nos œuvres complètes. Non seulement il n'y a pas une virgule que nous ayons à désavouer, mais il n'y a pas une virgule dont nous n'ayons à nous glorifier. » Aussi déniaisé soit-il et revenu des engagements de sa jeunesse confiante, Péguy reste, dans *Notre jeunesse*, fidèle à la religion de l'humanité et refuse obstinément de pactiser avec les tenants anti-modernes de la dissimilitude insurmontable des nations ou des races. Sa fière déclaration consonne parfaitement avec ce qu'écrivait Émile Durkheim, quand l'Affaire battait son plein : « Quiconque attente à une vie d'homme, à la liberté d'un homme, à l'honneur d'un homme, nous inspire un sentiment d'horreur en tous points analogue à celui qu'éprouve un croyant qui voit profaner son idole. »

Et pourtant Péguy n'est pas moins anti-moderne que Barrès par exemple, ou encore Drumont. Mais ce qu'il dénonce inlassablement, pour sa part, ce n'est pas l'idée moderne du semblable, c'est le dogme moderne du progrès. Dogme central : les Modernes n'auraient pas choisi cette dénomination temporelle s'ils ne voyaient la Raison se réaliser dans l'Histoire. Et les socialistes contemporains de Péguy étaient si fascinés par ce spectacle grandiose qu'ils ont longtemps (et pour certains jusqu'au bout) refusé de s'engager en faveur du capitaine Dreyfus. Assurés, en effet, que le devenir était, sous la forme de la lutte des classes, porteur du Bien, ils en déduisaient qu'un bourgeois jugé par les bourgeois, c'était une affaire bourgeoise, ou, plus logiquement encore, que la justice bourgeoise n'ayant de raison de se montrer injuste qu'envers les prolétaires, Dreyfus devait être coupable du crime dont il était accusé.

Car le progrès est un programme. Et l'affaire Dreyfus n'était pas au programme des progressistes : « Quel dommage que cet homme ait soulevé une affaire aussi malencontreuse ! La Révolution sociale était préparée selon les règles connues, et voilà que ce capitaine, un bourgeois, est assez mal avisé pour soulever une affaire, non pas une affaire commode, portative, et comme les prophètes les prévoient, mais une affaire comme il n'en était pas arrivé dans l'histoire du monde. Les prophètes n'aiment pas le réel qui passe toute prophétie. »

Or, constate Péguy, le réel qui passe toute prophétie, c'est la définition même de l'événement. Que ce soit l'épopée du progrès ou le drame de la décadence, aucune mise en ordre narrative de l'histoire ne peut empêcher qu'il y ait des événements : telle est, pour lui, la grande leçon métaphysique de l'Affaire. Le scénario d'un transfert graduel à l'homme des attributs divins de l'omniscience et de l'omnipotence s'effondre sous le choc et ce qui vient alors à l'idée, c'est que « tout est immense le savoir excepté ; surtout qu'il faut s'attendre à tout, que tout arrive, qu'il suffit d'avoir un bon estomac. » Cette idée inspire elle-même à Péguy le projet d'un *journal* qui dirait « bêtement la vérité bête, ennuyeusement la vérité ennuyeuse, tristement la vérité triste ». Ce rêve du journal vrai ne se réalisera jamais. Mais en décidant, avec la création des *Cahiers de la quinzaine*, de travailler dans les « misères du présent » et d'écrire non des œuvres mais d'immenses articles, Péguy deviendra, en quelque sorte, journaliste. Journaliste-philosophe, journaliste par décision philosophique, journaliste pour résister à la tentation commune à la majorité des philosophes (et des journalistes) de s'asseoir sur les vérités de fait qui se permettent de contredire leurs grands récits. Journaliste parce que « le monde a de la ressource plus que nous », journaliste pour contrer le penchant moderne à l'oblitération de la finitude, journaliste pour dégonfler la baudruche de l'Homme-Dieu ; journaliste, en un mot, pour empêcher que, dans le conflit entre système et réalité, ce soit la réalité qui cède le pas face au système.

Ce qui caractérise les Modernes, dit encore Péguy, c'est qu'*ils font le malin*. Ils savent à quoi s'en tenir. Ils ne sont jamais pris au dépourvu. Ils ont réponse à tout. Le soleil de leur intelligence dissipe l'obscurité des affaires humaines. Forts de l'identité du réel et du rationnel, ils surplombent et contemplent la création. Mais cette vision progressiste d'une totalité en mouvement n'est que l'extension abusive des avancées de la science à la marche de l'humanité. Abusive, en effet, car martèle Péguy : « L'humanité dépassera les premiers dirigeables comme elle a dépassé les premières locomotives. Elle dépassera M. Santos-Dumont comme elle a dépassé Stephenson. Après la téléphotographie, elle inventera tout le temps des graphies et des scopies et des phonies, qui ne seront pas moins *télé* les unes que les autres et l'on pourra faire le tour de la terre en moins de rien. Mais ce ne sera jamais que de la terre temporelle. Et même entrer dedans et la transpercer d'outre en outre comme je fais cette boule de glaise. Mais ce ne sera jamais que la terre charnelle. Et l'on ne voit pas que nul homme jamais, ni aucune humanité, en un certain sens, qui est le bon, puisse intelligemment se vanter d'avoir dépassé Platon. »

L'humanité, c'est vrai, accumule les prouesses. Elle ne fait pas de surplace. Elle se développe, elle se dépasse, elle progresse vers toujours plus de maîtrise. À l'encontre de Platon qui cherchait la vérité de l'être, elle en prononce l'opérabilité, la manipulabilité, la plasticité et le transperce triomphalement d'outre en outre « comme je fais cette boule de glaise. » Il y a peut-être là de quoi se réjouir mais, sauf à tomber dans l'oubli fatal de la distinction entre maîtrise et liberté, maîtrise et pensée, maîtrise et bonheur, il n'y a pas vraiment de quoi se vanter.

Qu'apportent, en effet, les inventions non moins *télé* les unes que les autres dont Péguy, avec une prescience extraordinaire, annonçait, en *1907*, le grand déferlement ? Elles font voir tout ce qui se voit et croire que tout ce qui ne se voit pas n'est pas. Elles livrent à domicile et pour consommation instantanée un monde sans opacité ni profondeur. Elles mettent les médiations hors jeu. Elles évitent à l'appréhension des choses d'en passer par l'approfondissement de la langue. Elles remplacent la quête patiente du sens par la mise à disposition des données, séance tenante. Elles abolissent invinciblement les frontières, les formes, les intervalles et tous les obstacles à la promiscuité humaine. Elles arrachent les faits à leur propre temps et à leur propre espace pour les propulser en l'espace-temps de l'actualité perpétuelle, ce que Lipovetsky appelle très justement « l'empire de l'éphémère ».

Tout est télé à l'âge de la télé. La présence devient téléprésence ; la réalité, télé-réalité ; le travail, télé-travail ; le lointain, télé-prochain ; la compassion, téléthon ; la liberté, télé-liberté c'est-à-dire impatience, caprice, boulimie du zappeur ; l'égalité, enfin, télé-égalité c'est-à-dire équivalence généralisée et liquéfaction des différences entre le

Même et l'Autre, le privé et le public, l'art et le babil — dans l'océan audiovisuel.

Faut-il être moderne ? À cette question, suscitée par une confidence inattendue de Barthes, Arendt et Péguy nous commandent de répondre par une autre question : comment, lorsqu'on est attaché à la promesse moderne de ne laisser personne à la porte du monde hérité, ne pas être anti-moderne ?

Ouvrages consultés

Roland BARTHES, *Œuvres complètes*, Seuil, 2002.

Roland BARTHES, *La Préparation du roman*, I et II, Seuil, IMEC, 2003.

PIC DE LA MIRANDOLE, *Œuvres philosophiques*, PUF, 1993.

Ernst CASSIRER, *Individu et Cosmos dans la philosophie de la Renaissance*, Les éditions de Minuit, 1983.

Michel FOUCAULT, *Dits et Écrits,* III, Gallimard, 1994.

Hermann BROCH, *Les Somnambules*, Gallimard, 1982.

Odo MARQUARD, *Des difficultés avec la philosophie de l'histoire*, Maison des Sciences de l'homme, Paris, 2002.

Jean-Paul SARTRE, *Les Mots*, Gallimard, 1964.

Denys RIOUT, *Qu'est-ce que l'art moderne ?*, Gallimard, 2000.

Ernest RENAN, *L'Avenir de la science*, GF-Flammarion, 1995.

Vassili GROSSMAN, *Vie et Destin*, Julliard/L'Âge d'homme, 1983.

Michel FOUCAULT, *Les Mots et les Choses, une archéologie des sciences humaines*, Gallimard, 1966.

Emmanuel LÉVINAS, *Difficile liberté*, Albin-Michel, 1960.

Jules MICHELET, *La Cité des vivants et des morts, Préfaces et introduction*, Belin, 2002.

Jean-Louis CHRÉTIEN, *Promesses furtives*, Les éditions de Minuit, 2004.

Alexis DE TOCQUEVILLE, *De la démocratie en Amérique*, Gallimard, Folio Histoire, 1986.

Renaud CAMUS, *La Dictature de la petite-bourgeoisie*, Privat, 2005.

Geneviève EVEN-GRANBOULAN, *Vaclav Havel, Président philosophe*, Éditions de l'Aube, 2003.

Alain EHRENBERG, *Le Culte de la performance*, « Pluriel », Hachette Littérature, 1991.

Gilles LIPOVETSKY, *L'Empire de l'éphémère*, Gallimard, 1987.

Claude LEFORT, *Écrire à l'épreuve du politique*, Calmann-Lévy, 1992.

Hannah ARENDT, *Condition de l'homme moderne*, Calmann-Lévy, 1961.

Hannah ARENDT, *La Crise de la culture*, Gallimard, Folio Essais, 1989.

Vaclav HAVEL, *Essais politiques*, Calmann-Lévy, 1989-1990.

Charles PÉGUY, *Œuvres en prose complètes*, trois volumes, Pléiade, Gallimard, 1987.

Émile DURKHEIM, *L'Individualisme et les Intellectuels*, Mille et une nuits, 2002.

Deuxième leçon

Les deux cultures

Introduction

En 1959, à Oxford, le physicien et romancier Charles Percy Snow prononça une conférence qui fit grand bruit. « Je crois, affirmait-il d'entrée de jeu, que la vie intellectuelle de la société occidentale tend de plus en plus à se scinder en deux groupes distincts ayant chacun leur pôle d'attraction. [...] À un pôle, nous avons les intellectuels littéraires qui se sont mis, un beau jour, en catimini, à se qualifier d'"intellectuels" tout court, comme s'ils étaient les seuls à avoir droit à cette appellation. À l'autre, les scientifiques, dont les plus représentatifs sont les physiciens. Entre les deux, un abîme d'incompréhension mutuelle — incompréhension parfois teintée, notamment chez les jeunes, d'hostilité ou d'antipathie. »

Au tableau édifiant d'une vie de l'esprit certes arborescente du fait de la spécialisation, mais d'un seul tenant, Snow, fort de sa double expérience de scientifique et d'écrivain, substituait l'angoissant spectacle de la pensée disloquée. Impossible désormais d'englober les Lettres et les Sciences dans une belle totalité nommée culture. La culture, constatait Snow, ne se décline plus au singulier. Il y a deux cultures. Deux cultures, c'est-à-dire non pas simplement deux regards sur le monde, deux branches de la formation humaine, deux approches différentes et complémentaires — mais deux mondes issus de deux types d'investigation, deux humanités qui ne communiquent pas, qui s'ignorent, qui se toisent ; deux collectivités séparées par un mur de défiance, deux manières d'habiter le temps, deux sensibilités, deux intellects antagonistes et parlant des langues étrangères l'une à l'autre : « Les attitudes de l'un des deux pôles deviennent les anti-attitudes de l'autre. Si les scientifiques ont l'avenir dans le sang, la culture traditionnelle, elle, réagit, en cherchant à ignorer cet avenir, à faire comme s'il n'existait pas. » Ainsi s'exprimait Charles Percy Snow au milieu du XXe siècle. Et la polémique ouverte par ces paroles cinglantes n'est toujours pas close. Je ne souhaite ici ni la poursuivre ni noyer le poisson dans de bonnes paroles réconfortantes. Car Snow a vu juste : la coupure dont il parle est réelle. Il faut donc commencer par se demander quand, comment et pourquoi ce schisme est apparu dans la pensée occidentale.

Chapitre I

Le libéralisme des Anciens

Comme le souligne Hannah Arendt, « la culture, mot et concept, est d'origine romaine ». *Cultura* dérive de *colere*, et ce verbe comme ce substantif renvoient au « commerce de l'homme avec la nature. » Ils désignent le soin des champs, du verger, du bétail. La culture, c'est d'abord l'agriculture et le sens s'est étendu par métaphore. « Tous les champs que l'on cultive ne portent pas de fruits, écrit Cicéron. De même tous les esprits qu'on a cultivés ne donnent pas de fruits. Et pour m'en tenir à la même image, un champ, si fertile qu'il soit, ne peut être productif sans culture, et c'est la même chose pour l'âme sans enseignement, tant il est vrai que chacun des deux facteurs de la production est impuissant en l'absence de l'autre. Or la culture de l'âme, c'est la philosophie, c'est elle qui arrache les vices jusqu'aux racines, prépare les âmes à recevoir les semences et leur confie, je dirais sème en elle, ce qui ayant mûri portera les plus riches récoltes. »

Et qu'est-ce que la philosophie ? C'est précisément la réponse à la question : « Qu'est-ce que ? » Tant que le Bien s'identifiait à la tradition ou à la coutume, cette question ne se posait pas. Elle trouvait sa réponse, avant même d'être posée, par voix d'autorité. « La philosophie, rappelle Léo Strauss, abandonne ce qui est ancestral pour ce qui est bon, pour ce qui est bon en soi, pour ce qui est bon par nature. » Elle est la recherche de la science du Tout, l'effort pour atteindre la vérité sur les questions les plus importantes.

Mais la quête des choses premières demande une longue préparation. Impossible de brûler les étapes et d'être philosophe d'emblée. Il faut une ascèse avant l'ascèse. Seul un esprit déjà cultivé peut prétendre à cette culture. De l'Antiquité au Moyen Âge, c'est aux *arts libéraux* qu'il revient d'exercer les intelligences. Sont dits alors libéraux, les arts qui, à la différence des arts mécaniques, ne mobilisent pas le corps. L'histoire de l'agriculture se rejoue dans la culture mais l'homme studieux échappe à la malédiction du travail qui frappe le paysan. Libre non pas de vivre comme il l'entend, mais de la fatigue et du souci d'une vie de labeur, il connaît le loisir de penser. Aristote dit cela magnifiquement dès les premières pages de sa *Métaphysique* : « Si donc c'est pour dissiper leur ignorance que les hommes ont cherché à philosopher, il est évident qu'ils ne cultivèrent cette science si ardemment que pour savoir les choses, et non pour en tirer le moindre profit matériel. Ce qui s'est passé alors montre bien ce désintéressement. Tous les besoins, ou peu s'en faut, étaient déjà satisfaits, en ce qui concerne la commodité de la vie et même son agrément quand survint la pensée de ce genre d'investigation. »

Cette primauté de la contemplation désintéressée a laissé place, de nos jours, à une tout autre acception du libéralisme. On appelle désormais *libérale* la doctrine réaliste qui n'assigne pas d'autres fins à la vie humaine que l'intérêt, c'est-à-dire la persévérance vitale et la recherche méthodique de tout ce qui peut la renforcer. La liberté que ce libéralisme promet et promeut, c'est le droit de vaquer tranquillement (et fébrilement) à ses affaires, non la possibilité de s'en arracher pour progresser sur le chemin de la vérité. Alors qu'en 1420, il était naturel pour un riche bourgeois vénitien de stipuler dans son testament que ses fils devaient étudier *liberaliter* « les auteurs, la logique et la philosophie » avant de se consacrer à la profession de marchand et seulement de marchand, le régime libéral sous lequel nous vivons ne connaît que l'utile et s'attache à faire place nette de tout ce qui s'oppose à son affirmation. La noblesse du bien-vivre est rabattue sur la passion universelle du bien-être et la supériorité du soin de l'âme se fond dans la libre détermination des moyens de se conserver dont chacun est pour lui-même le meilleur juge. Ce qui ne signifie pas la disparition pure et simple de l'éducation libérale. Au XIXe siècle, le cardinal Newman la définissait encore comme « l'apprentissage par lequel l'intelligence, au lieu d'être formée ou sacrifiée pour une fin particulière ou accidentelle, un métier ou une profession, une étude ou une science spécifique, est disciplinée pour elle-même, pour la perception de ses propres objets ». Et aujourd'hui, cet idéal ancien tente vaille que vaille de se perpétuer dans le monde moderne de l'économie sous le nom de *culture générale.*

Au Moyen Âge, les arts constitutifs de l'éducation libérale étaient au nombre de sept et on les divisait en deux grandes catégories : le *trivium* et le *quadrivium*. La grammaire, la dialectique et la rhétorique étaient les trois disciplines du *trivium*. *Gramma*, en grec, signifie lettre et le premier des arts libéraux consistait dans l'étude de la langue : déclinaison des noms, conjugaison des verbes, accents, syllabes avec leurs différentes quantités. La stylistique, la métrique relevaient également de la *grammatica* ainsi que la connaissance empirique des auteurs et l'exégèse de leurs œuvres. Comme l'écrit saint Augustin le premier à avoir formulé l'idée d'un cycle clos sur lui-même de sept arts libéraux : « Tout ce qui étant digne de mémoire était confié à la mémoire, appartenait à son domaine. »

Gramma voulant dire lettre, les Romains traduisirent *grammatica* par *littérature* : le *litteratus* n'était pas encore le littéraire mais c'était déjà le lettré, l'érudit qui connaît les lois du langage et de l'expression et que nourrit la fréquentation des poètes.

La dialectique, seconde discipline du *trivium*, était l'art de raisonner, de former des syllogismes. Et comme cette technique, aussi rigoureuse fût-elle, ne pouvait, à elle seule, subjuguer un public inculte et indocile, un troisième art — l'art de persuader — complétait la grande taxinomie de la parole. On apprenait, sous le nom de *rhétorique*, l'ensemble des règles dont la mise en œuvre permettait de convaincre ou d'émouvoir les auditeurs d'un discours.

Comme le rappelle Barthes dans un très précieux aide-mémoire, la rhétorique comprenait trois opérations principales : l'*inventio* (trouver quoi dire) la *dispositio* (ordonner ce qu'on a trouvé), l'*elocutio* (ajouter l'ornement des mots, des figures). Très vite cependant, la rhétorique — coincée entre une grammaire et une dialectique également ambitieuses — s'est trouvée confinée à l'étude de l'*élocutio*.

Les trois arts du langage étaient les portes par lesquelles il fallait passer pour atteindre le niveau mathématique du *quadrivium* : la musique, l'arithmétique, la géométrie, l'astronomie. Pourquoi la musique ? Parce qu'elle est l'art de combiner les sons d'après des règles : règles de la mesure, de l'harmonie, du rythme, c'est-à-dire du *nombre*. Ce sont les nombres qui rendent belle une suite de sons. Écoutons encore une fois saint Augustin : « Dans ce quatrième degré, que ce soit dans les rythmes, que ce soit dans la modulation même, la Raison comprenait que les nombres régnaient et qu'ils donnaient sa perfection au Tout. Elle examina attentivement de quel genre ils étaient. Elle découvrit qu'ils étaient divins et éternels, surtout en constatant que c'était avec leur aide qu'elle avait tissé tout ce qui précède. Et désormais elle avait de la peine à supporter que toute leur splendeur et sérénité fussent souillées par la matière corporelle des sons. » Ainsi détournée des choses terrestres, la Raison pouvait alors accéder à l'étude arithmétique du nombre en soi, puis, avec la géométrie et l'astronomie, à la contemplation des formes pures.

La distinction des Lettres et des Sciences est donc vieille comme l'Occident gréco-romain : d'un côté, les règles du langage ; de l'autre, les théorèmes mathématiques. Il y avait déjà deux cultures chez les Anciens. Mais elles ne s'opposaient pas, elles se succédaient. Elles n'étaient pas concurrentes mais coordonnées. Un ordre scalaire régnait alors, et non la violence disjonctive du « ou bien… ou bien ». La même intelligence s'exerçait dans les deux grands cycles de l'éducation et poursuivait, de l'un à l'autre, sa marche ascensionnelle. Nul hiatus, autrement dit, entre la lettre et le nombre, nulle discontinuité, nul antagonisme, mais une savante et rigoureuse gradation qui devait conduire l'esprit, selon le *De magistro* de saint Augustin, « à aimer l'ardeur et l'éclat de ce monde lointain où est la vie heureuse. »

Per corporalia ad incorporalia : des choses terrestres aux réalités immatérielles — telle était la voie. Apprendre, c'était pour l'homme libre se libérer davantage, se déprendre de sa corporéité, s'affranchir, autant que faire se pouvait, de sa gangue charnelle comme de sa situation dans le temps et dans l'espace. Aussi l'étude des disciplines libérales n'était-elle pas une fin en soi. Elle constituait, pour les Grecs et les Romains, une propédeutique à la philosophie : « Nous ne devons pas étudier les arts libéraux mais les avoir étudiés », disait superbement Sénèque. Elle devient au Moyen Âge, une culture préparatoire à la théologie : « L'ordre des ces sept disciplines séculières a été mené par les philosophes jusqu'aux astres, afin de détacher des choses terrestres les âmes adonnées à la sagesse du ciel et de les établir dans la contemplation des réalités d'en haut », écrivait Isidore de Séville au VIe siècle de notre ère. La même séparation métaphysique de l'au-delà et de l'ici-bas qui inscrivait les mathématiques dans la continuité des arts du langage permettait à la théologie de se présenter non pas comme une anti-science ou comme une anti-philosophie mais comme la science sacrée, la science suprême, la science des choses divines, bref, le type d'activité intellectuelle le plus élevé qui pouvait se présenter à l'âme humaine. « Les règles de la dialectique sont nécessaires et les questions les plus profondes de la Sainte-Trinité ne peuvent être élucidées que grâce à la subtilité des catégories » affirmait Alcuin, le maître de Charlemagne, et l'un des tout premiers théoriciens de l'éducation médiévale.

Chapitre II

La Renaissance ou le découronnement de la mort

Montaigne, dans les *Essais*, cite abondamment les Anciens, commente leurs aphorismes, confronte sa vie et sa pensée à leurs grands exemples. Mais, comme les autres Renaissants, il se démarque d'eux sur l'essentiel, c'est-à-dire sur la question du point final. « La vie entière des philosophes est méditation de la mort (*tota philosophorum vita commentatio mortis est*) » dit Cicéron citant Platon. Montaigne sans se démonter, lui répond : « Mais il m'est avis que c'est bien le bout, non pourtant le but de la vie ; c'est sa fin, son extrémité, non pourtant son objet. »

Le *bout* et non le *but* : sans avoir l'air d'y toucher, ce jeu de mots met la métaphysique sens dessus dessous. À l'ataraxie du philosophe, à l'immobilité qu'il revendique, à la stabilité, à la paix, à la quiétude contemplative qu'il déclare poursuivre, à son mépris des réalités « transitoires et mondaines », au procès qu'il intente contre le corps, et à sa vision du temps comme image déchue de l'éternité, Montaigne oppose les mille sollicitations qui s'offrent à un esprit mobile et terre-à-terre. Il n'est pas l'homme des pensées élevées mais des détails matériels et des faits significatifs de la foncière instabilité des choses. Il prend délibérément le parti du trivial, de l'éphémère, du contingent ; sa muse accueille volontiers tout ce que rejette celle de la philosophie et elle s'amuse, cette muse, à humilier la Sagesse tout comme la Puissance en les rappelant à l'ordre de la prose : « Et les rois et les philosophes fientent et les dames aussi. »

Montaigne, l'anti-Socrate. Que les philosophes boivent, mangent, éternuent et chient — le maître de Platon le savait, et, pour cette raison même, il proclamait l'affinité de la mort et de la philosophie. Mourir, selon Socrate, ce n'était pas perdre la vie, c'était perdre le corps. Bon débarras ! La mort réalise l'objectif auquel le philosophe aspire. S'il veut, en effet, contempler le vrai dans tout son éclat, il doit, impérativement, faire taire ses gargouillis d'estomac et récuser le témoignage de ses sens. Il doit, autrement dit, apprendre à mourir, c'est-à-dire non pas seulement se préparer à l'instant fatal, maîtriser sa peur de l'anéantissement, mais bien plus profondément, se libérer des peines et des plaisirs qui entravent l'activité mentale et, selon la formule de l'oracle de Delphes quand on lui demande ce qu'il faut faire pour accéder à la vie la meilleure : « Devenir couleur des morts. » Le *memento mori* socratique est donc plus qu'une école de courage. C'est un renversement total de perspective. Ce qu'on prend pour la mort, il y voit la vie délivrée de sa prison charnelle et enfin rendue à elle-même. Et jamais il ne se laisse impressionner par les évidences du sens commun. Même l'imminence de son propre trépas n'a pas raison de son idée de la raison comme arrachement à l'existence sensible. Il s'était trop longtemps exercé à percevoir sans organes pour regretter la prochaine disparition de ceux-ci. Au moment de boire la ciguë, il console donc, sans trembler, ses disciples inquiets, voire, pour certains, écrasés de douleur. « Être mort, c'est bien ceci : à part de l'âme et séparé d'elle, le corps s'est isolé en lui-même ; l'âme, de son côté, à part du corps et séparée de lui, s'est isolée en elle-même. » Or les préoccupations du philosophe vont-elles à ce qui concerne le corps ? Non, elles se tournent vers l'âme qui, se tournant elle-même vers la vérité, n'a qu'une envie : envoyer promener le corps. Car celui-ci la trouble, l'encombre, l'abuse. Elle voit bien qu'aussi longtemps qu'elle sera pétrie avec cette chose mauvaise, elle ne pourra posséder en suffisance l'objet de son désir. Impossible, dans l'union avec le corps, de rien connaître purement. Le philosophe accepte donc avec d'autant plus de philosophie le divorce final que philosopher, c'est apprendre à divorcer. « Quiconque s'attache à la philosophie au sens droit du terme, les autres hommes ne se doutent pas que son unique occupation, c'est de mourir et d'être mort. » S'il en est ainsi, dit Socrate au disciple éploré, « tu reconnaîtras qu'il serait absurde de ne poursuivre pendant toute sa vie d'autre *but* que celui-là et, quand la mort se présente, de se rebeller contre une chose qu'on poursuivait et pratiquait depuis si longtemps. »

À ce syllogisme impeccable et impassible, Montaigne réplique que « la vie doit être elle-même à soi, sa visée, son dessein » et que « sa droite étude est de se régler, se conduire, se souffrir. » Et cette réponse au philosophe vaut aussi pour le théologien. Celui-ci, en effet, a élu domicile dans la métaphysique édifiée par celui-là et il professe que la beauté du monde est caduque, que ce qui paraît plaisant n'est que laideur, que vil est le gracieux, que demain s'éteindra ce qui aujourd'hui resplendit. « Quiconque aime le Christ ne peut apprécier ce monde. Rien de ce qui brille dans l'univers ne doit avoir de valeur pour lui », lit-on dans les recueils de textes de l'enseignement scolastique.

En disant que la fin n'est que la fin et ne saurait être érigée en but ou en modèle, Montaigne retire donc son *aura* à la mort. Et ce qui s'énonce dans son insolence, c'est la nouveauté métaphysique de la Renaissance. Pourquoi métaphysique ? Parce qu'avant de porter sur les valeurs, le conflit porte sur l'être dans sa totalité. Qu'est-ce qui est ? La vie sur terre, affirme Montaigne. Cette réponse contredit le platonisme dans ses deux versions, théorétique et théologique. Une figure inédite apparaît : celle d'un philosophe « imprémédité et fortuit » et pour lequel il s'agit non de s'exercer à mourir mais de « savoir jouir loyalement de son être. » La haute méditation n'élève plus l'âme au-dessus du monde concret des choses humaines. Elle l'enfonce, au contraire, dans la trame des jours mortels. Elle ne congédie pas le corps, elle dénonce sa répudiation : « Ils veulent se mettre hors d'eux et échapper à l'homme. C'est folie ; au lieu de se transformer en anges, ils se transforment en bêtes ; au lieu de se hausser, ils s'abattent. Ces humeurs transcendantes m'effraient comme les lieux hautains et inaccessibles. »

Cette lutte avec l'Ange donne une tout autre orientation à l'école et un tout autre sens aux arts libéraux. Ces disciplines ne sont plus chargées de libérer progressivement les hommes *du* monde humain mais *pour* ce monde justement. *Studia humanitatis* : ce qui se découvre au-delà de la sphère de l'utile, ce n'est pas le divin spectacle du cosmos ou la gloire invisible du divin, c'est « la forme entière de l'humaine condition. » Les Lettres, dès lors, changent de statut. Elles n'occupent plus le bas de l'échelle. Il leur fallait, pour cesser d'être pernicieuses, accepter d'être subalternes. Désormais, elles valent pour elles-mêmes. Le Moyen Âge les surveillait ; la Renaissance les consacre. Saint Augustin se reprochait d'avoir ignoré le véritable amour en pleurant sur les malheurs de Didon, Léon Battista Alberti réhabilite ces larmes et leur confère une portée éducative : « Ô vous autres, jeunes gens, donnez une grande part à l'étude des Lettres ; soyez-y assidus, attardez-vous à connaître les choses passées et dignes de mémoire, appliquez-vous à comprendre les souvenirs les meilleurs et les plus utiles, aimez à vous nourrir l'esprit d'aimables sentences, à vous orner l'âme des vêtements les plus splendides, cherchez, dans l'usage civil, à abonder en délicatesses merveilleuses, ingéniez-vous à connaître les choses humaines et divines, lesquelles sont en parfait accord avec les Lettres. Il n'est de conjonction de voix et de chants dont la suavité et la consonance puissent égaler l'harmonieuse simplicité et l'élégance d'un vers d'Homère, de Virgile ou de quelque autre grand poète. »

Mais cette revalorisation des Lettres n'est pas un coup d'État. Les autres disciplines libérales restent à l'honneur. À son fils Pantagruel, parti à Paris pour compléter son apprentissage, Gargantua conseille affectueusement de poursuivre l'étude de la géométrie, de l'arithmétique, de la musique et de l'astronomie en plus de toutes les langues — la grecque, la latine, l'hébraïque, l'arabique — qu'il doit connaître parfaitement. Le climat cependant n'est plus le même. Là où sévissait l'antinomie de l'âme et du corps, règne désormais la continuité gourmande, gargantuesque de tous les appétits. Assez de l'ascèse ; la *curiosité* détrône la *contemplation* et cette curiosité est inextinguible « car il y a plus de choses sur la terre et au ciel, Horatio, que n'en peut rêver votre philosophie. » La culture libérale s'attache avec la même ardeur à tous les aspects de la vie. Rien de réel ne lui paraît indigne d'occuper son attention. Cette attention, elle la veut simultanément et sans hiérarchie scientifique et littéraire, comme en témoigne la carrière *fabuleuse* de Léonard de Vinci. Écoutons Paul Valéry : « Il y eut une fois Quelqu'un qui pouvait regarder le même spectacle ou le même objet tantôt comme l'eût regardé un peintre et tantôt en naturaliste ; tantôt comme un physicien, et d'autres fois, comme un poète ; et aucun de ces regards n'était superficiel. »

Il y *eut* une fois : le passé simple ancre cette vie singulière dans la réalité de l'histoire, tandis que la formule le situe dans l'univers inaccessible des contes et légendes. La grandeur de Léonard ne se répétera pas. Ce Quelqu'un restera sans postérité. Jamais personne n'évoluera avec la même aisance souveraine dans tout l'espace du pouvoir de l'esprit. Il y aura bien sûr des génies et des hommes imprévisibles, mais on peut, en toute certitude, prévoir que personne ne sera plus capable de passer de la peinture à la philosophie, de la philosophie à l'anatomie, de l'anatomie à l'optique, de l'optique à l'hydraulique, de creuser des canaux, de jeter des ponts, d'établir des écluses, d'inventer des machines et, à la fois, de créer des œuvres belles. Ce *never again* tient sans doute à l'inéluctable division du travail et à l'entrée de la science dans l'âge de la recherche, c'est-à-dire de la spécialisation. Mais, plus profondément, il tient à la querelle moderne des regards et à une cassure de l'être non moins cruciale, non moins décisive que l'ancienne opposition de l'âme et du corps.

Chapitre III

Galilée : et tout le reste devient littérature

22 juin 1633 : Galilée comparaît à Rome, dans la grande salle du couvent des dominicains de Sancta Maria Minerva, devant la Congrégation du Saint-Office solennellement réunie. On vient de lui lire la sentence : interdiction du *Dialogue sur les deux systèmes du monde*, son manifeste copernicien, et condamnation de principe à l'incarcération au gré du Saint-Office ainsi qu'à certaines pénitences salutaires (c'est-à-dire la récitation, une fois par semaine, pendant trois ans, des sept psaumes de la Pénitence), le Saint-Office se réservant « la faculté de modérer, de changer ou de supprimer totalement ou partiellement les susdites peines et pénitences. » Galilée, à genoux, fait alors, à haute et intelligible voix, la déclaration suivante : « Moi, Galilée, fils de Vincenzio Galilée de Florence, comparaissant au jugement et agenouillé devant vous Éminentissimes et

Révérendissimes Cardinaux, Inquisiteurs généraux agissant pour tout le monde chrétien contre la perversité hérétique, ayant devant les yeux le très Saint Évangile que je touche de mes propres mains, j'ai juré que j'ai toujours cru, que je crois maintenant et avec l'aide de Dieu, que je croirai à l'avenir tout ce qu'enseigne et que prêche la Sainte Église catholique et romaine. » En 1616, le Saint-Office lui avait déjà très officiellement intimé l'ordre d'abandonner l'héliocentrisme, cette doctrine contraire à l'Évangile. Il s'est entêté. Désormais, il se repent : « Voulant donc ôter de vos Éminences et de tout fidèle chrétien cette suspicion véhémente à bon droit retenue contre moi, avec un cœur sincère et en toute bonne foi, j'abjure, je maudis, les susdites erreurs et hérésies. » Une tradition populaire invérifiable mais significative raconte qu'après avoir abjuré, Galilée, se relevant de l'agenouillement où il s'était tenu, aurait frappé la terre du pied en s'écriant : « *Eppur si muove* » (« et pourtant elle tourne... ») ! Autrement dit : on n'abolit pas la réalité par décret. Les lois humaines ont beau s'appuyer sur la loi divine, elles ne peuvent rien contre celles de la science. Aussi majestueuse ou fracassante soit-elle, la répression est sans effet sur les rapports nécessaires qui dérivent de la nature des choses. Les flammes ont brûlé le corps de l'hérétique Giordano Bruno, non son hérésie.

C'est cette abjuration solennelle, abjurée elle-même dans un murmure, que la mémoire des hommes a retenu de la vie de Galilée. La scène, en effet, illustre à merveille la persécution infâme, et finalement stérile, de la Raison au travail par l'obscurantisme du Dogme. Il faut voir plus loin cependant. L'image est belle, instructive, édifiante jusque dans l'ambiguïté finale (« Malheureux le pays qui a besoin de héros » fait dire Brecht à Galilée dans la pièce qu'il lui a consacrée) mais elle est aussi, cette image, paresseuse et réductrice. Galilée ne s'est pas contenté de démentir un article de foi, il a porté le coup de grâce à la conception de la culture de l'esprit et de la vie sur terre qui, à travers les arts libéraux, avait été léguée par l'Antiquité au Moyen Âge. Sous le conflit spectaculaire du savoir et de la religion, une autre bataille, non moins décisive, a lieu : elle oppose la pensée galiléenne à la pensée telle que les Anciens la pratiquaient. Ce qui se produit donc avec l'affaire Galilée, c'est bien plus qu'un raidissement de l'Église : c'est la victoire de la science comme action sur la science comme contemplation, de la raison comme expérimentation sur la raison comme expérience, de la culture comme *méthode* sur la culture comme *ascèse*. L'hérétique est aussi un dissident. Et ce qu'il dit n'est pas plus acceptable pour le philosophe classique que pour le théologien. La Raison comme la Révélation sort bouleversée par ces paroles révolutionnaires : « L'univers est écrit dans la langue mathématique et ses caractères sont des triangles et autres figures géométriques, sans le moyen desquels il est humainement impossible d'en comprendre un mot. Sans eux c'est une errance vaine dans un labyrinthe obscur. »

Platon aussi faisait l'éloge des mathématiques. Mais il n'y avait pour lui de science que de l'éternel et du nécessaire. L'empirique, corruptible et contingent, était rebelle à la mathématisation. La science galiléenne, en revanche, cesse d'avoir partie liée avec l'éternel : l'empirique devient son objet. C'est le Tout qui est à lire comme un livre de maths. De Platon à Galilée, l'orientation du regard change et même s'inverse. Les figures géométriques élevaient l'âme au-dessus du monde terrestre et l'introduisaient dans l'austère climat de la réalité supra-sensible. Elles ramènent désormais l'homme à terre. Ou plutôt, elles mettent la terre et le ciel *au même niveau d'être*. L'inégalité disparaît entre le monde sublunaire imparfait et la perfection mathématique du monde astral. Il n'y a plus que des corps célestes. Aucune partie du monde n'est meilleure qu'une autre. La réalité est d'un seul tenant. L'univers est une tunique sans couture.

On le voit : Galilée ne propose rien de moins qu'une thèse générale sur l'être et une réforme de l'entendement. Un nouveau concept de la science naît avec lui, et une nouvelle appréhension du monde. À l'idée de *cosmos*, c'est-à-dire d'un Tout fini et bien ordonné dans lequel la structure spatiale incarne une hiérarchie de valeurs, Galilée a substitué, comme le montre Alexandre Koyré, la vision d'un univers indéfini et même infini ne comportant plus aucune hiérarchie naturelle et que gouvernent les mêmes lois universelles.

À partir de Galilée, le livre de la nature n'est plus un livre. Le messager des étoiles a recours au mot « livre » alors même qu'il ferme le livre. La métaphore livresque s'employait pour dire que le sens des réalités naturelles était de renvoyer à leur complément spirituel, que la terre clamait la gloire des Cieux, que le monde sensible n'était que dans la mesure très faible où il reflétait quelque chose de la splendeur divine, dans la mesure où il était symbole. Avec Galilée, l'âge *symbolique* est clos, sinon chez les poètes et sur le mode nostalgique du « je sais bien mais quand même ». La nature a cessé d'être « un temple où de vivants piliers laissent parfois sortir de confuses paroles » ; s'ouvre l'âge *opératoire*. L'espace est un champ de forces. L'homme y passe à travers des forêts silencieuses, qu'il observe avec un regard détaché. Ni trace, ni symbole, ni analogie — lois. Ainsi *désenchantée*, c'est-à-dire affranchie de toute dimension surnaturelle, la nature est ouverte à l'expérimentation et à l'instrumentalisation.

Mais l'on ne doit pas s'arrêter là. Car, du même geste, Galilée désenchante le monde et le promeut : la révolution galiléenne fait de la terre une étoile. Voici ce que dit, dans le *Dialogue sur les deux grands systèmes du monde*, le porte-parole de Galilée au défenseur ébahi et scandalisé des Anciens : « Quant à la terre, nous ne cherchons qu'à l'ennoblir et lui donner perfection quand nous nous appliquons à la rendre semblable aux corps célestes et, en quelque sorte, à la placer dans le ciel d'où vos philosophes l'ont bannie. »

On répète souvent, après Freud, que Copernic et Galilée ont infligé à l'humanité sa première blessure d'amour-propre en démontrant que la terre tournait autour du soleil. L'homme croyait naïvement et narcissiquement que son lieu de résidence se trouvait immobile, au centre de l'univers. Cette position lui garantissait que la terre avait un rôle dominant et, ajoute Freud, s'accordait bien « avec son penchant à se ressentir comme le maître du monde. » Et puis, vient la grande vexation cosmologique de l'héliocentrisme.

Cette interprétation est puissante mais fausse. L'illusion impitoyablement détruite par Copernic et Galilée n'avait rien de flatteur — elle exhortait les hommes à mépriser le terrestre en eux et à mesurer la distance infranchissable qui les séparait du ciel. Et ce qui scandalise l'anti-copernicien que Galilée met en scène dans son Dialogue, ce n'est pas tant le *décentrement* de la terre que sa soudaine *starisation*. N'est-ce pas dans le monde sublunaire, et là seulement, que tout est voué à la mort, qu'on voit continuellement « s'engendrer et se corrompre des herbes, des plantes, des animaux, se lever des vents, des pluies, des tempêtes, des bourrasques » ? À cet argument classique, le partisan de l'héliocentrisme répond premièrement que rien dans l'univers n'est inaltérable — il y a, malgré les apparences, des changements partout — et secondement que la noblesse ne réside pas dans l'immobilité : « Il est noble et admirable pour la terre que s'y produisent des changements ». Quelle valeur pourrait avoir « un immense globe de cristal sur lequel jamais rien ne naîtrait, ou ne s'altérerait, ou ne changerait » ? Ce serait « une masse énorme, inutile pour le monde, inactive, superflue en un mot et comme inexistante dans la nature. »

Quant aux amoureux de la sagesse qui placent si haut l'incorruptibilité et qui préconisent l'imitation du grand calme stellaire, ils ont tout simplement peur de la mort. Au lieu d'accepter la mort pour ce qu'elle est — la fin de la vie — ils déploient, en guise de philosophie, le rêve d'une vie où la mort ne serait pas : « Ils ne s'avisent pas que, si les hommes étaient immortels, eux-mêmes ne seraient pas venus au monde. Ils mériteraient de rencontrer une tête de

Méduse qui les transformerait en statues de jaspe ou de diamant pour devenir plus parfaits. » Ainsi se trouve discrédité le grand itinéraire traditionnel de la philosophie. On ne peut plus dire avec Boèce que « la terre surmontée donne les étoiles. » La scission métaphysique des mondes perd son assise naturelle : la nature nie le dualisme qu'elle affichait jusqu'alors. Et Dieu n'est plus nulle part. *Dieu est privé de lieu.* La voilà la vraie vexation cosmologique. « Donc il n'y a que des astres ! Et où est Dieu alors ? demande à Galilée, dans la pièce de Brecht, son ami Sagredo. « En nous ou nulle part ! » L'homme levait les yeux au ciel. Il habite maintenant l'empyrée, il vit au milieu des étoiles. Il siège, mortel, au firmament. Et l'Éternel est devenu un sans-domicile fixe.

Mais si toutes les planètes et tous les corps sont aussi éloignés ou aussi proches de la source divine de l'être, tous les hommes se retrouvent logés à la même enseigne. Pas de lieu pour Dieu, pas de Dieu pour soutenir les maîtres. Galilée pose les conditions ontologiques de l'égalité. Le supérieur, en effet, est naturellement supérieur tant que sa relation avec l'inférieur est vue comme une image ou une reproduction sensible de la relation instituée entre l'au-delà et l'ici-bas. C'est par nature que ceux qui sont plus proches du divin se consacrent au commandement et à la vie spirituelle et que ceux qui sont plus bas accomplissent les tâches nécessaires à l'entretien de la vie matérielle. Mais dès lors que « l'humanité inscrit dans son journal : ciel aboli » comme le dit encore le Galilée de Brecht, la hiérarchie sociale ne peut plus procéder de l'inégale répartition entre les hommes du terrestre et du céleste. Elle subsiste mais conventionnelle, c'est-à-dire arbitraire. Une nouvelle définition de la nature humaine se déduit de la représentation de l'univers comme un espace homogène où tous les lieux se valent.

Et Galilée, avec son télescope, fait d'une pierre deux coups. L'homme, affranchi du ciel, est aussi et simultanément libéré des chaînes de l'expérience terrestre. La physique aristotélicienne reposait sur notre perception journalière d'un monde coloré et sonore. Ce qui faisait dire à Aristote qu'on ne trouvait pas de formes géométriques dans la nature. Celles-là étaient trop parfaites pour celle-ci. Avec Galilée, la physique de l'expérience laisse place à une physique déductive et abstraite. En d'autres termes, et comme le souligne Gérard Jorland, « le passage d'Aristote à Galilée n'est pas celui du dogmatisme théorique à l'évidence empirique, mais celui de l'évidence empirique du sens commun à l'autorité de l'évidence mathématique. » Le visage que les choses offrent à partir d'elles-mêmes est désormais hors sujet. La révolution galiléenne donne congé au donné : le réel et le vrai ne se révèlent plus, ils se démontrent. Ils ne procèdent pas du monde mais de l'homme et de son aptitude à ramener tout ce qu'il n'est pas au schéma mathématique qu'il porte en lui-même.

On le constate : la *foi dans le donné* n'est pas moins atteinte par cette nouvelle intelligence de l'être que la *foi dans le dogme*, et ce double ébranlement s'avère fatal à la classification médiévale des savoirs. Il n'est plus possible, par exemple, de tenir le Droit pour supérieur à la Médecine parce qu'il serait un témoignage direct de la sagesse divine tant par le concept d'équité qui le fonde que par la forme des lois, alors que l'art médical ne porterait que sur ce qui naît et meurt. Le galiléisme sonne le glas du libéralisme antique : ce n'est plus sur la sublimité d'un objet que repose l'importance d'un savoir, c'est sur la méthode. « La méthode passe au centre lumineux du savoir » dit très bien Ernst Cassirer. Et il n'y a de méthode ou de certitude que là où l'objet peut être traité en fonction de principes mathématiques. « Passer par la forme de la démonstration mathématique, écrit encore Cassirer, devient la condition *sine qua non* de toute science véritable ». Galilée ouvre l'époque de la *mathesis universalis*. Et ce programme achève, aux deux sens du terme, l'esprit de la Renaissance. Il l'accomplit par la réhabilitation définitive de la terre et des préoccupations terrestres. Il l'abolit par la dissolution de tout espace commun entre le physicien et le poète. L'inépuisable appétit rabelaisien pour la connaissance de tous les faits de la nature s'accompagnait du désir de voir, après l'étude, le maître et l'élève sortir en promenade et « en beau pré » réciter par cœur « quelques plaisants vers de l'agriculture de Virgile, d'Hésiode, ou d'Ange Politien. » Cette continuité harmonieuse, cet idyllique va-et-vient entre les Lettres et les Sciences ne sont plus de mise. Le divorce du donné et du vrai est mortel pour la littérature. Non pas, bien sûr, que celle-ci disparaisse d'un seul coup. Elle subsiste, elle demeure, elle se développe même, mais neutralisée, désamorcée, déréalisée, esthétique, bref subjective. Elle évolue, en effet, dans le monde illusoire où la terre est un sol et où le soleil se couche. Elle rapporte fidèlement ce qu'elle voit, ce qui lui apparaît, mais l'apparence n'est pas vérité.

Dans le paragraphe même où il affirme solennellement que l'univers est écrit en langue mathématique, Galilée définit l'*Iliade* ainsi que le *Roland furieux* comme « l'œuvre de la fantaisie d'un homme où la vérité de ce qui est écrit est la chose la moins importante. » Ainsi peut naître l'expression qui n'aurait eu aucun sens pour les humanistes : *et tout le reste est littérature.*

En 1990, Michel Rocard, qui était alors Premier ministre, s'entretenait avec des journalistes du *Monde de l'éducation* de la réforme de l'école mise en chantier par son gouvernement. Interrogé plus précisément sur la raison pour laquelle il avait préféré une loi d'orientation à une loi de programmation, l'hôte de Matignon fit cette réponse à l'humour galiléen : « Quiconque a un peu de culture budgétaire sait que les lois de programmation sont une des formes évoluées de la poésie. » Deux cultures ? Depuis, en tout cas, que la méthode règne sur le savoir et que le réel s'identifie au calculable, il est licite sinon même naturel d'utiliser le mot « poésie » au sens d'ineptie, d'élucubration ou d'absurdité.

Chapitre IV

Le conflit des humanismes

En novembre 1633, Descartes apprend que Galilée a été condamné par le Saint-Office et que les exemplaires de son *Dialogue sur les deux grands systèmes du monde* ont été brûlés à Rome. Le philosophe qui avait déjà beaucoup réfléchi et n'avait encore rien publié, s'apprêtait à faire imprimer un traité de physique. Il y renonça aussitôt car son livre soutenait « le mouvement défendu. » Descartes n'avait pourtant rien à craindre en Hollande où il séjournait ni même en France si lui prenait le désir de s'y établir à nouveau. Mais lui qui avait fait la guerre dans l'armée de Maurice de Nassau n'aimait pas la guerre intellectuelle. Il redoutait d'être détourné ou, pour le dire en termes pascaliens, *diverti* de sa recherche par les controverses que susciterait inévitablement la publication d'un traité aussi subversif. Cette détestable éventualité renforçait l'inclination qui lui avait toujours « fait haïr le métier de faire des livres » et fuir « la gloire en tant qu'elle est contraire au repos. » Mais Descartes pensait aussi qu'il ne pouvait garder secrètes, comme s'il s'agissait d'un bien privé, des découvertes utiles au genre humain. Or les siennes, indubitablement, l'étaient. Une fois connues, répandues et appliquées, elles devaient contribuer à *la conservation de la santé*, « laquelle est sans doute le premier et le fondement de tous les autres biens en cette vie. » Descartes, en effet, ne pensait pas pour penser. Il mettait le *cogito* au service de la puissance humaine : « Nous rendre *comme* maîtres et possesseurs de la nature ». Et ce qui faisait, à ses yeux, la grandeur de cette puissance, c'était non ce qu'elle pouvait avoir de sublime, mais ce qu'elle avait de prosaïque : rendre la vie sur terre plus longue et plus sûre. Ainsi s'ouvrait une époque, la nôtre, où selon la forte expression de Léo Strauss, « la fin de la philosophie n'était plus la contemplation désintéressée de l'éternel mais le soulagement de la condition de l'homme. »

Malgré son horreur de l'arène et son peu de goût pour les remous de la renommée, Descartes se devait donc de sortir du silence pour frayer la voie. En 1637, laissant de côté la question scabreuse de la cosmologie, il publie, à Leyde, trois essais qui présentent un échantillon significatif de son travail : les *Météores* où il traite de la neige, de la grêle, de la foudre, de l'arc-en-ciel ou des halos qui apparaissent autour des corps lumineux ; la *Dioptrique* ou optique et une *Géométrie* où l'auteur « tâche de donner une façon générale pour résoudre tous les problèmes qui ne l'ont encore jamais été. » Et il accompagne le tout (ce tout qui n'était pas tout) d'une longue préface rédigée non dans le latin des doctes mais, fait très rare à l'époque, en langue vernaculaire : le *Discours de la méthode pour bien conduire sa raison et chercher la vérité dans les sciences.* Empêché de dévoiler jusqu'au bout sa physique, Descartes porte la réflexion sur sa démarche. C'est ainsi que le procès de Galilée a fait de lui le premier des épistémologues.

Mais bien plus qu'un traité, ce discours de la méthode est un récit. La méthode, en effet, a une histoire et cette histoire s'écrit à la première personne, car elle a demandé à Descartes le courage tout à fait singulier de rompre avec ses maîtres. Alors même que huit années durant, il avait reçu au Collège des Jésuites de la Flèche, « l'une des plus célèbres écoles d'Europe », une initiation remarquable à l'ensemble des arts libéraux, il lui a fallu, pour finir ou plutôt pour commencer, faire table rase des savoirs acquis et révoquer purement et simplement sa jeunesse studieuse : « J'ai été nourri aux Lettres dès mon enfance, et parce qu'on me persuadait que, par leur moyen, on pouvait acquérir une connaissance claire et assurée de tout ce qui est utile à la vie, j'avais un extrême désir de les apprendre. Mais, sitôt que j'eus achevé tout ce cours d'études, au bout duquel on a coutume d'être reçu au rang des doctes, je changeai entièrement d'opinion. Car je me trouvais embarrassé de tant de doutes et d'erreurs, qu'il me semblait n'avoir fait aucun profit, en tâchant de m'instruire, sinon que j'avais découvert de plus en plus mon ignorance. »

Il avait espéré accéder au vrai par la voie la plus raisonnable. Et en guise de connaissance claire et assurée, il trouvait au bout du chemin un micmac de jugements contradictoires. Dans les histoires des Anciens et dans leurs fables, tout était mélangé : le vrai avec le faux, l'imaginé avec l'observé, l'accidentel avec l'essentiel. Dans la philosophie même et dans les sciences qui lui empruntent leurs principes, il ne trouvait aucune chose qui ne fût douteuse et sujette à dispute. Une pluralité décourageante régnait ; aucun fondement n'était ferme et sûr. Plus Descartes grandissait et plus l'impatientait l'autorité de ses précepteurs. Dès que l'âge le lui permit, il prit une résolution dont les effets continuent à se faire sentir : il quitta entièrement l'étude des Lettres. Choisissant l'étude du « grand livre du monde » contre l'accumulation érudite des connaissances livresques, il employa le reste de sa jeunesse à voyager, « à voir des cours et des armées, à fréquenter des gens de diverses humeurs et conditions, à recueillir diverses expériences. » Ce dépaysement lui fut éminemment profitable. Le spectacle d'autres mœurs régnant sous d'autres cieux le conduisit à faire la part des choses et à prendre acte de ce qui, dans sa propre tradition, relevait du conditionnement ou du préjugé : « J'appris à ne rien croire trop fermement de ce qui ne m'avait été persuadé que par l'exemple et la coutume. » Mais quant à distinguer le vrai du faux et à *marcher avec assurance en cette vie*, il n'avait pas progressé d'un iota. Il avait simplement lâché la disparité des opinions pour la bigarrure des manières d'être. Il s'était déplacé en tous sens, mais précisément parce que c'était en tous sens, il avait fait du surplace. Face aux multiples dogmatismes, le scepticisme restait son lot.

Survint l'événement. La guerre de Trente Ans commençait en Europe : Descartes qui se croyait fait pour les armes se dirigeait vers l'armée du duc Maximilien de

Bavière qui rassemblait des troupes contre Frédéric, comte palatin et roi de Bohême. L'hiver contraignit le cavalier français à s'arrêter et à séjourner dans un village aux environs d'Ulm. C'est là, dans une chambre confortablement chauffée par un poêle de faïence, que Descartes découvrit les fondements fermes et sûrs auxquels il aspirait. Les hommes, si l'on en croit Pascal, sont malheureux parce qu'ils sont agités et s'ils s'exposent, par cette agitation incessante, aux périls et aux peines, c'est pour éviter de regarder leur condition en face. On connaît la conclusion de Pascal : « Tout le malheur de l'homme vient d'une seule chose, qui est de ne savoir pas demeurer au repos dans une chambre. » Ce repos, cette solitude silencieuse, Descartes les a connus dans son poêle : ils ont fait son bonheur intellectuel et toute une part de notre agitation, de notre affairement résulte de la philosophie qui s'est esquissée alors. Mais n'anticipons pas. *Ego sans divertissement*, Descartes demeurait tous les jours en tête-à-tête avec lui-même. Il pouvait méditer tranquille. Et l'une de ses premières pensées l'avisa que « souvent il n'y a pas tant de perfection dans les ouvrages composés de plusieurs pièces et faits de la main de divers maîtres, qu'en ceux auxquels un seul a travaillé. Ainsi voit-on que les bâtiments qu'un seul architecte a entrepris et achevés ont coutume d'être plus beaux et mieux ordonnés, que ceux que plusieurs ont tâché de raccommoder en faisant servir de vieilles murailles qui avaient été bâties à d'autres fins. Ainsi ces anciennes cités qui, n'ayant été au commencement que des bourgades, sont devenues, par succession de temps, de grandes villes, sont ordinairement si mal compassées, au prix de ces places régulières qu'un ingénieur trace à sa fantaisie dans une plaine, qu'[...] on dirait que c'est plutôt la fortune que la volonté de quelques hommes usant de raison qui les a ainsi disposées. » Et ce qui vaut pour les objets fabriqués vaut aussi pour les affaires humaines : « Si Sparte a été autrefois très florissante, cela n'a pas été à cause de la bonté de chacune de ses lois en particulier [...] mais à cause que, n'ayant été inventées que par un seul, elles tendaient toutes à la même fin. »

Supériorité de l'unique : un seul a construit un bâtiment, un seul a planifié une ville, un seul a conçu et promulgué une législation. Mais attention : cet architecte, cet ingénieur, ce faiseur de code, ne sont pas des individus capricieux, tyranniques, n'en faisant qu'à leur tête et soumettant le monde à la loi de leur bon plaisir. Ce qui les caractérise, ce n'est pas l'exacerbation de leur individualité ; c'est, tout au contraire, la suppression de l'anarchie et des différences individuelles par la mise en ordre rigoureuse de la réalité. La fantaisie dont fait preuve l'ingénieur cité par Descartes n'est pas celle que Galilée, dans *L'Essayeur*, reconnaît à Homère ou l'Arioste : elle n'a rien d'extravagant ni même d'original ; elle est la liberté d'une méthode à laquelle aucun accident de terrain, ni aucune construction préexistante n'imposent de contrainte.

Descartes décide de s'inspirer de ces entreprises et se formule à lui-même cette ambition dans un vocabulaire délibérément architectural : « Réformer mes pensées et bâtir sur un fonds qui fût tout à moi. » Commençant par transformer l'*état* de doute où l'avaient laissé les livres et les voyages, en *exercice* du doute, il résolut de n'accepter aucun milieu entre la certitude et l'illusion ou l'erreur. Tel fut donc son premier précepte : « Ne recevoir jamais aucune chose pour vraie que je ne la connusse évidemment pour telle » et « ne comprendre rien de plus en mes jugements, que ce qui se présenterait si clairement et si distinctement à mon esprit, que je n'eusse aucune occasion de le mettre en doute. »

De Descartes, nous tenons que l'assurance en cette vie ne peut procéder que de la méthode et la méthode elle-même de la *mathesis* : les idées « bien compassées », absolument claires et distinctes, faites d'ordre et de mesure sont des concepts mathématiques. Mais nous ne sommes pas seulement cartésiens. En 1704, Jonathan Swift, l'auteur des *Voyages de Gulliver*, publie à Londres le *Récit complet et véridique de la bataille livrée vendredi dernier entre les Livres Anciens et les Livres Modernes dans la Bibliothèque St-James*. Sous la plume de Swift, merveilleusement déliée de toute contrainte de vraisemblance, la querelle qui divisait alors l'Europe lettrée et qui, sous le nom d'Anciens et de Modernes, opposait les Renaissants aux cartésiens, devient, en effet, une bataille d'in-folio. Et cette mêlée furieuse est elle-même précédée d'une non moins homérique algarade entre deux invertébrés : « Il y avait, demeurant au coin le plus haut d'une haute fenêtre, une certaine araignée gonflée jusqu'au dernier degré de magnitude par la destruction d'un nombre infini de mouches, dont les dépouilles gisaient en désordre devant les portes du palais, comme les ossements humains devant la caverne de quelque géant. » Les choses allaient leur train dans cette vaste construction arachnéenne, quand une abeille qui passait par là vint tout mettre sens dessus dessous. Folle de colère, l'araignée invectiva l'intruse : « Qu'es-tu donc sinon une vagabonde sans feu ni lieu destinée par ta naissance à ne rien posséder par toi-même qu'une paire d'ailes et le pipeau d'un bourdon, tandis que je tire tout de mon propre fonds et que je suis pourvue d'un complet et natif approvisionnement en toutes choses. J'ai construit ma demeure, grâce à mes savants calculs, avec des matériaux que j'ai entièrement puisés en moi-même. » Mais cette explosion de rage et cette tempête de mépris n'impressionnèrent nullement l'abeille. Elle répondit du tac au tac : « C'est vrai, je rends visite aux fleurs qui éclosent dans les champs et jardins, et tout ce que j'y puise et collecte m'enrichit sans porter le moins du monde atteinte à leur beauté, à leur parfum, à leur saveur. Quant à votre compétence en architecture et mathématiques, j'en dis seulement ceci : dans votre édifice, il peut bien y avoir du travail et de la méthode, mais, je viens d'en faire l'expérience, les matériaux sont nuls, et j'espère qu'à l'avenir vous prendrez autant en considération la durée et la substance que la méthode et la technique. Vous vous vantez de tout tirer de vous-même, mais si j'en juge par le liquide qui sort de vous, vous êtes pourvue à l'intérieur d'une grande réserve de déchets et de poison, et je conçois que vous n'ayez besoin du secours de personne pour l'augmenter. » Et l'abeille déchaînée posa pour finir cette question fondamentale : « Laquelle de nous deux est la plus noble : celle qui, absorbée dans son étroit quadrilatère, tout à s'occuper d'elle-même, se nourrissant et s'engendrant elle-même, tourne tout en excrément et venin et ne produit rien en définitive que toile d'araignée et crottes de mouche ou celle qui dans une quête universelle, au prix d'une longue recherche et de beaucoup d'études et d'un vrai jugement et discernement des choses rapporte chez elle du miel et de la cire ? »

Rien de plus sérieux, on le voit, que cette facétie ; rien de moins badin, rien de moins excentrique que cette controverse insolite entre l'arrogante araignée et l'abeille vibrionnante. Il y va de l'essentiel, c'est-à-dire de l'être et de ce qui est exigé de nous pour que nous en ayons l'expérience. Swift défie Descartes et riposte par un *éloge de la médiation* au *discours de la méthode.* Il ne prend pas le parti des Anciens contre toute forme de nouveauté. Il affirme la nécessité du détour par les œuvres contre l'image rectiligne et conquérante du progrès indéfini de la Raison. La querelle, autrement dit, n'est pas temporelle, elle est ontologique : le *no man's land* cartésien entre la certitude et l'erreur est le territoire même où Swift fait butiner son abeille. Refusant de céder à l'évidence aveuglante des idées claires et distinctes, il revendique l'héritage des livres qui répandent sur le monde la douce lumière de la nuance.

Quatre ans après la parution de la *Bataille des livres*, le 18 octobre 1708, le philosophe Giambattista Vico prononce à l'Université royale de Naples une conférence intitulée « *De nostri temporis studiorum ratione* » (« La méthode des études de notre temps »). Comme Swift, Vico sonne la charge contre le cartésianisme et son impact sur l'éducation de l'homme européen. « Tout se passe désormais, disait-il, comme si les jeunes gens devaient sortir des Académies pour entrer dans un monde des hommes qui serait composé de lignes, de nombres et de signes algébriques. » Ces blancs-becs diplômés sont sûrs de ne jamais tenir une erreur pour une vérité mais ils ignorent superbement que l'ordre de la pratique n'est pas justiciable de ce type de certitude. Il y a raison et raison, affirme, en substance, Vico. Il y a la puissance de distinguer le vrai du faux que Descartes appelle *bon sens* et il y a le discernement en situation d'incertitude qui relève du *sens commun*. L'oubli ou le mépris de cette différence par la méthode triomphante conduit à former des *savants imprudents*, des *Docti imprudenti* qui, en voulant aller directement du vrai en général aux vérités particulières « forcent leur passage à travers les tortuosités de la vie. »

Pas plus que Swift, Vico ne s'enferme dans la vénération têtue ou l'embellissement nostalgique d'un passé orné de toutes les grâces. C'est parce que le monde humain moderne ne lui paraît, pas plus que le monde ancien, écrit en langue mathématique qu'il s'inquiète de l'« affaiblissement dans les esprits de l'aptitude aux arts qui reposent sur l'imagination ou sur la mémoire, ou sur les deux, comme la peinture, la poésie, l'art oratoire, la jurisprudence. » Vico ne plaide pas pour un retour au passé mais contre la propension néfaste de son temps à faire de la raison cartésienne le tout de la raison.

Cette propension, Descartes la craignait également, puisqu'au moment même où il rejetait toutes les opinions qu'il avait jusqu'alors en sa créance, il mettait solennellement en garde contre une compréhension littérale et une application illimitée du principe de la table rase : « Il est vrai que nous ne voyons point qu'on jette par terre toutes les maisons d'une ville, pour le seul dessein de les refaire d'autre façon et d'en rendre les rues plus belles [...] à l'exemple de quoi je me persuadais qu'il n'y avait point d'apparence qu'un particulier fit dessein de réformer un État en y changeant tout dès les fondements, et en le renversant pour le redresser. » Mais une fois lancée, la méthode se délesta vite de ces scrupules. L'idée selon laquelle la rationalité scientifique représentait la forme la plus haute et la plus parfaite de la raison, s'imposa peu à peu dans tous les domaines. De même qu'en physique les réalités observables étaient décomposées en leurs phases ou leurs éléments les plus simples afin d'en saisir les fondements, de même la question de l'État fut traitée par la nouvelle pensée politique à partir des modalités élémentaires (et définies de manière univoque) de la nature humaine. Tocqueville a qualifié de politique littéraire cet élargissement de la *mathesis* à l'étude et à la solution des problèmes de la cité. Au XVIIIe siècle, en effet, les gens de Lettres n'étaient pas retirés dans la sphère de la philosophie ou de la pure spéculation, ils s'occupaient des matières qui ont trait au gouvernement et ils le faisaient, écrit Tocqueville, en substituant « des règles simples et élémentaires puisées dans la raison et la loi naturelle aux coutumes compliquées et traditionnelles qui régissaient la société de leur temps. » Pas de confusion donc : *littéraire*, ici veut dire *géométrique*, déductif, abstrait. C'était la vision scientifique du monde qui triomphait alors dans la politique des écrivains. Les mêmes Lumières brillaient dans toutes les activités de l'esprit et promettaient aux hommes la maîtrise de leur destin en même temps que celle de la nature. C'était, pour la culture, l'époque heureuse de l'unité. Bonheur éphémère : le fil fut renoué avec Swift et Vico en 1790 dans les *Réflexions sur la révolution de France* du philosophe et politicien libéral anglais Edmund Burke. À cette date, la politique littéraire ne se contentait plus de parler, elle agissait. Elle faisait des phrases et ses phrases faisaient rage ; ses arguments devenaient des événements ; ses concepts mordaient dans l'histoire. Quittant l'Olympe de la pensée, elle changeait le monde, elle transformait les institutions, elle affectait toutes les existences. Et Burke en avait froid dans le dos. Pourquoi ? Parce que cette politique abolissait les privilèges ? Non : parce qu'elle abolissait le passé. À la différence de la révolution anglaise, qui faisant valoir les droits comme un patrimoine historique, tempérait l'esprit de liberté et le prémunissait contre « les excès auxquels il tend lorsqu'il est laissé à lui-même », la révolution française, selon Burke, était l'œuvre de l'esprit de système et ne connaissait que cette abstraction : les droits naturels de l'Homme.

Aux yeux de ceux qui se pensent comme des héritiers, « la liberté se fait noblesse. Elle acquiert une sorte de majesté : elle a sa généalogie et ses ancêtres illustres, ses emblèmes et son écu armorial ; elle possède sa galerie de portraits, ses inscriptions commémoratives, ses lettres, preuves et titres. » Ceux, en revanche, qui se conçoivent comme de purs innovateurs « n'ont aucun respect pour la sagesse des autres, mais en compensation ils font à la leur une confiance sans bornes. » Et ils ne voient dans le monde qui a précédé *leur* lumière qu'absurdité, préjugé et désordre. Pour Burke, en d'autres termes, quand la raison s'exprime à la première personne — Je pense ! — ce n'est pas la raison qui parle, c'est le moi qui délire en se prenant pour la raison. Avec son « je pense, donc tout suit », la politique littéraire n'a pas arraché la raison à l'obscurantisme, au préjugé et à toutes les formes d'extravagance, elle a consommé, pour le plus grand malheur des hommes, le divorce du rationnel et du raisonnable, de l'expertise et de l'expérience, de l'action méthodique et de la sagesse pratique. Il y a tout à craindre, en effet, d'une intelligence déliée des scrupules de la prudence, et qui au lieu de « se pencher sur les défauts de l'État comme sur les blessures d'un père, dans la crainte et le tremblement et avec une pieuse sollicitude » ne se fie qu'à ses propres raisonnements.

Pour dire son effroi devant les méfaits de la méthode, Burke utilise spontanément le même modèle que Descartes : l'architecture. Descartes s'émerveillait de « ces places régulières qu'un ingénieur trace à sa fantaisie dans une plaine » ; Burke admire la délicatesse et le doigté qu'il faut pour réformer tout en conservant : « Quand on veut garder ce qu'un établissement ancien présente d'utile, et bien adapter aux parties conservées ce qu'on y introduit de nouveau, il est besoin d'un esprit vigoureux, d'une attention soutenue, de ces divers talents qui permettent les comparaisons et les combinaisons, enfin de toutes les ressources d'une intelligence fertile en expédients ; il faut savoir lutter aussi contre les forces conjuguées des deux vices opposés — d'un côté la résistance opiniâtre à toute amélioration, et de l'autre la légèreté des esprit blasés et dégoûtés de tout ce qu'ils possèdent. » Et ce qui vaut pour les habitations, est plus vrai encore des institutions : « Si la simple sagesse nous recommande la plus grande circonspection lorsque nous travaillons sur des matières inanimées, cette prudence ne devient-elle pas aussi un véritable devoir moral dès que nos travaux de démolition et de construction n'ont plus pour objets de la brique et du bois mais des êtres sensibles dont on peut changer brusquement l'état, le mode de vie, et les habitudes sans risquer de plonger dans le malheur des multitudes entières ? Mais on dirait qu'à Paris, il est généralement admis que pour faire un bon législateur, les seules qualités requises sont un cœur insensible et un aplomb imperturbable. »

Contre cet aplomb imperturbable, contre cette confiance en soi de l'araignée tissant sa toile, Burke revendique une sagesse plus large, plus douce, plus humble et qui prête l'oreille à la voix des morts au lieu de la bâillonner. Mais ce n'est plus tout à fait la sagesse de l'abeille. Burke n'est pas seulement le continuateur de Swift et de Vico : une nouvelle pensée naît du traumatisme de la Méthode. Les dégâts esthétiques et humains engendrés par le constructivisme triomphant produisent une sorte d'ébranlement métaphysique d'où il ressort que l'homme s'expose au pire quand il croit pouvoir s'abstraire de toute particularité et se définir par la double capacité d'être entièrement conscient de lui-même et de fonder son propre destin. Sous les chocs conjugués de la Terreur politique et de la Révolution industrielle, Burke et, avec lui, ceux qui prendront le nom de romantiques, découvrent que tout le malheur des hommes ne vient pas de ce qu'ils ont d'abord été des enfants, comme le prétend Descartes, mais de ce qu'ils ont voulu annuler leur date et leur dette de naissance.

Le déni de son être-né, de sa passivité originaire, de son inscription dans un monde déjà là, déjà doué de raison, par une humanité qui s'érige en origine et maîtresse absolue du sens — voilà pour les romantiques, la cause première du mal. À l'*homme-architecte* des Lumières, le romantisme oppose l'*homme-habitant* (et aux buildings fonctionnels qui jurent avec le paysage où ils se dressent, les édifices qui se fondent en celui-ci). À la clarté du concept, il oppose les replis, les demi-teintes, les contradictions de la présence humaine. La réalité, dit-il, transcende l'intelligibilité. Et nul privilège d'extraterritorialité ne doit être accordé à la conscience : celle-ci n'est pas une instance séparée, disjointe, coupée de toute tradition et de toute collectivité. Elle a une géographie, une histoire, un patrimoine de mots, avec leurs harmoniques, leurs résonances venues du fond des âges et qui se saisissent d'elle au moins autant qu'elle se saisit d'eux. Je pense parce qu'il y avait quelqu'un avant moi. Toute première fois a un passé. Toute prise de conscience est une *reprise*. Marquée d'incomplétude, la pensée intervient en réponse à une question qu'elle n'a pas elle-même posée. Le Romantisme est une grande protestation contre les ravages que déclenche l'oubli par l'homme de sa condition incarnée et du fait qu'il n'évolue pas dans un espace homogène mais dans des lieux insubstituables.

Ce qui caractérise les Temps modernes, dit-on généralement, et à très juste titre, c'est l'humanisme. Dieu s'éloigne, se dissimule, s'efface : l'Homme prend sa place. L'anthropologie supplante la théologie. Tel est le scénario. Mais, on vient de le voir, l'humanisme n'est pas d'un seul tenant. Ce mot unique a pris des orientations divergentes. La guerre couve sous l'apparence de l'homogénéité. Il n'y a pas un, mais trois humanismes : *l'humanisme galiléo-cartésien* qui progresse en renversant la domination de l'erreur et des fausses théories ; *l'humanisme classique* qui veille sur le trésor des œuvres admirables, car, comme l'écrit Eugenio Garin, il est fidèle au principe selon lequel « dans le colloque avec les autres, dans la confrontation avec des paroles précises et non pas approximatives et banales, l'esprit est pratiquement obligé de se retrouver lui-même, de prendre position, de prononcer à son tour des mots adéquats et précis » ; *l'humanisme romantique* enfin qui refuse d'abandonner la réalité à l'impérialisme de la méthode et qui dessine l'image d'un irréductible enracinement de l'Homme. Alors qu'au royaume du premier humanisme, le temps et la lumière se projettent en avant, les deux autres ont partie liée avec les ombres.

Dans sa célèbre conférence de 1959, Charles Percy Snow a pris acte du conflit des humanismes. Ce qu'il dépeignait, en effet, c'était d'un côté des littéraires qui, alliant l'humanisme classique et l'humanisme romantique, n'avaient pas d'yeux pour le progrès, et de l'autre, des scientifiques qui étaient portés par méthode et par tempérament, « à chercher des solutions et à croire que, jusqu'à preuve du contraire, ces solutions existent ». Les premiers déploraient l'enlaidissement du monde, les seconds participaient fièrement au grand projet de se rendre « comme maître et possesseur de la nature » pour soulager la condition des hommes. C'est pourquoi ils se regardaient en chiens de faïence.

Snow ne s'est donc pas trompé. Peut-être s'est-il laissé abuser cependant par les haines feutrées et figées d'Oxford. La grande querelle des humanismes ne se réduit pas à l'hostilité réciproque des deux cultures. Elle traverse désormais tous les arts, tous les départements, toutes les disciplines. Au moins autant que les littéraires aux scientifiques, elle oppose les littéraires entre eux et la philosophie même est divisée, cassée en deux par cette persistante discorde.

Chapitre V

L'éclatement de la philosophie

En 1929, paraît à Vienne un livre mince et de peu d'apparence intitulé : *La Conception scientifique du monde.* Le texte se présente sans nom d'auteur mais la préface est signée par le mathématicien Hans Haan et les logiciens Rudolf Carnap et Otto von Neurath. Et le titre annonce la couleur : il n'y a pas d'autre saisie objective du monde que la conception scientifique. Le monde n'est rien de plus que ce que la science en dit. Avec leur symbolisme purifié des scories des langues historiques, les énoncés scientifiques *décrivent* le réel ; les énoncés métaphysiques et théologiques comme les énoncés poétiques *expriment* une émotion : ce qui est parfaitement légitime et même nécessaire car l'expression du sentiment de la vie constitue une tâche importante de la vie. Mais il ne faut pas confondre les ordres. Comme l'écrivait Carnap dans un article publié deux ans après ce qu'on a très vite appelé le *Manifeste du*

Cercle de Vienne, les métaphysiciens qui s'enivrent de grands mots tels « Inconditionné », « Infini », « Être de l'étant », « Esprit absolu », « Essence », « Être-en-soi et pour-soi », « Émanation », « Manifestation », « Moi », « Non-Moi » etc. s'imaginent arpenter un domaine où il en va du vrai et du faux. Mais ils s'égarent, ils se racontent des histoires, ils se font des illusions : de fait, ils ne disent rien. Ils expriment quelque chose à la manière d'un artiste. Or, poursuit Carnap, le moyen le plus pur pour exprimer le sentiment de la vie est la musique « parce qu'elle est au plus haut point libre de toute référence objective. » Conclusion : « Les métaphysiciens sont des musiciens sans talent musical ». Ils jouent mal car ils se sont trompés d'instrument. Artistes manqués, piètres philosophes : les métaphysiciens ont tout faux. « Mais que reste-il à la philosophie, demandait Carnap, si tous les énoncés qui disent quelque chose sont de nature empirique et appartiennent à la science du réel ? » Sa réponse est aussi simple que tranchante : ce qui reste, ce n'est ni une théorie, ni un système, mais seulement une *méthode*, la méthode de l'analyse logique. La philosophie n'a rien à ajouter à la connaissance, il lui incombe de la clarifier par la mise en évidence de la signification réelle des énoncés. Faute d'un instrument d'analyse performant, les pseudo-problèmes pullulent, les simili-énoncés envahissent, comme de la mauvaise herbe, la scène intellectuelle et les philosophes traitent passionnément de questions qui n'ont, littéralement, aucun sens. Le Cercle de Vienne en appelle donc à la discipline argumentative contre la poésie conceptuelle. Manière de dire qu'à l'âge de la science, une même étiquette, un même label philosophique recouvre deux entreprises intellectuelles distinctes et même incompatibles. Et la bataille, affirment haut et fort les auteurs du Manifeste, n'est pas seulement théorique. Elle est, avant tout, politique et met aux prises deux « groupes de combattants ». Les premiers « accrochés au passé dans le domaine social cultivent des attitudes métaphysiques caduques ». L'autre groupe, en revanche, est « tourné vers les temps nouveaux ». Le développement de la conception scientifique du monde épouse, en effet, « celui des processus de production moderne dont l'organisation technique due aux machines se renforce et laisse d'autant moins de place aux représentations métaphysiques. Il correspond également au désenchantement de larges masses à l'égard de ceux qui prêchent des doctrines métaphysiques et théologiques périmées ».

Avec la montée du nazisme, le combat prend une tournure tragique. Ces hommes qui voulaient, par la pensée, s'engager dans l'histoire, voient alors l'histoire, sous sa forme la plus hideuse et la plus brutale, faire irruption dans leur vie. En 1935, répondant à l'invitation d'Harvard, Carnap quitte l'Autriche. L'année suivante, Moritz Schlick, le dédicataire de *La Conception scientifique du monde*, est assassiné sur les marches de l'université de Vienne par un étudiant d'extrême-droite. Les derniers membres du Cercle de Vienne émigrent alors aux États-Unis. Et c'est là, ainsi que dans l'Angleterre de Russell et de Moore, qu'on entreprend de « recommencer la philosophie » par contraste avec les propos vagues, les formulations équivoques, les ratiocinations ésotériques, jargonneuses, grandiloquentes de la philosophie dite désormais continentale et sur les bases modestes mais sûres de l'analyse des significations et des arguments.

L'année même où Rudolf Carnap doit fuir l'Europe, Edmund Husserl tient à Vienne et à Prague des conférences sur la *Crise de l'humanité européenne.* L'Europe, pour le fondateur de la phénoménologie, c'est plus qu'un espace géographique, qu'une réalité historique, qu'une communauté de destin. C'est une figure spirituelle, née en Grèce entre le VIIe et le VIe siècle avant Jésus-Christ. Là, dans cette nation, une attitude d'un genre nouveau à l'égard de l'environnement vit le jour : la philosophie ou le mouvement de l'âme par lequel les hommes s'arrachent au pouvoir de l'habituel et posent la question : « Qu'est-ce que ?... » Alors, dit en substance Husserl, un nouveau régime de vérité put s'établir : « Une vérité qui vaut identiquement pour tous ceux que n'aveugle pas la tradition » remplaça la vérité quotidienne enchaînée à la tradition, indiscernable de la coutume. Ce qui lança l'Europe et la fit accéder à « la dignité d'une humanité capable de tâches infinies », ce fut donc l'émergence miraculeuse de la pensée interrogative. Or, selon Husserl, cette humanité-là connaît une crise peut-être terminale : elle menace de disparaître en devenant toujours plus étrangère à sa propre essence. Un tel pessimisme, en 1935, n'a rien d'extraordinaire. Tout le monde, alors, a peur. Tout le monde est inquiet. L'Europe regorge de prophètes de malheur. Il est courant, banal même de parler de crise. Ce qui l'est moins, c'est d'aller chercher l'origine de cet abandon par l'Europe de sa propre figure spirituelle dans la pensée inaugurale des Temps modernes, celle-là même qui a rendu possible la conception scientifique du monde. Husserl, en effet, remonte à Galilée et il montre que la révolution galiléenne dont le Cercle de Vienne revendique l'héritage, ne se ramène pas à la victoire de la science sur l'ignorance, l'illusion ou le préjugé. Elle accomplit « la *substitution* par laquelle le monde mathématique des idéalités est pris pour le seul monde réel. » Le geste de Galilée, autrement dit, est à la fois *découvrant* et *recouvrant* : « il découvre la nature mathématique, l'idée méthodique, il fraie la voie à l'infinité des découvreurs et des découvertes en physique. » Mais, en même temps, il recouvre « le monde réellement donné dans l'intuition, réellement éprouvé et éprouvable, dans lequel toute notre vie se déroule pratiquement. » La modernité doit à son plus grand découvreur l'injonction d'ériger la mathématisation du monde en système total de l'être. Galilée a taillé « un vêtement d'idées dans l'infinité ouverte des expériences possibles » et, couturier despotique, il a décrété que le réel n'en portait pas d'autre. Cette décision a fait que « nous prenons pour l'Être vrai ce qui est méthode. » Sous le règne de cette confusion fatale, la raison ne répond plus à la question « qu'est-ce que ? » mais à la question « comment ? », et la pensée interrogative cède invinciblement le pas à l'impératif d'efficacité maximale.

Comme Husserl, dont il fut l'élève et le collaborateur avant d'ouvrir son propre chemin de pensée, Heidegger reconnaît que nous sommes entrés dans l'âge de la conception scientifique du monde. Comme Husserl encore, il s'inquiète d'un monde où cette conception régnerait sans partage. Et plus explicitement encore que son vieux maître, il conteste la prétention de la science moderne à dépasser la métaphysique. Prendre pour l'Être vrai ce qui est méthode, n'admettre en guise de réel que l'objectivable et le calculable, cette manière d'appréhender la totalité constitue la métaphysique de l'époque qui croit, par cette appréhension même, en avoir fini avec la métaphysique, c'est-à-dire avec tout au-delà de l'expérience. La science qui pose l'être comme objet et l'objet comme rationnel, donc calculable, n'est pas la science en soi. Cette science se démarque de ses formes antérieures par le regard *technique* qu'elle porte sur les choses. La technique moderne ne procède de la science que parce que la science moderne elle-même procède d'un rapport foncièrement technique de l'homme au tout du monde. Il y a là une nouvelle donne que Heidegger ne fut pas le premier à signaler. Bien avant lui, bien avant Husserl, Kant écrivait déjà dans la préface de la *Critique de la raison pure* : « Quand Galilée fit rouler ses sphères jusqu'au bas d'un plan incliné avec une pesanteur choisie par lui [...] il se produisit une illumination pour tous les physiciens. Ils comprirent que la raison ne voit que ce qu'elle produit elle-même selon son projet, qu'elle devrait prendre les devants avec les principes qui régissent ses jugements d'après des lois constantes et forcer la nature à répondre à ses questions, mais non pas se laisser conduire, pour ainsi dire, en laisse par elle ». La science galiléenne, en d'autres termes, inverse la priorité ontologique des Grecs : elle ne règle pas son projet sur les possibilités de la nature, elle règle la puissance de la nature sur la construction en projet. Il incombe donc à la raison de se faire respecter. Elle doit, poursuit Kant, « s'adresser à la nature en tenant d'une main ses principes, en vertu desquels seulement des phénomènes concordant peuvent avoir valeur de lois, et de l'autre main, l'expérimentation qu'elle a conçue d'après ces principes, certes pour recevoir les enseignements de cette nature, non pas toutefois à la façon d'un écolier qui se laisse dire tout ce que veut le maître mais comme un juge dans l'exercice de ses fonctions qui force les témoins à répondre aux questions qu'il leur soumet. »

Cette sommation, cette mise en demeure adressée au réel par la raison, Heidegger propose de l'appeler *Gestell*, mot qui, par-delà le sens de tréteau ou de châssis qu'il revêt dans l'allemand ordinaire, évoque toutes les opérations que peuvent désigner les verbes comportant le radical *stellen* : mettre en évidence, traquer, commettre, intimer, interpeller. La traduction française — *arraisonnement* — a le mérite de faire image de façon concordante. Avec le *Gestell*, l'être se trouve arraisonné c'est-à-dire arrêté dans sa course comme un bateau en pleine mer, contraint de fournir des justifications et finalement requis pour des tâches de rationalisation intégrale : « la centrale électrique est mise en place sur le Rhin. Elle le somme (*stellt*) de livrer sa pression hydraulique qui somme à son tour les turbines de tourner. Ce mouvement fait tourner la machine dont le mécanisme produit le courant électrique, pour lequel la centrale régionale et son réseau sont commis aux fins de transmission. Dans le domaine de ces conséquences s'enchaînant l'une l'autre à partir de la mise en place de l'énergie électrique, le fleuve du Rhin apparaît, lui aussi, comme quelque chose de commis ». Ce que veut dire ici Heidegger, c'est que la disponibilité à fournir de l'énergie n'est pas un attribut secondaire du Rhin, c'est, à l'âge de la science, la manière même dont il se manifeste. Dans l'œuvre d'art appelée *Le Rhin*, Hölderlin ne vise pas la même réalité, ne parle pas de la même chose. Certes le Rhin de la centrale demeure le fleuve du paysage. Mais comment le demeure-t-il ? « Pas autrement, répond Heidegger, que comme un objet pour lequel on passe une commande (*bestellbar*), l'objet d'une visite organisée par une agence de voyage, laquelle a constitué (*bestellt*) là-bas une industrie des vacances. »

Dans un discours prononcé à Messkirch, sa ville natale, en 1959, c'est-à-dire un peu moins de vingt ans après les célèbres conférences de Husserl, Heidegger durcit encore son propos et déclare que l'homme, à l'âge de la conception scientifique du monde, est en fuite devant la pensée. Ce diagnostic à peine énoncé, il anticipe l'objection — « On n'a jamais produit des plans aussi vastes, des études aussi variées, des recherches aussi passionnées qu'à notre époque » — et il en reconnaît volontiers la pertinence : une pensée de cette sorte existe bel et bien. La réflexion qu'elle déploie et la sagacité qu'elle met en œuvre sont, par surcroît, d'un grand profit. Mais il reste que c'est une pensée d'un caractère particulier. Sa particularité consiste en ceci : « Lorsque nous dressons un plan, participons à une recherche, organisons une entreprise, nous comptons toujours avec des circonstances données. Nous les faisons entrer en ligne de compte dans un calcul qui vise des buts déterminés. Nous escomptons d'avance des résultats définis. Ce calcul caractérise toute pensée planifiée et toute recherche. [...] La pensée qui calcule ne nous laisse aucun répit et nous pousse à aller d'une chose à la suivante. La pensée qui calcule ne s'arrête jamais, ne rentre pas en elle-même. Elle n'est pas une pensée méditante, une pensée à la poursuite du sens qui domine dans tout ce qui est. Il y a ainsi deux sortes de pensée dont chacune est à la fois légitime et nécessaire. La pensée qui calcule et la pensée qui médite. »

Les deux cultures sont pour Heidegger, plus radicalement encore que pour Snow, deux appréhensions du monde, sinon même, comme en témoigne l'exemple du Rhin, deux mondes distincts dévoilés par deux formes de pensée qui s'ignorent et qui poursuivent chacune sa route, telles deux constellations étrangères : « L'irrésistible sommation et la réserve de ce qui sauve passent l'une devant l'autre, comme dans le cours des astres, la trajectoire de deux étoiles ».

Ne pas croire cependant que Heidegger réserve la pensée méditante à une toute petite et toute dédaigneuse aristocratie des esprits. Cette pensée qui exige beaucoup d'efforts et réclame des soins délicats est aussi rare que les gestes les plus simples et la longue patience des vieux métiers d'autrefois : « Elle doit comme le paysan, savoir attendre que le grain germe et que l'épi mûrisse ». Mais, saisi par le *Gestell*, le cultivateur lui-même n'attend plus : il requiert la nature. Il la requiert au sens de la provocation : « L'agriculture est aujourd'hui une industrie d'alimentation motorisée. »

Dans un cours professé à l'université de Fribourg en Brisgau et précisément intitulée : *Qu'appelle-t-on penser ?*, c'est l'exemple de la menuiserie qu'Heidegger invoque pour mettre en évidence le caractère non pas aristocratique, mais archaïquement humble de la pensée méditante : « Un apprenti-menuisier, quelqu'un qui apprend à faire des coffres, ne s'exerce pas seulement dans cet apprentissage à manier avec habileté des outils. Il ne se familiarise pas non plus seulement avec les formes nouvelles des choses qu'il a à construire. Il s'efforce, quand il est un vrai menuisier, de s'accorder avant tout aux diverses façons du bois, au bois lui-même tel qu'il pénètre la demeure des hommes et, dans la plénitude cachée de son être, s'y dresse ». S'accorder ; accueillir la présence énigmatique du monde ; ne pas laisser le calcul prendre le pas sur la réceptivité ; demeurer ouvert à une possible simplicité intacte des choses — tels sont aussi les préceptes que s'efforce de suivre l'homme méditant : « Penser est peut-être du même ordre que travailler à un coffre. » Rien de plus concret, rien de plus *au ras des pâquerettes* que cette activité sans utilité pratique. On aurait tort de croire, par conséquent, qu'à l'âge des machines et des moteurs, les arts mécaniques trop longtemps méprisés ont pris enfin leur revanche sur l'insupportable arrogance des arts libéraux. Toutes les réalités qui exigeaient autrefois l'usage de la main tendent à être remplacées par les informations. On échoue à saisir ces « non-choses » molles et fluides que sont les images sur l'écran de télévision, les données stockées dans les ordinateurs, les micro-films, les hologrammes et les programmes. Une nouvelle humanité est née, intellectuelle de part en part, en ceci précisément qu'elle ne manie plus les choses. Comme le remarque Vilem Flusser, ce qui reste aux nouveaux humains de leurs mains, « c'est le bout de leurs doigts, avec lequel ils appuient sur les touches pour jouer avec les symboles. » L'antique partage des disciplines entre arts mécaniques et arts libéraux reposait sur la scission métaphysique de l'au-delà et de l'ici-bas, du spirituel et du matériel, ou encore de l'intelligible et du sensible. C'est au profit d'un assujettissement total de la réalité sensible à la rigueur du calcul, c'est-à-dire à l'intelligible, que la conception scientifique du monde a résorbé cette division. Maintenant, l'homogénéité s'installe. Avec la substitution généralisée du *digital* au *tangible*, il n'y aura plus bientôt que des arts *numériques*. Et, dit Heidegger, ce qui menace, dans un monde quasi exclusivement peuplé de manipulateurs de symboles, ce n'est pas la disparition de l'intelligence, c'est au contraire, son abêtissante hégémonie, son impérialisme sans frontières et la disparition conjointe de tout ce qui, dans l'être comme dans la pensée, rumine et résiste à son activisme perpétuel.

« L'homme tel qu'il est jusqu'ici a trop agi et trop peu pensé », déclarait Heidegger. Mais comme ne manquent pas de le rappeler les héritiers actuels de Carnap, et, avec eux, la plupart des adeptes de la philosophie analytique, Heidegger, lui-même, a agi. Et il n'a pas lieu de faire le fier. Plutôt que de s'en prendre à l'action comme telle et de lui opposer la majestueuse et rustique pensée méditante, n'est-ce pas son action, son engagement, son adhésion éphémère mais exaltée à la cause nationale-socialiste qu'il aurait dû questionner inlassablement ? N'incrimine-t-il pas l'action en général pour mieux noyer le poisson de la sienne ? Et surtout n'y a-t-il pas un rapport profond entre la radicalité de sa critique des Temps modernes et le fait qu'il ait cru, même momentanément, en Hitler ? Le terrible reproche que dans *Les Deux Cultures*, C. P. Snow adresse aux littéraires Yeats, Pound, Wyndham Lewis — avoir contribué par leur influence à ouvrir le chemin d'Auschwitz — ne s'applique-t-il pas aussi et surtout à lui ?

Cette interrogation est fondée. Heidegger a cru, effectivement, en 1933, que l'Allemagne réveillée s'apprêtait à contrarier l'ensemble néfaste des données modernes. Il a salué, avec une ferveur lamentablement sincère, l'effort national-socialiste pour soustraire l'Europe à l'étau de ces deux versions concurrentes de « la frénésie sinistre de la technique déchaînée et de l'organisation sans racine de l'homme normalisé » qu'étaient alors, à ses yeux, la Russie et l'Amérique. Épouvanté par la perspective d'une société consacrée à la production et à la consommation de marchandises (aussi bien spirituelles que matérielles), il a sans doute eu le sentiment d'une consonance entre les événements qui se déroulaient sous ses yeux et la tâche que, dès 1929, dans sa célèbre controverse de Davos avec Ernst Cassirer, il assignait à la philosophie : « Arracher l'homme à la paresse d'une vie qui se bornerait à utiliser les œuvres de l'esprit, l'arracher à cette vie pour le rejeter en quelque sorte dans la dureté de son destin. » Bref, Heidegger a *romantisé* le nazisme et comme l'écrivait avec une inconsolable sévérité Hans Jonas qui fut son élève, « le ralliement du penseur le plus profond de l'époque à la marche au pas fracassante des bataillons bruns constitue une catastrophique débâcle de la philosophie, une honte à l'échelle de l'histoire mondiale, une banqueroute de la pensée philosophique elle-même ». Et pourtant, on ne peut en rester là. Cette épitaphe réclame un post-scriptum. Le nazisme, Heidegger s'en aperçut vite, n'avait aucune intention d'accomplir la mission historiale dont il l'avait absurdement chargé. Le romantisme politique est certes riche de potentialités monstrueuses et il y avait bien une tonalité romantique dans l'exaltation du sacrifice et le pathos de la confrontation à la situation extrême, dans la définition de l'homme non par son autonomie mais par son appartenance, dans l'affirmation du caractère sacré de l'origine, dans la glorification du peuple entendu comme entité homogène, et dans la stigmatisation des exigences individualistes aussi bien que des aspirations universalistes, au nom de l'esprit communautaire. Cette propagande existait indubitablement et elle a fait des ravages, elle a séduit des penseurs. Mais à la prendre au pied de la lettre, à présenter le nazisme comme un romantisme exacerbé, C. P. Snow et les adeptes de la « conception scientifique du monde » oublient le culte de la volonté et le rêve de toute-puissance qui étaient au cœur de cette entreprise. Au contraire de Heidegger lui-même qui, dans une conférence de 1949, a pris acte, malgré tout, de la nouveauté historique et même historiale de l'extermination — « Des centaines de milliers meurent en masse. Meurent-ils ? Ils périssent. Ils sont tués. Meurent-ils ? Ils deviennent les pièces d'un stock de fabrication de cadavres. Meurent-ils ? Ils sont liquidés discrètement dans les camps d'anéantissement » —, ces industrialistes passionnés négligent superbement ce que le fait de massacrer des hommes comme si leur élimination relevait d'une production de matière première, doit au mode de dévoilement et d'action de la technique moderne. Et leur antipasséisme passe à côté de la démesure du crime.

Dans une nouvelle déchirante et dénuée de tout pathos, Ivo Andric raconte l'histoire de Mento Papo, un juif de Sarajevo « toujours entre deux vins, mais jamais vraiment ivre ». Ce petit homme insignifiant possédait une buvette — le *Titanic* — au rez-de-chaussée d'une maison aux murs lépreux dont l'architecture poussive et anémique était « l'expression d'une vie sans pensée et sans horizon ». Flirtant avec la police et avec le fisc, amusant ses clients avec ses chansons et ses bons mots, se querellant et se réconciliant avec sa compagne croate, il gérait médiocrement son « affaire lilliputienne ». Cet homme ne comptait pas. Il végétait. Son existence n'appartenait pas à l'Histoire. Mais l'Histoire, en 1941, s'empara de son existence. Il régnait alors sur Sarajevo « une atmosphère de plus en plus dense et opaque ». Les clients commencèrent à déserter la buvette de Mento Papo. Sa compagne s'enfuit, elle aussi, « sans qu'il y eut de querelle ou de rixe ». Un jour, Mento fut convoqué au poste de police pour se faire enregistrer comme juif. Il n'avait aucun contact avec la communauté juive et le milieu dont il était issu, mais ne comprenant rien à ce qu'il lui arrivait, il alla voir quelques juifs en vue. Le désarroi lui dicta une question tout à fait banale et inouïe : « Qu'est-ce qui se passe ? » Il n'obtint pas de réponse. Ses interlocuteurs, écrit Andric, « le regardaient d'un œil sans expression et ne trouvaient rien à lui dire ». Quelque temps plus tard, un fonctionnaire oustachi se présenta dans le petit café vide de Mento Papo, l'interrogea et l'exécuta.

Qu'est-ce qui se passe ? Qu'est-ce que j'ai fait ? Quel crime ai-je commis ? Qui sont ceux qui ont fait de moi leur ennemi ? Et pourquoi moi, moi qui ne suis un bienfait ni un danger pour personne ? Cette stupeur hébétée est à l'échelle de ce qui ne fut certes pas le premier grand massacre de l'histoire humaine mais, sans doute, le premier assassinat collectif auquel ses auteurs aient voulu donner une dimension planétaire. Dans les dernières lignes de son livre sur le procès du criminel nazi Adolf Eichmann, Hannah Arendt s'adresse en ces termes à l'accusé : « Parce que vous avez soutenu et exécuté une politique qui consistait à refuser de partager la terre avec le peuple juif et les peuples d'un certain nombre d'autres nations — comme si vous et vos supérieurs aviez le droit de décider qui doit et ne doit pas habiter cette planète — nous estimons que personne, qu'aucun être humain, ne peut avoir envie de partager cette planète avec vous. C'est pour cette raison, et pour cette raison seule, que vous devez être pendu. »

En quelques mots, Hannah Arendt révèle à la fois l'incommensurable singularité de la Solution finale et ce qui la relie à l'essence de la technique. Il a fallu que l'arraisonnement de la terre soit intégré au concept de raison pour que des hommes se soient mis en situation d'établir qui serait autorisé ou non à y habiter. Et il a fallu que la technique ne dépende d'aucune condition antérieure ou extérieure à son déploiement pour que le problème posé par l'extermination de masse soit *professionnellement* résolu par le gaz Zyklon B. La planétarisation du crime suppose le déracinement absolu du criminel.

« La technique nous arrache à la terre », dit Heidegger. Et quand Hannah Arendt écrit solennellement : « Nous estimons que personne, qu'aucun être humain, ne peut avoir envie de partager cette planète avec vous », c'est au nom de l'humanité *terrestre* qu'elle parle. Non pas donc l'humanité comme *sujet* collectif qui verrait le monde ou la terre se manifester comme des objets. Mais les hommes dans la pluralité de leurs appartenances qui habitent la terre et partagent le monde. Et qu'est-ce qu'habiter la terre, qu'est-ce que partager le monde, sinon faire son deuil de toute conception exhaustive — scientifique ou non — et veiller à ne jamais tomber dans l'oubli de ce qu'il y a dans la réalité d'immaîtrisable et d'imprévisible du fait de la présence d'autres hommes ?

Chapitre VI

À quoi bon encore des poètes et des romanciers ?

Au début de l'année 1989, la revue française *Le Débat* adresse à quelques grands poètes une sorte de questionnaire de crise. Partant du constat que la poésie, en tant que telle, n'avait plus la présence sociale ou le rayonnement public qui étaient encore les siens en France au lendemain de la guerre, les éditeurs de la revue demandent à leurs consultants, les praticiens eux-mêmes, comment ils comprennent les causes d'une telle situation, si cette éclipse leur paraît momentanée ou définitive et enfin s'ils sont d'accord pour y voir non pas une péripétie de l'histoire littéraire mais une rupture dans la tradition et dans la société qui engage une part essentielle de notre identité.

Ce qui arrive à la littérature, avec l'érosion de la tradition poétique, arrive aussi à l'humanité, répond, en substance, Yves Bonnefoy. Car le poème procède, chez son auteur comme chez son destinataire, d'une attitude humaine fondamentale : l'assentiment à ce qui est. En toute simplicité, sans fioritures protectrices, Bonnefoy parle de « la solidarité instinctive de la poésie et de la nature ». Et il a raison de braver, avec ces mots candides, la méfiance ambiante envers les idées de nature et d'instinct. Cette solidarité existe. Cet instinct insiste et traverse les époques aussi bien que les philosophies. Il enchantait le monde au XVIe siècle et dévoilait au « prince des poètes », Ronsard, les arbres de la forêt de Gastine non comme d'agréables ornements ou des choses utiles, mais comme des habitations vivantes d'êtres divins : « Écoute Bûcheron, arrête un peu le bras... » Au XXe siècle encore, malgré l'Histoire qui envahissait impitoyablement toutes les vies et malgré le désenchantement du monde, le même instinct contraignait W. H. Auden à faire le choix de la louange.

> Je pourrais (vous ne le pouvez pas)
> Trouver des raisons assez vite
> De faire face au ciel, de rugir de colère et de désespoir
> Devant ce qui arrive.
> Réclamant que le ciel nomme
> Celui, quel qu'il soit, qui est à blâmer ;
> Le ciel attendrait seulement
> Que mon souffle se soit épuisé,
> Puis réitérerait,
> Comme si je n'étais pas là,
> Ce singulier commandement
> Que je ne comprends pas,
> Rends grâce pour ce qui est
> Auquel je dois obéir car,

> Pour quoi d'autre suis-je fait
> Que je sois d'accord ou non ?

Il est vrai que la crise non plus ne date pas d'hier. Elle est aussi vieille que les Temps modernes. Elle leur est même consubstantielle. Dès lors, en effet, que le cartésianisme prenait possession des consciences, la poésie était désamorcée, c'est-à-dire non pas supprimée, mais enclose dans la prison dorée de l'esthétique. Le public cultivé aimait les beaux vers, mais sans remettre en cause pour autant la séparation du Beau et du Vrai. L'esprit scientifique était né d'une rupture entre la connaissance sensible et la connaissance rationnelle, la première ne subsistant qu'au titre de variété élégante ou émouvante de la méconnaissance. Tout en faisant du bourgeois leur repoussoir, certains poètes ont intériorisé ce partage des rôles entre découverte et expression. Excentriques et consentants, ils se sont rangés aux raisons de la conception scientifique du monde. Ils n'ont certes pas révoqué la disposition affective que Julien Gracq appelle « le sentiment de la merveille, de la merveille unique que c'est d'avoir vécu dans ce monde et dans nul autre », mais ils se sont résignés à n'en faire qu'un sentiment, un état d'âme, le témoignage de leur subjectivité incomparable. Passant insensiblement de l'éloge de l'être à l'auto-célébration, ils sont devenus *le Poète* et la nature est devenue le miroir de leurs désirs ou de leur mélancolie. Ils ont arpenté, intrépides, les territoires du rêve, de l'imagination, de la sensibilité, ce qui voulait dire que pour eux, non plus, aucun territoire de la réalité n'échappait à la quantité et à la mesure.

La poésie du XXe siècle s'est, de toutes les façons possibles, rebellée contre ce partage des rôles. Des plus discrets aux plus majestueux, les poètes ont mis un point d'honneur à déjouer la tentation subjective. Jaccottet : « L'attachement à soi augmente l'opacité de la vie ». Rilke : « Tant que tu ne poursuis et ne saisis que ce que tu as toi-même lancé, tout n'est qu'habileté et gain véniel ». Milosz : « Beaux discours, par votre bruit, le néant brame. » Le poète a mieux à faire qu'à faire le beau. Il lui incombe de se dépouiller de son encombrant personnage et de sortir son art de la remise où le tiennent parqué tous ceux qui disent avec Carnap : « Le but d'un poème dans lequel apparaissent les mots "rayon de soleil" et "nuage" n'est pas de nous informer de faits météorologiques mais d'exprimer certaines émotions et d'exciter en nous des émotions analogues. »

Ne pas informer, ce n'est ni se replier sur soi, ni se projeter ou s'épancher sur les choses, c'est délivrer un autre type de connaissance que l'information, rétorquent Milosz, Rilke, Jaccottet ou Bonnefoy. Il existe un vrai du réel qui n'est ni le vrai de la science, ni le vrai du reportage. Le but d'un poème est précisément de ne pas abandonner la vérité au concept (« Y a-t-il un concept d'un pas qui vient dans la nuit, d'un cri, de l'éboulement d'une pierre dans les broussailles ? De l'impression que fait une maison vide ? » demande Bonnefoy) et de ne pas laisser le monopole de la définition objective du temps qu'il fait aux anticyclones et aux dépressions atmosphériques. La *création* poétique porte au langage une manière d'être des choses et non simplement l'humeur ou le tempérament du poète. « L'être, écrit Merleau-Ponty, est ce qui exige de nous création pour que nous en ayons l'expérience. » Si cette création n'est plus désirée, c'est que l'être s'absente, ou, pour le dire autrement, que la part du *donné* ne cesse de se réduire dans la vie des hommes.

En réponse au *Débat*, Bonnefoy observe que la société contemporaine est en passe de devenir « le champ de la production et de la consommation d'objets qui nous emploient au passage simplement comme moyen qu'ils ont trouvé pour exister, pour abonder et surabonder — qui font de nous leur milieu conducteur, en somme. » Des objets donc, et non des choses. Les choses ont disparu. Nous sommes arrivés au terme du grand mouvement de substitution décrit par Husserl. Le vêtement d'idées taillé dans l'infinité des expériences possibles colle maintenant à la peau du monde. L'homme moderne n'en est plus seulement à prendre pour l'Être vrai ce qui est méthode. Il habite l'espace que la méthode lui a façonné et il consomme ce qu'elle produit. Ainsi la région PACA a-t-elle mis la Provence, les Alpes et la Côte d'Azur hors d'état d'excéder leur fonction économique. Et à réalité nouvelle, langue inédite. La sorcellerie évocatoire de notre civilisation techniquement assistée est faite de mots tels que PACA justement, ou TGV, DVD, CD-Rom, GPS, SMS, CDI, TPE, MP3, iPod, e-mail, wanadoo.fr, google, bug, blog, haut-débit, hypertexte, clip, rap, traçabilité, éco-système, zone piétonnière, zapping, bio-diversité, *chat* sur Internet, *puce* électronique, *souris* informatique, *bouquet* satellite et autres faunes ou flores artificielles. Ce n'est pas un bonnet rouge que cette flopée de néologismes fébriles met au vieux dictionnaire : c'est le casque du Progrès. Ainsi parle, en effet, l'homme qui n'évolue presque plus que dans son propre univers de signes. Comme l'écrit le philosophe Rüdiger Safranski : « La vie humaine devient tautologique quand elle ne rencontre plus que les traces de sa propre activité ». Et la *cité tautologique* n'a pas besoin, comme l'*État totalitaire*, de persécuter les poètes. Tout en leur consacrant des « Printemps » dans ses espaces aménagés, elle frappe d'anachronisme la poésie elle-même. Que peut bien représenter le Chant de la Terre pour celui qui, en guise de ballade, ne connaît que le « baladeur » et qui accède par une discipline nommée SVT à la connaissance de la nature ? Ou comme dit Bonnefoy : « La poésie est-elle possible dans une société qui laisse envahir ses conduites, son enseignement, sa parole par les mots de la technologie, du commerce, ceux qui ne savent plus l'infini qui est à l'intérieur de l'objet naturel et incitent donc un autre infini, celui du rêve, à se déployer, mais bien pauvrement, parmi les stéréotypes publicitaires ? »

Mais Bonnefoy le souligne à plusieurs reprises, notamment dans son article du *Débat* : la poésie n'est ni innocente, ni indemne de la grande division des cultures et des humanismes. Le conflit entre les modernes oppose les poètes aux poètes. Écoutons Bonnefoy : « Que se passe-t-il chez ceux que les mots continuent d'attirer pour autre chose que le discours de la science ou la « langue de reportage » ? [...] Ils se vouent à une écriture qui accepte de n'être qu'une structure verbale sans vocation à fonder un lieu, à ouvrir un temps dans le rapport à autrui, à méditer un destin ». Ces poètes-là obéissent à la grande injonction mallarméenne de déserter la terre et de choisir le langage pour unique patrie. Mallarmé, le premier, a dressé le modèle de l'œuvre pure contre ces deux modalités inférieures ou dégradées de la parole que sont « l'universel reportage » et « l'expression du sentiment de la vie ». Refusant d'être l'histrion de son propre sanglot, il a proclamé « la disparition élocutoire du poète ». Et, du même mouvement, il a signifié son congé au réel : « Je dis : une fleur ! Et musicalement se lève, idée même et suave, l'absente de tout bouquet ». Avec Mallarmé, le sentiment de la merveille délaisse le tissu du monde pour investir la texture des mots. Et ce transfert, quelques décennies plus tard, a reçu sa grande consécration théorique dans un article du linguiste Roman Jakobson sur les fonctions du langage. La fonction poétique, dit Jakobson, se démarque de la fonction dénotative qui vise le référent et de la fonction émotive qui « vise à une expression directe de l'attitude du sujet à l'égard de ce dont il parle », en ceci qu'elle met l'accent sur le message « *for its own sake* », pour son propre compte ou pour sa propre gloire. Rupture du mot avec le monde, rupture de l'art moderne conscient de lui-même avec ses formes anciennes, enlisées, ancillaires, impures. Cette double révolution est, selon Bonnefoy, une reddition. Avec tous les poètes, il fait sienne la volonté mallarméenne de « séparer comme en vue d'attributions différentes le double état de la parole, brut ou immédiat ici, là essentiel ». Mais bien loin de se refermer sur elle-même pour mieux jouir de son éclat, la parole essentielle est celle qui allie *denken* et *danken*, pensée et gratitude : « Car il y a bien plus qu'une analogie entre une nature qui meurt de tous ses maillons brisés dans la grande chaîne des êtres et cette parole qui n'a jamais eu d'autre vœu que de faire des mots une totalité signifiante pour une terre habitable ». Mallarmé qui confiait à son ami Casalis : « Ici-bas à une odeur de cuisine » a rompu ce vœu. Bonnefoy le maintient face au décret de la modernité dans sa définition purement textuelle.

Mais « là où est le péril, là croît aussi ce qui sauve » a dit un autre poète, Hölderlin, souvent cité et longuement commenté par Heidegger. Le souhait d'une terre habitable a reçu, depuis peu, le concours inattendu et précieux de la Méthode elle-même. Celle-ci avait donné corps à l'idée de Progrès et dirigé triomphalement la révolution industrielle. Le mépris de C. P. Snow pour l'esthétisme nostalgique des littéraires s'adossait encore à cette promesse d'une amélioration continue. Or voici que la Méthode qui soutenait la promesse, s'avise aujourd'hui de la menace qui pèse sur la *biosphère*, qu'elle *mesure* l'étendue du saccage, qu'elle *dénombre* et *chiffre* les diverses formes de pollution, qu'elle *programme* l'épuisement des énergies renouvelables, qu'elle mobilise ses chercheurs, ses spécialistes, ses experts pour tenter de *rationaliser* la gestion des ressources naturelles. « On va peut-être comprendre, écrit Bonnefoy, que c'est la société qui, au moins aujourd'hui, est cause du monde, et peut décider que demeure ou non un peu de vie sur ce globe qu'ont ravagé notre démesure, notre folie ». Ce qui fait défaut, cependant, à cette compétence écologique pour être autre chose qu'une variante de la tautologie technique et de son accablant ennui, ce sont les « ambassadeurs du monde muet » dont Francis Ponge dit qu'ils descendent « dans le trente-sixième dessous » afin de « nourrir l'esprit de l'homme en l'abouchant au cosmos ». Et l'auteur du *Parti pris des choses* précise ainsi la méthode de ces méticuleux émissaires : « Ils balbutient, ils murmurent, ils s'enfoncent dans la nuit du Logos, — jusqu'à ce qu'enfin ils se retrouvent au niveau des RACINES où se confondent les choses et les formulations. » À ce niveau que les opérations comptables ne peuvent atteindre et que le vocabulaire fonctionnel ignore, le langage ouvre l'homme sur une autre vérité que lui-même. L'être est ce qui exige des poètes pour que nous en ayons l'expérience.

Une fois déclenchée, la révolte mallarméenne était vouée à déborder la sphère strictement poétique et à faire sauter la barrière des genres. Qu'étaient, en effet, les genres littéraires sinon des formes ajustées à un ordre de représentations ? Plus de représentation, plus de genre, mais — poème ou roman — le Livre qui n'accède à cette majuscule qu'en s'exceptant par l'auto-référentialité de « l'universel reportage ». De quoi parle la littérature ? De la littérature, répond l'avant-garde. Ce qui mérite d'être appelé littéraire ce n'est pas cette naïveté : l'écriture d'une aventure — c'est l'aventure de l'écriture, c'est le discours qui se donne pour mandat de dire sa propre forme, c'est le langage qui ne renvoie à aucune autre réalité que lui-même. « Seule importe l'œuvre, mais finalement l'œuvre n'est là que pour conduire à la recherche de l'œuvre », écrivait Maurice Blanchot dans *Le Livre à venir* : « L'œuvre, poursuivait-il est le mouvement qui nous porte vers le point pur de l'inspiration d'où elle vient et où elle semble qu'elle ne puisse atteindre qu'en disparaissant. Seul importe le livre, tel qu'il est, loin des genres, en dehors des rubriques, prose, poésie, roman, témoignage, sous lesquelles il refuse de se ranger et auquel il dénie le pouvoir de fixer sa place et de déterminer sa forme. » L'avant-garde : un mallarméisme généralisé.

D'où le choc provoqué par la parution, en 1986, de l'essai de Milan Kundera, *L'Art du roman*. Non que l'auteur s'en prît, de manière explicite et frontale, aux champions mallarméens de l'écriture pure. Non qu'il polémiquât ouvertement avec l'avant-garde, ce serpent si fier de se mordre enfin la queue après tant d'excursions vaines. À ses lecteurs éberlués, Kundera présentait simplement une autre version de l'histoire. Reprenant les choses à la racine, il faisait de Cervantès le co-fondateur avec Descartes des Temps modernes. Cette époque est bien celle de la perte du pouvoir du Dieu chrétien sur la destination de l'homme. Mais, montrait Kundera, l'émancipation à l'égard du dogme religieux a emprunté simultanément deux voies distinctes. Il y a eu d'abord, décelé et exprimé par Descartes, l'avènement de l'homme dans la posture de sujet. Moderne est ce rapport au monde où l'homme se pose comme le *subjectum*, le sous-jacent sur la base de quoi tout doit désormais reposer. « Avec l'*ego cogito*, écrit Heidegger, l'homme se fonde lui-même comme le Mètre de toutes les échelles auxquelles on mesure (c'est-à-dire auxquelles on peut faire le compte de) ce qui peut passer pour certain, c'est-à-dire pour vrai, c'est-à-dire pour étant ». Le décisif, autrement dit, ce n'est pas que l'homme se soit libéré des anciennes attaches pour accéder à sa véritable essence, c'est le changement même d'essence que constitue son appréhension comme sujet. Sujet, c'est-à-dire en l'occurrence, souverain : « Tout étant extra-humain devient objet pour ce sujet. Dès ce moment le terme *subjectum* ne convient plus, en tant que nom et concept, à l'animal ni à la plante ni à la pierre. [...] Être sujet est désormais la caractérisation distinctive de l'homme en tant qu'être pensant — représentant. » Ce premier mot des Temps modernes en sera peut-être le dernier. Il n'en est pas pour autant, rappelle Kundera, le seul premier. Tandis que Descartes installe l'homme dans le monde comme sujet souverain, Cervantès, de son côté, discrètement, le détrône : « Quand Dieu quittait lentement la place d'où il avait dirigé l'univers et son ordre de valeurs, séparé le Bien et le Mal et donné un sens à chaque chose, Don Quichotte sortit de sa maison et il ne fut plus en mesure de reconnaître le monde. Celui-ci, en l'absence du Juge suprême, apparut subitement dans une redoutable ambiguité ; l'unique Vérité divine se décomposa en centaines de vérités relatives que les hommes se partagèrent. Ainsi le monde des Temps modernes naquit et le roman, son image et modèle, avec lui. » Il fallut du courage et même de l'héroïsme pour comprendre l'ego pensant comme le fondement de tout ; mais une force non moins grande était requise pour « comprendre le monde comme ambiguïté » et pour « posséder comme seule certitude, la sagesse de l'incertitude. » Ce qui a donné leur couleur aux Temps modernes et fait leur spécificité, ce n'est pas uniquement l'esprit cartésien, c'est la tension entre Descartes et Cervantès. Au moment où les exécutants de la Méthode, la tête emplie de lignes, de nombres et de signes algébriques, « forcent leur passage à travers les tortuosités de la vie », l'esprit du roman lève les obstacles mis par les vieilles antinomies métaphysiques du haut et du bas, de la tragédie et de la comédie, du style sublime et de la prose des jours, à la saisie des paradoxes et des enchevêtrements de l'existence. Quand la science « examine avec acharnement le pourquoi de toutes choses en sorte que tout ce qui est paraît explicable donc calculable », l'esprit du roman s'ingénie à tourner en bourrique le principe de raison. Son domaine, en effet, c'est l'incalculable, la nuance, la part de vérité qu'écrase inévitablement la certitude triomphante. À la mise en équation des problèmes de l'humanité, l'esprit du roman répond par l'inlassable exploration du phénomène humain. Aux idées claires et distinctes, il ne cesse d'opposer le contrepoids du scrupule. « À l'instar de Pénélope, écrit magnifiquement Kundera, il défait la tapisserie que des théologiens, des philosophes, des savants ont ourdie la veille. »

Ce n'est évidemment pas un hasard si cette défense et illustration de la littérature romanesque a été écrite par un romancier qui a passé sa jeunesse et une partie de son âge mûr dans un pays, la Tchécoslovaquie, livré au rêve communiste de la transparence totale, c'est-à-dire d'une société systématiquement purifiée de tout ce qui — traditions, coutumes, intérêts égoïstes, hiérarchie, privilèges, classes sociales — fait obstacle à l'accomplissement de la Raison universelle. Kundera était aux premières loges pour voir ce que donnait la volonté d'accéder, pour le plus grand bonheur de tous, à la rationalisation intégrale du monde de la vie. Il voit aujourd'hui s'accomplir un autre destin, indolore mais mortel, et qui fait venir aux lèvres ce vers de

T. S. Eliot que C. P. Snow dénonçait dans sa conférence comme la plus antiscientifique, ce qui voulait dire, sous sa plume, la plus farfelue des prophéties humaines : « Ainsi prend fin le monde non dans une déflagration mais dans un soupir. » Ce destin, c'est l'arraisonnement méthodique et euphorique de la sphère des loisirs par l'industrie culturelle dans le cadre de la mobilisation comptable de tous les secteurs de la réalité comme richesse économique potentielle.

Spontanément on ne perçoit pas la complexité, on la fuit même : elle *prend la tête*. Or, l'esprit du roman, c'est précisément l'esprit de complexité. « Chaque roman dit au lecteur : "les choses sont plus compliquées que tu ne penses." » Qui veut placer le « secteur culturel » sous la juridiction de l'impératif d'efficience, se doit donc d'éviter à la spontanéité ce genre de *mauvaises rencontres*. Comme l'écrit Gilles Lipovetsky dans *L'Empire de l'éphémère*, « la culture de masse est une culture de consommation, tout entière fabriquée pour le plaisir immédiat et la récréation de l'esprit. Sa séduction tient en partie à la simplicité qu'elle déploie. Il faut éviter le complexe, présenter des histoires et des personnages aussitôt identifiables, offrir des produits à interprétation minimale. »

Il y aura toujours des fictions bien ficelées, efficaces, haletantes, sentimentales et sanguinaires, des confessions indiscrètes, des expressions mièvres ou violentes du sentiment de la vie ; mais, comme la poésie, le roman est périssable.

Chapitre VII

La post-culture

En 1963, quatre ans après sa fracassante conférence de Cambridge, le physicien et romancier Charles Percy Snow revint sur le sujet ultrasensible des deux cultures. Tout en maintenant sa thèse des tribus ennemies (« Entre les scientifiques et les intellectuels littéraires, il n'y a pratiquement pas de dialogue possible. Au lieu de se considérer comme des collègues, ils éprouvent les uns envers les autres une sorte d'hostilité larvée. »), Snow, dans ce supplément, conteste la validité du chiffre deux. À la lumière des innombrables réponses, critiques et commentaires provoqués par son analyse, il se reproche d'avoir négligé, ou au moins sous-estimé, l'existence d'un autre groupe, celui des « intellectuels exerçant leur activité dans des disciplines aussi variées que l'histoire sociale, la sociologie, la démographie, les sciences politiques, les sciences économiques, la psychologie etc. ». Tous ces secteurs de recherche, constate-t-il, ont un point commun : « Ils se rapportent à la façon dont vivent ou ont vécu les êtres humains — et ce en travaillant sur la base non pas de suppositions gratuites mais de faits précis. » Et cette troisième culture en expansion met du baume au cœur de l'universitaire affolé. Elle le requinque, elle lui rend l'espoir de voir le fossé se combler et s'achever la querelle, car elle va, prévoit-il, prendre en main les problèmes traités jusqu'à présent par les littéraires avec la cohérence et l'objectivité pratiquées par les scientifiques. Le règne du chiffre deux, après tout, n'est peut-être qu'un interrègne. En apportant la preuve qu'il n'y a pas de limite ontologique à l'empire de l'exactitude, la troisième culture prépare le sacre de l'Un. La rigueur de sa démarche et son acribie démonstrative condamnent à mort les humanités bavardes, rétrogrades, fantaisistes, papillonnantes et approximatives. À l'amer constat de la guerre des cultures succède alors, poursuit Snow, la perspective réconfortante d'une modernité enfin délestée de ses traînards. L'essor des sciences humaines annonce la bonne nouvelle de la réconciliation de toutes les intelligences autour des valeurs de méthode et de progrès.

Bonne nouvelle vraiment ? Avant d'examiner la valeur de ce pronostic et le bien fondé de cet optimisme, on se doit de reconnaître avec Snow que la troisième culture a transformé de fond en comble le paysage intellectuel. Elle a, cette culture, une double et contradictoire origine. Le galiléisme et la protestation contre Galilée ont, l'un comme l'autre, présidé à sa naissance. C'est dans le prolongement des Lumières et de la *mathesis universalis* que s'est forgé le projet de compléter par la domination rationnelle de la société la domination rationnelle des forces de la nature. C'est la vision des ravages provoqués par cette ambition qui a fait venir à l'esprit de certains témoins horrifiés l'idée que l'homme n'est pas son propre fondement et que la subjectivité est originellement inscrite dans un monde, dans une communauté, dans une *société* qui la déborde infiniment. Convaincu que l'humanité ne se pose que des problèmes qu'elle peut résoudre et que la raison scientifique a le monopole de la raison, Charles Percy Snow considérait la sociologie comme un fleuron ou mieux, comme un accomplissement des Lumières. Dégrisés à leur tour de l'ivresse des solutions, nos contemporains attendent de la sociologie en particulier, et des sciences sociales en général, non la mise en équation de la réalité humaine mais la connaissance approfondie de l'irréductible diversité des usages et des manières d'être. Que la société soit une forme essentiellement indépendante et distincte des acteurs individuels qui la composent, cela veut dire qu'au moment où ces acteurs agissent, où ils pensent, où ils créent, où ils travaillent, où ils contemplent un paysage, où ils éprouvent des sentiments, c'est leur appartenance qui agit, qui pense, qui crée, qui travaille, qui regarde ou qui ressent à travers eux. Cette traversée du *moi* par le *nous*, la troisième culture l'appelle… *culture.* En 1871, l'anthropologue Taylor présentait la culture comme « ce tout complexe qui comprend la connaissance, les croyances, l'art, la morale, le droit, les coutumes et les autres capacités ou habitudes acquises par l'homme en tant que membre de la société. » Un siècle plus tard, le sociologue français Bourdieu surenchérissait : « La sélection de significations qui définit objectivement la culture d'un groupe, d'une classe comme système symbolique est *arbitraire* en tant que la structure et la fonction de cette culture ne peuvent être déduites d'aucun principe universel, physique, biologique, n'étant unies par aucune espèce de relation interne à la "nature des choses" ou à une "nature humaine". »

Toute société humaine, à moins qu'elle ne soit déshumanisée, appartient à une culture. Toute culture étant également « arbitraire », aucune ne peut valoir pour toute l'humanité : tels sont les deux enseignements majeurs qui se dégagent désormais des enquêtes (ethnologiques ou sociologiques) menées par les sciences de l'homme. Et ces enseignements s'imposent avec une force toujours plus contraignante à la philosophie, dans ses deux versions, analytique et continentale. De la mise au jour des schèmes conceptuels de l'expérience, les héritiers les plus hardis de l'empirisme logique tirent maintenant la conclusion qu'il n'y a pas un monde mais des *versions de monde*. Quant à l'école adverse, elle s'appuie sur la thèse heideggerienne selon laquelle chaque époque à sa métaphysique pour dire que toutes les pratiques, toutes les croyances, toutes les représentations sont des *constructions sociales*. Ainsi les deux grandes traditions philosophiques du XXe siècle convergent-elles, au XXIe, dans le renoncement à la prétention de dévoiler l'Être vrai et dans l'affirmation postmoderne de la plasticité sans limite des hommes et des choses.

Les littéraires eux-mêmes ont pris ce *grand tournant culturaliste* et sont entrés résolument dans l'âge de la démystification. Il y a certes des exceptions et des îlots de résistance mais s'il pouvait aujourd'hui visiter les campus ou les lycées d'Occident, C. P. Snow n'en croirait pas ses oreilles ; il ne reconnaîtrait plus la vieille école. Le soupçon, en effet, est entré dans le sanctuaire ; les gardiens du Temple ont perdu la foi ; les passéistes ont pris un coup de jeune ; hormis quelques dévots attardés, les professeurs de lettres s'appliquent aujourd'hui à désacraliser leur patrimoine. C'est dans leurs manuels *dépoussiérés* que se télescopent une fable de La Fontaine, une image publicitaire, l'interview d'un cinéaste et le témoignage d'un cancérologue. C'est dans leurs programmes que la création est spoliée de son aura et le passé rabaissé, banalisé, privé de tout prestige. C'est dans leurs classes et non dans les départements scientifiques que le culte des chefs-d'œuvre suscite l'ironie et qu'est interprétée en termes exclusivement historiques, sociologiques ou politiques la suprématie des textes dits littéraires sur les autres formes de discours. C'est dans les bastions des Humanités qu'au lieu d'apprendre à révérer les classiques, on apprend à se méfier d'eux et à déjouer leurs manigances ou leurs ruses oratoires. C'est dans les anciens fiefs de l'amour de l'art qu'on remet en question l'idée même de valeur esthétique et que l'intelligence se fait gloire d'abattre le mur érigé par une tradition aristocratique entre l'admirable et l'ordinaire. Bref, là où il y avait des intercesseurs, les démolisseurs aujourd'hui s'en donnent à cœur joie, car quelque chose s'est produit que C. P. Snow n'avait pas vu venir : l'enseignement de la littérature a fait sa Nuit du 4 août pour libérer de leur carcan hiérarchique la multiplicité des façons de dire.

Cette apologie du pluriel est fille de la contestation romantique des Lumières. Mais c'est une enfant prodigue. Loin de vouloir limiter l'ambition transformatrice des hommes, le nouveau culturalisme s'emploie à désamorcer l'argumentation de ses adversaires : si rien ne se donne qui ne soit préalablement mis en forme et en sens par une culture, au nom de quoi choisir tel donné, l'ériger en modèle idéal, le défendre contre la mort ou la métamorphose ? S'il n'y a que des constructions sociales, pourquoi privilégier celle-ci plutôt que celle-là ? L'héritage plutôt que sa liquidation ? La stabilité plutôt que le mouvement ? L'Histoire plutôt que la table rase ? Le silence et le temps de la lecture plutôt que les nouvelles catégories mentales induites par la civilisation des ordinateurs, des téléphones portables et des consoles de jeux ? « La fin d'un monde n'est pas la fin du monde, mais simplement le début d'un autre », proclame, impassible et même goguenard, le sociologue Christian Baudelot. Ce début est-il une avancée ? Peu importe. L'important, c'est le changement. Les romantiques prennent parti pour ce qui tombe ; les post-modernes, pour ce qui fait tomber. Ceux-là pleurent ; ceux-ci ricanent.

À la marche en avant toujours plus compulsive du progrès, les derniers romantiques voudraient opposer une approche prudente du monde qui vient. La pensée post-moderne délégitime tout ensemble l'idée de progrès et la vertu de prudence. Elle table sur le flux sans s'inquiéter de sa destination. Elle destitue le sens au bénéfice de la métamorphose. Elle veut le changement pour lui-même. Parfaitement adéquate à la technique qui, Heidegger nous l'apprend, n'est pas seulement un mode de production mais un mode de dévoilement, cette pensée ludique s'enchante de la trépidation, célèbre l'ondoyante variété des arrangements sociaux, homologue sans se faire prier la malléabilité et la mobilité infinies de l'être. *Anything goes.* N'importe quoi va, dit-elle dans un sourire. Et ce sourire démocratique sonne le glas de la culture générale. Pour que soit possible quelque chose comme une culture générale et une éducation libérale qui en assure la transmission, il faut à la fois une nature à cultiver et une réalité à connaître. Quand la culture s'identifie au déjà-là et que toutes les expériences de la réalité sont jugées également historiques, également fictives, également valables, il n'y a plus de culture générale mais un foisonnement d'identités particulières reliées par la *culture commune* des appareils, des normes, des règles, des opérations en vigueur dans l'univers de la technique et du marché. Notre temps remplace cette ascension sans fin qu'est la *cultura animi* par l'horizontalité à perte de vue des *pratiques culturelles* et n'accorde l'estampille de l'universalité qu'à la batterie des savoir-faire que requiert la raison instrumentale. Et la littérature dans tout cela ? Une pratique culturelle qui se pousse du col et qu'il faut savoir remettre à sa place.

C. P. Snow avait raison de penser que la guerre des deux cultures allait bientôt connaître son épilogue. Mais il avait tort de se réjouir. Car cet épilogue, ce n'est pas une culture qui l'emporte sur l'autre culture, c'est le *culturel* qui emporte tout, qui avale tout, qui fait une seule pâte indifférenciée de l'ici et de l'ailleurs, du dedans et du dehors, du spontané et du dégrossi, du laid et du beau, du cliché et de la pensée, du trivial et du rare, et qui plonge dans l'oubli, *en lui volant son nom*, le double travail de façonnement de soi et d'élucidation de l'être pour la conduite duquel les scientifiques et les littéraires, hier encore, se chamaillaient ardemment.

Ouvrages cités

Charles Percy SNOW, *Les Deux Cultures*, J.-J. Pauvert, 1968.

Hannah ARENDT, *La Crise de la culture*, Gallimard, 1972.

Léo STRAUSS, *Droit naturel et Histoire*, Plon, 1984.

ARISTOTE, *La Métaphysique*, Presses Pocket, 1991.

MONTAIGNE, *Essais*, Le Livre de Poche, 2001.

Eugenio GARIN, *L'Éducation de l'homme moderne 1400-1600*, Hachette, « Pluriel », 1995.

LÉONARD DE VINCI, *Carnets*, Gallimard, 1989.

PLATON, *Phédon*, Les Belles Lettres, 1963.

GALILÉE, *Le Messager des étoiles*, Seuil, 1992.

GALILÉE, *L'Essayeur*, Les Belles Lettres, 1980.

GALILÉE, *Dialogue sur les deux grands systèmes du monde*, Seuil, 1992.

Ludovic GEYMONAT, *Galilée*, Seuil, 1992.

Bertolt BRECHT, *La Vie de Galilée*, L'Arche, 1990.

Alexandre KOYRÉ, *Études d'histoire de la pensée scientifique*, Gallimard, 1973.

Gérard JORLAND, *La Science dans la philosophie. Les recherches épistémologiques d'Alexandre Koyré*, Gallimard, 1981.

Ernst CASSIRER, *Individu et Cosmos dans la philosophie de la Renaissance*, Les éditions de Minuit, 1983.

DESCARTES, *Discours de la méthode*, Vrin, 1987.

Giambattista VICO, *Vie de Giambattista Vico écrite par lui-même*, Grasset, 1981.

Edmund BURKE, *Réflexions sur la révolution de France*, Hachette, « Pluriel », 1989.

Jonathan SWIFT, *La Bataille des livres*, *Œuvres*, Gallimard « Pléiade », 1965.

Sous la direction de Antonia SOULEZ, *Manifeste du Cercle de Vienne et autres écrits*, PUF, 1985.

Edmund HUSSERL, *La Crise des sciences européennes et la Philosophie*, Aubier, 1987.

Edmund HUSSERL, *La Crise des sciences européennes et la Phénoménologie transcendantale*, Gallimard, 1976.

Martin HEIDEGGER, *Essais et Conférences*, Gallimard, 1958.

Martin HEIDEGGER, *Chemins qui ne mènent nulle part*, Gallimard, 1962.

Martin HEIDEGGER, *Qu'appelle-t-on penser ?*, PUF, 1959.

Martin HEIDEGGER, *Questions*, III, Gallimard, 1966.

Ernst CASSIRER, Martin HEIDEGGER, *Débat sur le kantisme et la philosophie et autres textes de 1929-1931* présentés par Pierre Aubenque, Éditions Beauchesne, 1972.

KANT, *Critique de la Raison pure*, PUF, 1980.

Vilem FLUSSER, *Choses et non-choses, esquisses phénoménologiques*, Éditions Jacqueline Chambon, 1996.

Yves BONNEFOY, « Absence de la poésie ? », *Le Débat*, n° 54, mars-avril 1989.

Julien GRACQ, *Préférences*, José Corti, 1989.

Francis PONGE, *Méthode*, Gallimard, 1961.

Maurice BLANCHOT, *Le Livre à venir*, Gallimard, 1959.

Rüdiger SAFRANSKI, *Combien de mondialisations l'homme peut-il supporter ?*, Actes Sud, 2005.

Stéphane MALLARMÉ, *Crise de vers, Œuvre poétique*, Gallimard, « Pléiade », 1970.

Roman JAKOBSON, *Essais de linguistique générale*, I, Les éditions de Minuit, 1963.

Milan KUNDERA, *L'Art du roman*, Gallimard, 1986.

Ivo ANDRIC, *Titanic et autres contes juifs*, Belfond, 1987.

Hannah ARENDT, *Eichmann à Jérusalem. Rapport sur la banalité du mal*, Gallimard, 1997.

BOURDIEU ET PASSERON, *La Reproduction*, Les éditions de Minuit, 1970.

Christian BAUDELOT, Marie CARTIER, Christine DETREZ, *Et pourtant ils lisent…*, Seuil 1999.

Troisième leçon

Penser le XXe siècle

Chapitre I

Qu'est-ce qu'un siècle ?

Période de cent ans numérotée depuis l'année de naissance (ou d'incarnation) du Christ : telle est la définition désormais courante du mot siècle. Le siècle est une unité du calendrier. Mais c'est aussi une forme de périodisation, un instrument admis, homologué et couramment employé dans l'enseignement de la discipline historique. Il suffit pour s'en convaincre d'aller dans les librairies : l'histoire que l'on apprend est divisée en siècles et notre époque n'aimant rien tant que la peinture fraîche, les manuels scolaires n'ont pas attendu l'an 2001 pour présenter fièrement des histoires du XXe siècle. Il y aurait donc une logique dans la chronologie, une correspondance entre le découpage du temps et la marche des choses. Étrange évidence et qui nous impose, avant de penser le XXe siècle, de penser le siècle tout court, de nous interroger sur la fortune de cette catégorie. Quand le siècle est-il apparu dans l'histoire ?

Certainement pas avec les historiens. Hérodote, disait Cicéron, est le père de l'histoire, et la postérité a confirmé ce jugement. Hérodote, qui vivait au Ve siècle avant notre ère, à Halicarnasse en Asie Mineure, raconte dans son *Enquête* le conflit qui mit aux prises l'Empire perse et le monde grec. Cet ouvrage est fondateur, comme l'atteste sa déclaration liminaire : « Hérodote d'Halicarnasse présente ici les résultats de son enquête, afin que le temps n'abolisse les travaux des hommes et que les grands exploits accomplis soit par les Grecs soit par les Barbares, ne tombent pas dans l'oubli ; et il donne en particulier la raison du conflit qui mit ces deux peuples aux prises. » Déjà présente dans l'*Iliade* d'Homère, la plus grande épopée de tous les temps et la seule qui invite l'auditeur à pleurer aussi sur les malheurs de l'ennemi, l'exigence d'impartialité est confirmée par Hérodote dans le cadre d'une œuvre en prose qui prétend à la restitution des faits. C'est alors que commence la longue histoire de la poursuite désintéressée de la vérité. Hérodote, premier narrateur des vérités factuelles, inaugure l'objectivité ainsi définie par Hannah Arendt : « Cette passion désintéressée, inconnue en dehors de la civilisation occidentale pour l'intégrité intellectuelle à tout prix. » Hérodote est historien en ceci qu'il rompt avec l'emprise de sa tradition, qu'il ne se laisse pas capter par le récit mythique des origines, qu'il résiste aux évidences, aux certitudes, aux préjugés du monde auquel il appartient en relatant aussi bien les exploits des Grecs que ceux des Barbares. Mais ce qui fait de lui le fondateur de l'histoire, c'est également la volonté de recueillir ces exploits dans la mémoire des hommes. L'histoire, à son commencement, comble un désir d'immortalité. Elle est l'entreprise qui arrache la vie, certaines vies en tout cas, à la mastication du temps. Par l'intermédiaire de l'histoire, les meilleurs des mortels trouvent place dans un cosmos où tout est immortel sauf eux. Il ne s'agit pas, dans cette version de l'histoire, d'ordonner ou de dynamiser la durée, il s'agit, d'une certaine manière, de la vaincre, de ne pas laisser le dernier mot à la corruption et à la dissolution temporelle de toutes choses. Sans les traces impérissables que les actions humaines laissent dans l'histoire, la vie ne serait que vanité.

Notre pratique de l'histoire s'est donné depuis longtemps d'autres finalités que celle de l'immortalisation. Mais la lutte d'Hérodote contre l'oubli n'est pas, pour autant, tombée dans l'oubli. « Vivre avec les morts constitue l'un des plus précieux privilèges de l'humanité », dira Auguste Comte. Et Michelet, le plus grand historien du XIXe siècle, définira, en ces termes, sa vocation : « Dans les galeries solitaires des archives où j'errai vingt années, dans ce profond silence des murmures cependant venaient à mon oreille. Les souffrances lointaines de tant d'âmes étouffées dans ces vieux âges se parlaient à voix basse. L'austère réalité réclamait contre l'art et lui disait parfois des choses amères : “À quoi t'amuses-tu ? Sais-tu que nos martyrs depuis quatre cents ans t'attendent ? C'est dans la ferme foi, l'espoir en la justice qu'ils ont donné leur vie. Ils auraient le droit de dire : ‘Histoire, compte avec nous ! Tes créanciers te somment. Nous avons accepté la mort pour une ligne de toi’.” » Michelet ne raconte certes pas l'histoire comme Hérodote, il la découpe en époques, en séquences temporelles douées de signification, il lui assigne un but tout à la fois prométhéen et fraternel, mais il partage et démocratise même le souci d'Hérodote. Ce ne sont plus seulement les exploits ou les belles actions qui méritent d'être sauvés de l'oubli. Hanté par les ombres anonymes qui furent jadis chairs vivantes sur la terre mouvante, Michelet veut les *ressusciter*. Tous les historiens, bien sûr, n'ont pas ce genre d'obsession ou de rêve. Mais ce qu'ils gardent d'Hérodote, c'est l'idée d'une *dette* envers les hommes d'autrefois. Dette qui s'incarne aussi, pour ce qui concerne notre siècle, dans les monuments aux morts de la Grande Guerre présents sur les places de toutes les communes de France.

Dette à l'égard des morts donc, et aussi recueil d'exemples, leçons à méditer, trésor d'expériences acquises. Selon le mot de Cicéron, l'histoire, telle que les Anciens nous l'ont léguée, est *magistra vitae*. Elle est, autrement dit, anti-historiciste. Rien ne lui est plus étranger que le concept d'anachronisme, aujourd'hui consubstantiel à la pratique de l'histoire. Ce qui fait l'importance de la connaissance du passé et sa valeur éducative, c'est précisément l'idée qu'il n'y a rien de nouveau sous le soleil, que la succession des générations n'est pas une marche en avant et que les vivants sont conduits, *volens nolens*, à refaire les expériences des hommes qui les ont devancés. Cette histoire ne repose pas sur le concept d'histoire mais sur celui de nature. Les plans se confondent dans l'évidence ontologique de la répétition.

Cette conception ancestrale ne s'est pas totalement perdue comme en témoigne l'émouvante histoire de l'émouvant destin du roi d'Égypte Psammenit. Racontée d'abord par Hérodote, on la trouve dans les *Essais* de Montaigne, puis notamment dans un essai de Walter Benjamin intitulé *Le Narrateur* : « Lorsque le roi d'Égypte Psammenit eut été battu et fait prisonnier par le roi des Perses, Cambyse, celui-ci résolut d'humilier le prisonnier. Il donna l'ordre de placer Psammenit sur la route par laquelle devait passer le cortège triomphal perse. En outre, il s'arrangea pour que le prisonnier vit passer sa fille devenue servante en train de chercher de l'eau à la fontaine dans une cruche. Alors que tous les Égyptiens se plaignaient et se lamentaient, Psammenit, seul, demeura muet, impassible, les yeux fixés à terre. Et comme il vit, peu après, son fils que l'on emmenait au supplice avec le cortège, il ne se départit pas de son impassibilité. Mais ensuite, lorsqu'il reconnut dans les rangs des prisonniers l'un de ses serviteurs, un misérable vieillard, alors il se battit les tempes des poings et donna tous les signes de la plus profonde affliction ».

Cette anecdote démontre la puissance du récit comme capacité à énoncer le sens sans le définir. Hérodote, de même que Thucydide, selon Thibaudet, « nous donne l'idée parfaite de ce que l'on pourrait appeler la vérité narrative, c'est-à-dire ce que l'on obtient de pur dès qu'on a éliminé le pathétique, le plaidoyer, l'oratoire, le dramatique. » Et Walter Benjamin confirme : « La narration ne se livre ni ne s'épuise jamais entièrement. Elle conserve ses forces concentrées, et longtemps après sa naissance elle reste capable d'éclosion. » Pourquoi le roi ne pleure-t-il qu'à la mort de son serviteur ? Parce que, comme le soutient Montaigne, il était déjà si rempli de douleur qu'il a suffi du moindre surcroît pour rompre toutes les digues ? Parce que, face au sort de la famille royale, il doit, pour des raisons politiques, faire preuve de retenue, combattre par l'impassibilité l'humiliation qu'on veut lui infliger et que c'est le serviteur qui incarne alors la famille, le privé, tout ce à quoi il tient et que l'ennemi conduit inflexiblement à la mort ? La famille symboliserait l'État et le serviteur la famille… Toutes ces hypothèses se bousculent et si cette histoire a traversé les générations, si elle a fait échec à l'oubli et à ce qu'aujourd'hui nous nommons l'histoire, si elle continue de parler aux hommes, c'est parce qu'elle approche une vérité essentielle tout en rendant justice au mystère de la vie. « Elle fait penser, écrit encore Benjamin, à ces grains de semence, enfermés pendant des milliers d'années à l'abri de l'air dans les caveaux des pyramides qui ont conservé jusqu'à ce jour leur pouvoir germinatif. »

Fort heureusement donc, nous n'avons pas tout à fait rompu avec cette expérience de l'histoire. Il reste cependant qu'elle a ceci pour nous d'exotique et même de stupéfiant qu'elle ne périodise pas la temporalité. C'est une histoire qui n'aime pas le temps, qui le combat par l'immortalité qu'elle confère aux hommes et qui le désamorce par la permanence des problèmes ou des comportements qu'elle met au jour.

Nous devons aux Grecs la pratique de l'histoire comme poursuite et recension objectives des vérités de fait. Mais le sens de l'historicité provient de l'autre source de notre civilisation : la Bible. Il y a bien, c'est vrai, la théorie des races développée par Hésiode dans *Les Travaux et les Jours* : « D'or fut la première race d'hommes périssables que créèrent les Immortels, habitants de l'Olympe. Ces hommes vivaient comme des dieux, le cœur libre de soucis, à l'écart des peines et des misères. La vieillesse misérable sur eux ne pesait pas ; mais bras et jarrets toujours jeunes, ils s'égayaient dans les festins, loin de tous les maux, mourant, ils semblaient succomber au sommeil. Tous les biens étaient à eux : le sol fécond produisait de lui-même une abondante et généreuse récolte, et eux, dans la joie et la peine, vivaient de leurs chants, au milieu de biens sans nombre. » À cette première race d'hommes succéda, selon Hésiode, la race d'argent dont les membres s'entretuaient car « ils ne savaient pas s'abstenir entre eux d'une folle démesure. » Puis vint la race de bronze, la race des héros et enfin l'âge de fer dont Hésiode gémit d'être le contemporain. Le propre de cette race, en effet, est de vivre douloureusement dans le temps : « Ils ne cesseront ni le jour de souffrir fatigue et misère ni la nuit d'être consumés par les dures angoisses que leur enverront les dieux. » À ce malheur de la condition temporelle, Hésiode propose un remède : l'obéissance aux cycles de la nature, la répétition monotone et apaisante des travaux des champs. Dans la pensée hellénistique, le cycle est le remède au tragique.

Tout autre est la conception du temps que la Bible apporte avec elle. Comme l'écrit Henri-Charles Puech : « Le déroulement du temps n'affecte plus ici la figure d'un cercle mais celle d'une ligne droite, finie à ses deux extrémités, ayant un commencement et une fin absolus, et au nom de laquelle, voulu par Dieu, se déploie le devenir total du genre humain. » Avec la Bible, la rencontre de l'homme et du divin quitte le cosmos pour s'inscrire dans l'histoire.

La première grande scansion du temps apparaît dans l'Ancien Testament avec la célèbre prophétie de Daniel. Le roi Nabuchodonosor fait un rêve. Il est tellement effrayé par ce rêve qu'il en oublie le contenu. Il convoque alors tous les devins, les mages et les sorciers pour qu'ils lui rappellent sa vision nocturne et lui en expliquent la signification. Aucun ne sachant s'acquitter de cette tâche, le roi ordonne leur mise à mort. Daniel, fils d'Israël qui a reçu à ce sujet une révélation divine se présente alors devant le roi et intercède pour les sages de Babylone. Il fait à Nabuchodonosor le récit suivant : « Tu as eu, Ô roi, une vision. Voici : une statue, une grande statue, extrêmement brillante se dressait devant toi, terrible à voir. Cette statue, cette tête était d'or fin. Sa poitrine et ses bras étaient d'argent. Son ventre et ses cuisses de bronze, ses jambes de fer, ses pieds partie fer et partie argile. Tu regardais ; soudainement une pierre se détacha sans que la main l'eût touchée, et vint frapper la statue, ses pieds de fer et d'argile, et les brisa. Alors se brisèrent tout à la fois fer et argile, bronze, argent et or ; le vent les emporta sans laisser de traces et la pierre qui avait frappé la statue devint une grande montagne qui remplit toute la terre. Tel fut le songe ». Suit alors l'interprétation exigée par Nabuchodonosor. C'est lui la tête d'or. Le royaume qui devait lui succéder est en argent, c'est-à-dire plus petit et plus faible ; le troisième, en bronze, sera encore plus diminué. Le quatrième sera de fer car, tel le fer, il tuera tout avant d'être tué lui-même à cause de sa faiblesse et de ses divisions internes qu'indique l'addition de l'argile au fer auquel il ne saurait se mélanger. Et c'est alors que le Dieu du ciel dressera un royaume qui jamais ne sera détruit, et ce royaume ne passera pas à un autre peuple : il écrasera et anéantira tous ses royaumes et lui-même subsistera à jamais : « De même tu as vu une pierre se détacher de la montagne sans que la main l'eût touchée, et réduire en poussière fer, bronze, terre cuite, argent ».

Très proche d'Hésiode, jusque dans son vocabulaire et dans les images de ses grandes scansions, cette prophétie appartient, en réalité, à une autre tradition : celle qui perçoit dans l'histoire l'accomplissement des desseins du Créateur, la réalisation successive d'un plan projeté par Dieu au profit de l'humanité.

La théorie historique des quatre monarchies sera promise à une immense postérité. Ses commentateurs identifieront spontanément la quatrième monarchie à l'empire romain, et, pendant plus de deux mille ans, la prophétie de Daniel ne sera concurrencée que par la périodisation de saint Augustin qui divisait l'histoire terrestre en six époques censées correspondre chacune à une journée de la Création et à un âge dans la vie de l'individu : d'Adam à Noé, la première époque est celle de la petite enfance ; de Noé à Abraham, la deuxième est celle de l'enfance ; d'Abraham à David, la troisième correspond à l'adolescence ; la quatrième, de David à la captivité de Babylone, est celle de la jeunesse ; la cinquième, de Babylone à la naissance du Christ, est celle de la maturité ; enfin, la sixième époque qui commence à la venue du Christ durera jusqu'à la fin des temps, jusqu'à la venue du Seigneur et du Dimanche.

Ces deux périodisations ont ceci de commun qu'elles donnent sens au devenir, en l'investissant d'un ordre de fins transcendant celles de la nature. Mais elles développent également, l'une et l'autre, une grande méfiance envers l'histoire profane, ou ce que, dans le vocabulaire religieux, on appelle précisément *le siècle*, c'est-à-dire la vie terrestre opposée à la vie future ou bien au règne de Dieu sur la Terre. Le Livre de Daniel inspire aux historiens médiévaux l'idée de *translatio imperii* : l'empire ne subit pendant sa durée aucun changement substantiel, il ne fait que passer d'un peuple à un autre. Et saint Augustin affirme, pour sa part, que la religion vraie n'est solidaire d'aucune forme transitoire de la politique. Il montre que les deux amours qui se partagent le cœur de l'homme ont édifié deux cités : l'amour de soi jusqu'au mépris de Dieu a bâti la cité terrestre, l'amour de Dieu jusqu'au mépris de soi a bâti la cité céleste. *Vanitas* d'un côté, *veritas* de l'autre. Comme l'écrit Karl Löwith commentant Augustin : « Les enfants de la Lumière voient dans leur existence terrestre le moyen de plaire à Dieu ; les enfants des ténèbres regardent leur Dieu comme un moyen d'atteindre le bonheur dans le monde ». Le progrès n'existe alors que sous la forme d'une pérégrination, d'un infatigable voyage vers un but supraterrestre.

En 413, quand il s'attelle à la rédaction de *La Cité de Dieu*, saint Augustin ne sait pas qu'il vit au Ve siècle après Jésus-Christ, la chronologie chrétienne n'a pas encore acquis droit de cité. Biblique, la vision du temps qui est alors en vigueur permet d'embrasser d'un seul regard le cours du monde dans toute son extension, depuis la Création jusqu'au Jugement dernier. C'est Bède le Vénérable qui introduit la grande césure en 731, dans son *Histoire ecclésiastique des Angles* : « César, écrivait-il, arriva en Angleterre en l'an 60 (*ante vero Incarnationis Dominicae tempus anno sexaguessimo*) ».

Mais la méthode de Bède n'est pas immédiatement reprise par ses successeurs, loin s'en faut. La chronologie continue à prendre pour point de départ la Création et c'est au XVIIe siècle seulement que s'imposent de manière définitive en Europe les ères rétrospective et prospective de l'Incarnation. Le temps chrétien triomphe aux Temps modernes, c'est-à-dire au moment même où l'humanité se libère de la vérité chrétienne révélée. Et le paradoxe n'est qu'apparent. Pour qu'apparaisse le siècle au sens où nous l'entendons, il a fallu que cesse *le mépris du siècle* et que soit abolie la différence entre histoire profane et histoire sainte. Abolition précisément proclamée par la première époque de l'histoire à se penser laïquement comme époque et donc à concevoir comme époques les autres périodes de l'histoire : les Temps modernes.

C'est avec l'émergence d'une nouvelle science de la nature que naissent ces temps eux-mêmes nouveaux. La connaissance n'est plus conçue comme fondamentalement réceptive, l'initiative de l'entendement est du côté de l'homme non du côté de l'ordre cosmique ; en recherchant la connaissance, l'homme convoque la nature au tribunal de la raison. La science interprétée *propter potentiam* se voit assigner de nouvelles fins : l'adoucissement de l'existence, la conquête de la nature, la maîtrise systématique des conditions naturelles de la vie humaine. Et l'histoire de l'humanité en vient à se déduire du caractère cumulatif du savoir.

Les attentes de l'homme qui se projetaient, dans la prophétie de Daniel aussi bien que chez saint Augustin, par-delà toutes les expériences, ces attentes sont rapatriées dans l'avenir humain. Aux yeux des Anciens, dira Hegel, l'être est essentiellement immuable et le philosophe peut, à tout moment, participer à sa vérité. Pour les Modernes, l'être est temporel, il se crée au cours de l'histoire et le philosophe lui-même est fils de son temps.

Avec la catégorie du Progrès est donc apparue l'idée d'un temps spécifiquement humain qui transcende la nature. Mais cette condition nécessaire à l'étrange habitude de penser par siècles, n'est pas suffisante. Ce qui a fait jaillir le siècle tel que nous le connaissons et le pratiquons, c'est la coïncidence de la fin d'un siècle et de la fin d'un monde ; c'est, autrement dit, la Révolution française. Nul mieux que Condorcet n'a formulé cette mutation historique : « Un seul instant a mis un siècle de distance entre l'homme du jour et celui du lendemain. » Le même sentiment de nouveauté conduit l'Institut de France à mettre, le 26 novembre 1804, au concours d'éloquence de la Classe, de la Langue et de la Littérature française le *Tableau littéraire de la France au XVIIIe siècle*. Cette idée de faire, au tournant d'un siècle, le bilan du centenaire écoulé est sans précédent, et c'est à la Révolution qu'on la doit. Le XVIIIe siècle ayant soudainement basculé dans le passé, on s'interroge sur sa signification et on découvre son ambivalence : dernier siècle de l'ancien monde ; prodrome, avec les philosophes, du monde nouveau.

Un fait nouveau frappe tous les esprits dans les premières années du XIXe siècle et renforce la certitude d'habiter un segment de temps clairement distinct de tous ceux qui l'ont précédé : l'industrie ou plus précisément l'application de la science à l'organisation du travail. Après l'épopée napoléonienne, ce chant du cygne, la révolution industrielle semble accoucher d'une société fondée non plus sur la conquête mais sur l'exploitation des ressources naturelles et la mise en valeur de la planète. La guerre avait été nécessaire, dit Auguste Comte, pour contraindre au travail des hommes naturellement paresseux et pour créer des États étendus. Elle a rempli sa fonction. Le primat du travail est désormais assuré. Il n'y a plus de motif de combattre.

Les choses ont suivi un tout autre cours mais la puissance de la catégorie de siècle n'a pas été pour autant ébranlée. Elle a même été exaspérée par une nouvelle coïncidence entre le temps de l'histoire et le temps du calendrier. Le calendrier, c'est l'entrée dans le XXIe siècle et par la même occasion dans le troisième millénaire. L'histoire, c'est la révolution politique que constituent la chute du communisme et la révolution technique des biotechnologies et du multimédia. Ainsi Michel Serres, notre Auguste Comte, voit-il Hermès succéder à Prométhée, la messagerie à la métallurgie et l'univers informationnel complexe et volatil à l'univers transformationnel de l'industrie. Or Hermès est pacifique : « Quand les frontières s'effacent et que tous les matins celui qui dit « oiseau » communique avec celui qui dit *Vogel*, *bird*, *uccelo* ou *passajo*, les raillera-t-il aussi intensément parce qu'il ne parle pas la même langue et ne prie pas les mêmes dieux ? » La même eschatologie profane a conduit Jacques Attali à faire débuter le XXIe siècle en 1989, « année qui vit, à quelques mois d'intervalle, la fin du dernier empire, les débuts du clonage, le surgissement d'Internet », et à dépeindre l'homme nouveau sous les traits d'un nomade « léger, libre, hospitalier, vigilant, connecté et fraternel. » Opposé, pour sa part, au monde comme il va, le philosophe Jean Lacoste se félicite cependant de voir le réseau remettre en cause « les castes modernes en rendant accessible à tous et par tous l'exploitation des données selon le même processus qui, avec la démocratisation de la lecture, a privé de légitimité les anciennes castes sacerdotales ». La technique, là encore, rejoint la politique : « Le secret a vécu, le confidentiel est mort, la maîtrise totalitaire de l'information est devenue impossible. »

Voici donc qu'au tournant d'un siècle, on parle à nouveau de révolution et que s'agrandit spectaculairement notre horizon d'attente. Renouant avec le progrès, l'humanité s'apprête à quitter sans regret un siècle de fer dont l'extrémisme apporte un démenti terrifiant à la représentation progressiste et cumulative de la temporalité. Car le XXe siècle, ce n'est ni l'ancien monde par rapport au nouveau, ni la promesse dont le XXIe siècle doit être l'accomplissement. Le XXe siècle est un monstre historique réfractaire à tout rangement dans la succession des époques humaines.

Penser le XXe siècle, ce sera donc tenter de rendre compte de cette exception. Pourquoi ce siècle a-t-il mal tourné ? Quelle signification philosophique faut-il accorder à son démenti de la foi des Modernes ? Et, question subsidiaire : est-ce en sortir instruit que d'attendre de la chute du communisme, du câblage de la planète et de la naissance technicisée, l'émergence d'un homme nouveau, angélique et fraternel ?

Mais c'est au XIXe siècle que les hommes ont pour la première fois répondu à l'appel de l'Histoire et que sont nées les passions politiques modernes. Il faut donc commencer par lire le testament du XIXe siècle si l'on veut prendre la mesure de ce qu'il est advenu, au XXe siècle, de la politique et de l'Histoire.

Chapitre II

Le siècle de l'Histoire

La grande découverte du XIXe siècle — ou sa foi unanimement partagée —, c'est que l'homme est un être historique de part en part. De cet historicisme, dont nous restons largement tributaires, Victor Hugo offre la version la plus euphorique et la plus répandue. Voici par exemple ce qu'il écrit quelque cent quarante ans avant la grande révolution informationnelle : « Ce qui vous eût fait mettre à Charenton au siècle dernier a, en 1867, la place d'honneur au palais de l'Exposition internationale. Toutes les utopies d'hier sont les industries de maintenant. Allez voir. Photographie, télégraphie, appareil morse, qui est l'hiéroglyphe, appareil Hughes, qui est l'alphabet ordinaire, appareil Caselli, qui envoie en quelques minutes votre propre écriture à deux mille lieues de distance, fil transatlantique, sonde artésienne qu'on appliquera au feu après l'avoir appliquée à l'eau, machines à percement, locomotive voiture, locomotive charrue, locomotive navire et l'hélice dans l'océan, en attendant l'hélice dans l'atmosphère. Qu'est-ce que tout cela ? Du rêve condensé en fait. De l'inaccessible à l'état de chemin battu. » Avec un lyrisme inépuisable, Victor Hugo incarne l'esprit d'un temps qui s'enchante de voir l'esprit matérialisé dans le temps : « Tous les railways qui paraissent aller dans des directions différentes, Petersbourg, Madrid, Naples, Berlin, Vienne, Londres, vont au même lieu : la paix. Le jour où le premier air-navire s'envolera, la dernière tyrannie rentrera sous terre ». Le temps réel et le cyber-espace, ces coordonnées inaugurales du siècle qui vient comblent-elles des besoins déjà satisfaits ? S'attaque-t-on, par la mise à disposition de toutes les données, à un problème depuis longtemps résolu ? Toujours est-il que Victor Hugo, en 1867, célèbre l'entrée du monde dans l'ère de la communication planétaire. Technophile et philanthrope, il voit les distances se réduire, les transports s'accélérer et l'humanité former une totalité enfin solidaire : « Nous disons *tous*, et nous ne nous opposons à aucun des rêves que contient ce monosyllabe immense ».

Tous est, en effet, le grand mot du XIXe siècle. Deux révolutions l'ont prononcé : la révolution française et la révolution industrielle. Celle-ci a unifié le monde ; celle-là, comme l'atteste, entre autres, le destin d'Anacharsis Cloots, a concerné tout le monde. Né en Allemagne (à Clèves) d'une vieille famille noble de Hollande, sujet du roi de Prusse, Jean-Baptiste Cloots était venu à Paris en 1776 pour y dépenser son immense fortune. Il se rallie, dès 1789, au mouvement révolutionnaire, change de prénom, et quand l'Assemblée nationale abolit, par décret, la noblesse héréditaire, les titres, les ordres militaires, les armoiries, les livrées, et toute espèce de distinction entre Français, il se présente devant les députés en qualité d'*orateur du Comité des Étrangers*, et il exprime le désir d'associer toutes les nations du monde à la fête du Champ de Mars : ainsi, « cette solennité civique ne sera pas seulement la fête des Français, mais encore la *fête du genre humain* ». Un an plus tard, il publie un Appel où il demande à la France encore un effort pour répondre à sa vocation. Elle vient de supprimer les provinces et les corporations. Le monde sera régénéré, dit Cloots, lorsque sera aboli l'esprit de corps national : « La France n'a été heureuse que le jour où l'on a dit : le ci-devant Languedoc, la ci-devant Alsace ; le genre humain ne sera heureux que le jour où nous dirons : les ci-devant Français, les ci-devant Anglais, les ci-devant Africains. C'est alors que notre planète sera une terre d'Éden. Chacun dira le monde est ma patrie. Le monde est à moi. Il n'y aura plus d'émigrants. » Et Cloots dessine, attendri, le tableau futur d'une humanité effectivement fraternelle : « On ira en poste de Paris à Pékin comme de Bordeaux à Strasbourg, sans que rien ne nous arrête, ni barrière, ni muraille, ni commis, ni chasseur. Il n'y aura plus de désert : toute la terre sera un jardin ! […] L'allégresse de la liberté effacera l'affliction de l'esclavage. Rome fut la métropole du monde par la guerre ; Paris sera la métropole du monde par la paix. […] J'insiste sur ma prédiction ; cet événement divin n'attend que l'escalade d'une forteresse. »

L'Exposition universelle de 1867 est, pour Victor Hugo, le tableau chimérique de Cloots devenu réalité. La technique, sous ses yeux, accélère et même achève la transformation de la politique en *cosmo-politique*. Le moment lui semble donc venu pour la France d'être enfin elle-même en se délestant d'elle-même : « Ô France, adieu ! Tu es trop grande pour n'être qu'une patrie. On se sépare de sa mère qui devient déesse. Encore un peu de temps et tu t'évanouiras dans la transfiguration. Tu es si grande que voilà que tu ne vas plus être. Tu ne seras plus France, tu seras Humanité ; tu ne seras plus nation, tu seras ubiquité. Tu es destinée à te dissoudre tout entière en rayonnement, et rien n'est auguste à cette heure comme l'effacement visible de ta frontière. Résigne-toi à ton immensité. Adieu, Peuple ! Salut, Homme ! »

Ce dithyrambe fait sourire. À tort. Souvenons-nous, en effet, des arguments qui ont salué le « 3-0 » historique infligé par la France au Brésil lors de la dernière coupe du monde de football du XXe siècle. France black-blanc-beur, France multicolore, France mondiale : les commentateurs ne se sont pas contentés de rendre hommage à une belle équipe ; au terme d'un rendez-vous plus universel encore que celui de 1867, ils se sont enivrés de chauvinisme anti-chauvin. Ils ont acclamé, en toute innocence, en toute béatitude, « un peuple de réconciliation, une maison de démocratie, une nation ouverte qui appelle chez elle quiconque est frère ou veut l'être. »

Il reste que tout le monde, au siècle de Victor Hugo, n'est pas hugolien. Et notamment en France, pays enfiévré par la Révolution, l'acte politique inouï qui a voulu substituer un état de bonheur social à un état de malédiction sociale ; mais pays également traumatisé par la Terreur. Le pauvre Cloots, par exemple, a été condamné à mort et guillotiné comme étranger, aristocrate, millionnaire et mondialiste en 1793, c'est-à-dire un an après avoir été fait citoyen français. Que s'est-il passé ? Comment expliquer ce dérapage, cette embardée idéologique et terroriste de la Révolution française ? Telle est la question qui hante la pensée libérale. Celle-ci n'est pas née au XIXe siècle mais au XVIIe, en réaction au traumatisme des guerres de religion qui déchiraient alors l'Europe. Elles ont conduit, ces guerres meurtrières, à une réinterprétation radicale du sens de l'existence politique des hommes. Aux lois dont les hommes ont besoin pour vivre ensemble, le libéralisme est allé chercher un point d'appui non dans le ciel — lieu des plus inexpiables querelles — mais sur la terre. Ce qui est universel, a-t-il observé, ce n'est pas l'idée du Bien, c'est l'être et la persévérance dans l'être : « Le premier et le plus fort désir que Dieu a planté en l'homme et ouvré dans les principes mêmes de sa nature est, écrit Locke, le désir de sa propre conservation ». Mais cette pensée bourgeoise qui érige l'aspiration à la sécurité en fondement de l'ordre social connaît, après la Révolution, une inflexion capitale. C'est dans l'histoire, et non plus dans la nature, que le libéralisme du XIXe siècle cherche ses justifications. « Les Anciens, affirme par exemple Benjamin Constant, définissent la liberté comme participation active et constante aux affaires publiques. Notre liberté, à nous autres Modernes, se compose de la jouissance paisible de l'indépendance privée ». Cette grande opposition historique est la leçon qu'il tire de la Terreur. Envoûtés par l'image de Sparte ou de la Rome antique, Robespierre et les siens ont voulu réaliser dans la France moderne la liberté des Anciens. Ils se sont trompés d'époque. Du péché d'anachronisme ont découlé tous leurs crimes. Pour être vraiment fidèle à l'esprit de liberté qui a mis fin à l'Ancien Régime, il faut donc bâtir une société où les individus soient laissés dans une indépendance parfaite sur tout ce qui a rapport à leurs occupations, à leurs entreprises, à leurs activités. De cette société, le XIXe siècle, individualiste et industrialiste, porte témoignage.

Mais, plus la société s'embourgeoise, moins elle s'aime. La vie qu'elle réserve aux individus, en effet, est contradictoire avec la définition dont elle les gratifie. Tous les hommes ne peuvent pas être gentilshommes, mais tous les hommes ont le désir de leur propre conservation, donc tous les hommes sont bourgeois. La magnanimité est rare ; la peur de la mort violente, universelle. Il n'y a pas de laissé-pour-compte dans la définition que la bourgeoisie donne de la condition humaine. À la différence des aristocraties, la bourgeoisie est cette classe supérieure qui ne pratique pas d'ostracisme ontologique. Économiquement, c'est une autre affaire. Car la division du travail, qui est le secret de sa richesse, aggrave, dans les faits, l'inégalité entre les hommes et cette inégalité n'a plus, comme dans les sociétés antérieures, de statut légitime. D'où le mécontentement. D'où l'irréconciliation. D'où cette capacité unique et très bien soulignée par François Furet à « produire des enfants et des hommes qui détestent le régime social et politique dans lequel ils sont nés, haïssant l'air qu'ils respirent, alors qu'ils en vivent et qu'ils n'en ont pas connu d'autres ». Le socialisme répond donc au libéralisme et Karl Marx à Benjamin Constant. Avec Auguste Comte et Victor Hugo, celui que Raymond Aron appelle « le grand prêtre du socialisme » s'accorde pour marquer l'hétérogénéité de nature entre les sociétés traditionnelles et les sociétés modernes. Il insiste, lui aussi, sur la primauté du travail, le rôle de la science appliquée à la production et l'augmentation qui en résulte des ressources naturelles. Mais à la différence du positiviste et du poète, Marx tient pour fondamental le conflit entre employeurs et employés. Il fait de la lutte des classes le moteur de l'histoire. C'est la troisième version de l'historicisme propre au XIXe siècle. À côté de l'affirmation scientiste que « tout se meut en même temps, économie, politique, science, industrie, philosophie, législation et converge au même but, la création du bien-être et de la bienveillance » ; à côté de la célébration libérale des progrès de l'indépendance individuelle, Marx développe une vision dialectique qui attend de l'affrontement final entre la bourgeoisie et le prolétariat la sortie de l'humanité hors de la préhistoire et la formation d'une véritable communauté humaine.

Et cette typologie de la sensibilité historique au XIXe siècle ne serait pas complète si elle laissait de côté la critique du progressisme dans toutes ses déclinaisons. La nouvelle donne révolutionnaire, en effet, n'est pas acceptée par tous. Les hommes ne se divisent pas seulement entre ceux qui l'applaudissent, ceux qui veulent la modérer et ceux qui la jugent à l'aune de ses promesses égalitaires. Il y a aussi des hommes qui maudissent cette rupture présomptueuse. Et ces nostalgiques d'un monde ancien témoignent, malgré eux, de leur appartenance au monde nouveau. Car c'est de l'histoire qu'ils se réclament, c'est l'historicité de l'existence qu'ils invoquent pour justifier leur condamnation. Ainsi, Joseph de Maistre, le plus intransigeant des contre-révolutionnaires : « La constitution de 1795, tout comme ses aînées, est faite pour l'Homme. Or il n'y a point d'Homme dans le monde. J'ai vu, dans ma vie, des Français, des Italiens, des Russes etc. je sais, même grâce à Montesquieu, qu'on peut être persan. Mais quant à l'homme, je déclare ne l'avoir jamais rencontré de ma vie. S'il existe, c'est bien à mon insu ». La faute inexpiable des hommes de 89, dans cette optique, est d'avoir voulu *construire* une société nouvelle. Ce faisant, ils ont *détruit* ce qui est constitutif de l'humanité même de l'homme. Maistre, et après lui les Romantiques, n'opposent pas la nature humaine à la vision historique et téléologique d'un accomplissement progressif de l'humanité mais, bien plutôt, l'ancienneté et la diversité des histoires ou des traditions qui donnent sens et substance à la vie des individus. La subjectivité humaine, disent-ils, est originellement inscrite dans un monde. C'est ce monde qu'il faut retrouver. Ils plaident donc pour un retour en arrière, mais dans le langage historique qui est le langage même de la modernité. Ils participent ainsi à la grande mutation dont nous restons les héritiers : le remplacement de l'antithèse du Bien et du Mal par celle du progressiste et du conservateur, ou du progressiste et du réactionnaire.

Ces manières de penser l'histoire, de la ressentir et d'agir en son sein, s'affronteront tout au long du

XIXᵉ siècle, avec un avantage certain pour l'optimisme de Victor Hugo : « Citoyens, dit Enjolras, l'un des personnages des *Misérables*, le XIXᵉ siècle est grand mais le XXᵉ sera heureux. Alors, plus rien de semblable à la vieille histoire. On n'aura plus à craindre comme aujourd'hui une conquête, une invasion, une rivalité de nations à main armée, une interruption de civilisation dépendant d'un mariage de rois, et l'échafaud et le glaive et tous les brigandages du hasard dans la forêt des événements. On pourrait presque dire : il n'y aura plus d'événement. On sera heureux. » Voilà très exactement ce qu'on croit ou qu'on espère, au moment d'entrer dans le siècle nouveau. En 1900 à Paris, l'Exposition universelle est consacrée à la Fée électricité, et le grand écrivain autrichien Stefan Zweig, exilé au Brésil en 1942, se souvient de cette époque comme celle où l'on était sincèrement convaincu d'aller vers le meilleur des mondes possibles : « On ne considérait qu'avec dédain les époques révolues avec leurs guerres, leurs famines, leurs révoltes. On jugeait que l'humanité, faute d'être suffisamment éclairée, n'y avait pas atteint la majorité. Il s'en fallait de quelques décades à peine pour que tout mal et toute violence fussent définitivement vaincus, cette foi en un progrès fatal et continu avait en ce temps-là toute la force d'une religion. Déjà l'on croyait en ce Progrès plus qu'en la Bible, et cet Évangile semblait irréfutablement démontré par les merveilles sans cesse renouvelées de la science et de la technique. Et, en effet, une générale ascension se faisait toujours plus visible à la fin de ce siècle de paix, toujours plus rapide, toujours plus diverse. Dans les rues, au lieu des pâles luminaires, brillaient les lampes électriques, les grands magasins portaient leurs nouvelles splendeurs tentatrices des artères principales jusque dans les faubourgs, déjà grâce au téléphone les hommes pouvaient converser à distance, déjà ils volaient avec une rapidité inespérée dans les voitures sans chevaux, déjà ils s'élançaient dans les airs et réalisaient le rêve d'Icare. Le confort pénétrait dans les maisons bourgeoises, on n'avait pas à apporter l'eau de la fontaine ou du canal, à allumer péniblement le feu du fourneau, l'hygiène se répandait partout, la crasse disparaissait. Les hommes devenaient plus beaux, plus robustes, plus sains depuis que le sport trempait et durcissait leur corps ; on rencontrait toujours plus rarement dans les rues des estropiés, des goitreux, des mutilés, et tous ces miracles étaient l'œuvre de la science, cet archange du progrès. Au point de vue social aussi l'humanité était en marche ; d'année en année on accordait à l'individu de nouveaux droits, la justice se faisait plus douce et plus humaine et même le problème des problèmes, le paupérisme des grandes masses, ne semblait plus insoluble ».

Autre exemple : Ivo Andric, romancier né en 1892 en Bosnie et mort à Belgrade en 1975. Dans *Le Pont sur la Drina*, il raconte l'histoire d'un très beau pont de pierre blanche, depuis sa construction au XVIe siècle à Visegrad par les Turcs jusqu'au bombardement qui le détruisit partiellement en 1914. Au tournant du siècle, l'impression qui domine dans cette partie oubliée du monde est, là encore, celle du progrès et de la sécurité : « La vie en cette fin de siècle, à jamais domptée et apprivoisée en apparence, couvrait tout de son cours ample et régulier, donnant aux gens le sentiment que s'ouvrait une ère de tranquille labeur appelée à durer longtemps, jusque dans un avenir dont on ne voyait pas la fin. [...] On était en 1900, fin d'un siècle heureux et début d'un autre qui, croyaient et pressentaient beaucoup, devait être encore plus heureux ».

Nous ne savons peut-être pas quel nom donner au siècle qui vint après le siècle des Lumières et celui de l'Histoire. Mais nous savons que le pont a été détruit. Un abîme sépare ce siècle innommable de celui qui l'a précédé et de ses attentes.

Chapitre III

« Puis soudain, comme une crevasse dans une route lisse, la guerre… »

En 1915, le poète belge Émile Verhaeren faisait cette dédicace pour le livre qu'il venait d'achever : « Avec émotion à l'homme que j'étais ».

L'homme à qui Verhaeren dédie son livre avec nostalgie habitait ce que Stefan Zweig, son ami, appelle dans un livre précisément appelé *Le Monde d'hier*, l'âge d'or de la sécurité. Cette belle époque n'était pas complètement à l'abri du mauvais sort ou de la violence. Il y avait bien, ici et là, des attentats terroristes comme le meurtre d'Élisabeth, impératrice d'Autriche, en 1898. Mais ce qui s'attestait dans ces crimes, ce n'était pas la fragilité des palissades que le monde avait édifiées, c'était bien plutôt le fanatisme, la folie, l'isolement de leurs auteurs. À l'été 1914, les palissades se sont effondrées ; sous le nom de guerre, l'innommable a déferlé et le monde de la sécurité s'est évanoui comme un songe.

Que s'est-il passé ? Quelque chose qui, selon Victor Hugo ou Stefan Zweig, ne pouvait avoir lieu le lendemain du siècle qui avait substitué la course des locomotives au roulement des bombardes et mis au rebut « tout ce qui est plumets, dragonnes, cymbales, quincailleries meurtrières » : un fait divers princier qui dégénère, une rivalité de nations à main armée, une interruption de civilisation dépendant d'un assassinat de roi, bref le *brigandage du hasard dans la forêt des événements* et le déchaînement de la gloriole sanglante. Le 28 juin 1914, l'archiduc héritier d'Autriche-Hongrie, François-Ferdinand qui vient, avec sa femme, d'assister aux grandes manœuvres de l'armée impériale en Bosnie-Herzégovine, visite la ville de Sarajevo. Comme le cortège se rend à l'Hôtel de Ville, le prince échappe à un attentat. Seul le chauffeur du véhicule a été blessé. Après être arrivé à la résidence du gouverneur et avoir vertement reproché leur négligence aux administrateurs autrichiens, François-Ferdinand, accompagné de sa femme, décide d'aller voir la victime à l'hôpital. Le nouveau chauffeur du couple royal se trompe de rue, fait une marche arrière, cale son moteur devant l'assassin en puissance qui est justement en train de noyer sa déception dans l'alcool, à une terrasse de café. Ses victimes s'étant mises à portée de sa main d'une manière si providentielle, il ne rate pas sa seconde tentative. Le terroriste s'appelle Gavrilo Princip, il est serbe et il vient d'allumer la mèche du premier conflit mondial. Virginia

Woolf : « Puis soudain, comme une crevasse dans une route lisse, la guerre survint. »

Aujourd'hui encore, la disproportion entre le coup de feu de Gavrilo Princip et ses conséquences défie le commentaire. La question reste posée de savoir pourquoi la crise locale entre l'Autriche-Hongrie et la Serbie a mené à la conflagration générale. D'où vient que la première guerre mondiale de l'histoire de l'humanité ait pu naître à la périphérie de l'Europe, dans une région des Balkans inconnue de la plupart de ses protagonistes ? Pour tenter de comprendre, il faut remonter à la fin du XIXe siècle et à la tournure prise par la compétition entre les grandes puissances. Celles-ci pratiquent alors une politique active d'expansion coloniale. Certes, comme l'écrit Eric Hobsbawn, « cela faisait longtemps que la suprématie économique et militaire des pays capitalistes était imposée de façon incontestable, mais jamais elle n'avait cherché aussi systématiquement à se traduire en conquêtes et en annexions qu'entre 1880 et 1914. » Tous les continents, sauf l'Europe et l'Amérique, furent alors découpés en territoires placés sous l'autorité directe ou indirecte d'une poignée d'États notamment la Grande-Bretagne, la France, l'Allemagne, l'Italie, les Pays-Bas, la Belgique, les États-Unis et le Japon. Il y avait bien sûr des raisons économiques à cette politique d'expansion. Les pays capitalistes cherchaient au loin tout à la fois de nouveaux marchés pour écouler leurs produits et des matières premières pour les fabriquer. Le moteur requérait de l'essence (d'où l'intérêt pour les champs pétrolifères du Moyen-Orient), et du caoutchouc (recueilli dans les forêts du Congo ou d'Amazonie). Les nouvelles industries électrique et automobile avaient d'énormes besoins en cuivre et les principales réserves de ce métal se trouvaient au Chili, au Pérou, au Zaïre ou en Zambie. Ne pas conclure, cependant, que le capitalisme porte la guerre comme la nuée porte l'orage. Les milieux d'affaires en Europe était très attachés à la paix : la guerre leur semblait inconciliable avec le principe du *business as usual.* Ce sont les États qui ont fait de l'équation entre croissance économique illimitée et croissance politique une vérité communément admise. C'est le Kaiser qui, en 1890, réclamait en faveur de son pays « une place au soleil ». Pour réaliser cette ambition, l'Allemagne décidait, quelques années plus tard, de se doter d'une puissante marine de guerre. L'Angleterre se sentant menacée par cette décision, il était naturel qu'elle se rapprochât de la France, et l'Europe s'est alors trouvée divisée en deux blocs hostiles : la Triplice (Autriche-Hongrie, Allemagne, Italie) et la Triple-Entente (France, Angleterre, Russie). Ainsi étaient créées les conditions de la guerre. Née d'un événement certes tragique mais dérisoire à l'échelle du monde, la Première Guerre mondiale n'en était pas moins inéluctable.

Et cette fatalité avait un air de déjà vu. « Homère est nouveau ce matin et rien n'est aussi vieux que le journal d'aujourd'hui », disait Péguy. De même, Albert Thibaudet, qui fut le contemporain de Péguy, mais qui survécut à la Grande Guerre, constatait en 1917, l'extraordinaire actualité de Thucydide. Il découvrait avec cet historien du Ve siècle avant Jésus-Christ, le sens des événements qu'il était en train de vivre. Obligé de limiter sa bibliothèque à ce que pouvait recevoir un sac de soldat, Thibaudet avait trois livres avec lui dans les tranchées — un Montaigne, un Virgile, un Thucydide — et il vit avec étonnement la guerre nouvelle entre les nations se superposer à l'histoire ancienne. Le duel lointain d'Athènes et de Sparte lui racontait les batailles dans lesquelles il était pris. « Thucydide a compris, écrivait Thibaudet, que la guerre du Péloponnèse était née automatiquement de la mise en présence de la rivalité de deux systèmes d'alliance et que les causes profondes, les vraies racines de cette guerre ne s'étudiaient qu'avec la genèse de ces deux systèmes ». Et Thucydide pouvait à juste titre définir son œuvre comme « un trésor pour toujours plutôt qu'une production d'apparat pour un auditoire du moment » car 1914 répète 431 avant Jésus-Christ et le conflit européen, la guerre entre cités grecques : « Les deux guerres sont amenées par le moyen même qu'on avait cru expédient pour éviter la guerre : les alliances. Elles se produisent automatiquement au moment où toutes les grandes puissances, ici de la Grèce et là de l'Europe, sont partagées en deux alliances rivales [...]. Du jour où toutes les grandes puissances de l'Europe se sont trouvées partagées entre l'Entente et la Triplice, il était inévitable que tout conflit local amenât une conflagration générale ». Et l'analogie se faisait plus précise encore : les deux guerres n'éclatent point d'abord en pleine lumière sur une question vitale mais de façon détournée et oblique, et d'un pays en apparence secondaire dont deux membres des alliances rivales se disputent la domination : les affaires de Corcyre font pendant à l'affaire de Serbie. Chaque fois la vraie raison est la même : « Il s'agit d'une guerre pour la domination de la mer. Ce qui en Grèce comme en Europe a toujours été redouté comme la menace la plus grave, c'est la conjonction de la plus grande puissance militaire et de la plus grande puissance maritime. Derrière le front haut de Périclès comme derrière le casque romantique de Guillaume II, la Grèce et le monde ont aperçu le risque de cette double hégémonie et se sont levés contre elle ».

Ainsi l'événement qui met fin au XIXe siècle apporte, par surcroît, un éclatant démenti à son historicisme. C'est à un historien *ancien* que Thibaudet a recours pour appréhender la brûlante actualité de la destruction de l'Europe par elle-même. C'est l'histoire comme recueil d'exemples qu'il réhabilite à l'époque du Progrès, c'est-à-dire de l'identification du passé et du dépassé. Bref, cette coïncidence entre sa lecture et son expérience le place sous l'autorité de la nature, celle-là même que le siècle de l'Histoire avait cru pouvoir frapper d'un discrédit sans appel. Contre Hugo, mais aussi contre Marx, contre Hegel qui fait de chaque individu le « fils de son temps », et contre l'apologie romantique des histoires particulières, Thibaudet pense avec Thucydide que son histoire de la guerre du Péloponnèse donne une connaissance claire du passé et aussi de l'avenir, dans la mesure où l'un et l'autre sont soumis aux lois de la nature humaine. L'histoire devient sous sa plume, et dans sa vie, *magistra vitae*, espace d'expériences, mémoire éclairante, catalogue de faits significatifs, jurisprudence de la réalité humaine. Il ne refuse pas les lumières de ce que son siècle appelle l'histoire. Mais il n'aborde pas Thucydide comme la trace, l'archive, le témoignage d'un monde fini ou mort. Sa lecture est existentielle et non documentaire. Il prend le texte de Thucydide au sérieux. Il n'en est pas, à son tour, l'historien, mais le contemporain. Il en accepte, il en ratifie l'enseignement. Il est plongé dans un événement sans précédent et il s'aperçoit que les catégories nécessaires à la compréhension de sa nouveauté sont à sa disposition dans Thucydide. Le choc du passé et du présent auquel son écriture procède suppose que les époques de l'humanité peuvent communiquer autour de significations pensables. Thibaudet, autrement dit, se voit contraint de ne pas donner le dernier mot au devenir. Et voici la leçon ultime qu'il tire de cette confrontation : « S'allier, c'est pour les peuples, comme s'attacher pour les alpinistes : la corde est par destination un instrument de salut, et procure parfois ce salut, mais il arrive aussi qu'elle entraîne toute la cordée dans la chute. Le malin est parfois celui qui tient, comme Tartarin et Bompard, son couteau prêt au bon moment ».

Mais nous-mêmes, nous lisons Thibaudet lisant Thucydide à la lumière d'une guerre dont il n'a pas été le témoin. Il est mort en 1936, soit trois ans avant le déclenchement de la Deuxième Guerre mondiale et deux ans avant les accords de Munich, l'un des faits les plus noirs et les plus caractéristiques des sombres temps du XXe siècle. Le 29 et le 30 septembre 1938, s'est tenue à Munich une conférence réunissant les chefs des gouvernements d'Allemagne (Hitler), d'Italie (Mussolini), de France (Daladier), de Grande-Bretagne (Chamberlain). L'enjeu était le sort de la communauté allemande des Sudètes dans l'État de Tchécoslovaquie qui avait été créé par le traité de Versailles. Le parti des Sudètes allemand fondé en 1933 et dirigé par un certain Konrad Henlein réclamait l'autonomie pour la minorité germanophone. Le 10 septembre 1938, Goering avait déclaré : « Une portion infime de l'Europe rend la vie insupportable à l'humanité : les Tchèques, cette misérable race de pygmées sans culture opprime une race civilisée ». Le 13 septembre à Nuremberg, Hitler exigeait non plus l'autonomie des germanophones mais l'annexion pure et simple du pays des Sudètes. La Tchécoslovaquie battait alors le rappel de ses alliances. Elle jouissait, depuis 1924, d'une assistance automatique de la part de la France. Mais les grandes puissances hésitaient. D'où la conférence de Munich. Et son résultat : la Tchécoslovaquie dut accepter, dans l'intérêt de la paix, une amputation de son territoire. Les régions peuplées à 50 % de germanophones furent rattachées à l'Allemagne. Sans doute, comme on l'a dit, est-ce par couardise que les démocraties européennes choisirent alors la voie de la capitulation. Mais il y a autre chose. Et notamment le souvenir de la Première Guerre. Il fut d'autant plus facile à la France de renier ses alliances que, vingt-quatre ans plus tôt, le respect des alliances avait mécaniquement conduit à l'inévitable. Pour justifier leur politique d'apaisement, nombre de responsables se disaient à eux-mêmes qu'ils avaient retenu la leçon de l'histoire en brisant, avant qu'il ne soit trop tard, la corde qui risquait d'entraîner toute la cordée dans sa chute. Ils avaient tenu leur couteau prêt au bon moment comme semblaient leur recommander et Thibaudet et Thucydide. C'est bien parce qu'il avait en tête l'expérience de l'histoire que l'influent éditorialiste parisien, Stéphane Lauzanne pouvait écrire au mépris de la géographie : « La France n'a point à porter à bras tendus tel ou tel amalgame de races diverses dans les Balkans ». Chat échaudé par la Bosnie craint l'eau froide tchécoslovaque.

Ainsi l'histoire maîtresse de vie a-t-elle détourné la vie de l'événement auquel il lui incombait de faire face. Elle a bien pensé au lendemain mais non, pour parler comme Valéry, « à un lendemain qui ne se fût jamais présenté ». Résultat : loin de la désamorcer, elle a alimenté l'histoire.

Mais les Anciens savaient cela. C'est bien pourquoi, à côté de la raison théorique qui porte sur le nécessaire, ils ont élaboré une théorie de la raison pratique ou plutôt de la sagesse pratique, cette aptitude à juger les affaires humaines ou, selon l'expression de Paul Ricœur (qui aime à dire qu'il a tous les livres ouverts devant lui) « ce discernement, ce coup d'œil en situation d'incertitude braqué sur l'action qui convient », qu'ils appellent la *phronesis* (la prudence). La prudence se meut dans le domaine du contingent, c'est-à-dire de ce qui pourrait être autrement qu'il n'est. L'homme, être de situations, vit dans un monde où tout n'est pas déductible : la science du nécessaire n'est d'aucun secours pour celui qui est condamné à appliquer les principes sur le mode de l'événement et de la singularité. S'il est bien vrai, autrement dit, que l'histoire au sens que les Anciens nous ont légué, fonctionne comme un indice de la permanence de la nature humaine et que les innombrables récits qui constituent le fablier de l'humanité se prêtent à servir de preuves pour des enseignements politiques, juridiques ou moraux, le domaine de cette expérience n'est jamais que celui du probable. Aristote déclare que dans le monde des choses humaines, variables et soumises à décision, on ne peut jamais atteindre au même degré de précision que dans les sciences mathématiques. Chercher dans la galerie d'ancêtres ou dans le formulaire d'actes, d'expressions ou d'attitudes que déploie l'histoire, une vérité définitive, c'est confondre les deux registres du certain et du vraisemblable, de la sagesse pratique et de la raison théorique. Or cet amalgame constitue la tentation moderne par excellence. Que ce soit sous la forme hégéliano-marxiste d'une philosophie de l'Histoire ou sous la forme d'une Histoire maîtresse de vie *à tout coup*, le rêve d'une science de la pratique hante la modernité. Les sombres temps du XXe siècle apportent à ce rêve un démenti fatal et font de nous, malgré nous, les contemporains d'Aristote : « On peut être doué de *sophia* et dénué de *phronesis* ».

Ce qui ne veut pas dire que la modernité soit un vain mot. Ni qu'il faille en retrancher la Grande Guerre avec son scénario à la Thucydide. Comme le dit profondément Raymond Aron : « La guerre de 1914 a surgi à la façon d'une guerre ordinaire au siècle de l'industrie. C'est dans son déroulement et ses conséquences qu'elle porte la marque du siècle auquel elle appartient et dont elle est une expression tragique ». Politiquement, aucune des grandes puissances ne voulait absolument cette guerre, mais aucune non plus ne condamnait absolument la guerre en tant que moyen de résoudre les différends entre les États. Les diplomates pensaient, avec Clausewitz, que la guerre restait un instrument politique. Militairement ensuite, tous les états-majors espéraient remporter une victoire rapide. Or les offensives lancées à cet effet échouèrent quasi simultanément. Contrairement à toutes les prévisions, la défensive l'emporta sur l'offensive. Et la Première Guerre mondiale prit l'aspect d'autant plus angoissant qu'il n'était au programme de personne, d'une guerre d'épuisement, d'un massacre permanent, sans grand résultat stratégique. Furet le dit très justement dans *Le Passé d'une illusion* : cette guerre a précipité « dans un malheur inouï des millions d'hommes pendant plus de quatre années pleines, sans aucune de ces intermittences saisonnières que présentaient les campagnes militaires de l'époque classique : comparé à Ludendorff ou à Foch, Napoléon a encore fait la guerre de Jules César. » Cette nouveauté tient en deux mots : la guerre de 1914 fut la première guerre *démocratique* et *industrielle* de l'histoire des hommes.

Pour la première fois la mobilisation est générale et tout le monde est concerné. Cette guerre implique les citoyens comme aucune autre avant elle. Même si elle tire son origine de la rivalité entre les puissances, elle est massivement consentie par les peuples. Et les motifs de cette adhésion ne sont pas seulement idéologiques. Ils tiennent au fait que l'*homo economicus* n'est pas le tout de l'homme, que le chacun pour soi d'une société vouée à la production et à la consommation est aussi frustrant qu'il est libérateur, que l'être qui veut persévérer dans son être veut aussi de l'aventure, de la tension, du cérémonial, de la communauté humaine.

« Pour être vrai, écrit par exemple Stefan Zweig, je dois avouer que dans cette levée de masse, il y avait quelque chose de grandiose, d'entraînant et même de séduisant à quoi il était difficile de résister. Et malgré ma haine et mon horreur de la guerre, je ne voudrais pas être privé dans la vie du souvenir de ces premiers jours. Des centaines de milliers d'hommes sentaient comme jamais ce qu'ils auraient dû mieux sentir en temps de paix, à savoir à quel point ils étaient solidaires. Une ville de deux millions d'habitants, un pays de près de cinquante millions éprouvaient à cette heure qu'ils vivaient une page de l'histoire universelle, un moment qui ne reviendrait plus jamais et que chacun était appelé à jeter son moi infime dans cette masse ardente pour s'y purifier de tout égoïsme. Toutes les différences de rang, de classe, de religion, étaient submergées, pour un instant, par le sentiment débordant de la fraternité. Des inconnus se parlaient dans la rue, des gens qui s'étaient évités pendant des années se serraient la main, partout on voyait des visages animés. Chaque individu éprouvait un élargissement de son moi, il n'était pas l'homme isolé de naguère, il était incorporé à une masse, et sa personne jusqu'alors insignifiante prenait un sens. Le petit employé de la poste qui, du matin au soir, n'avait fait que trier des lettres, qui triait et triait sans interruption du lundi au samedi, le clerc, le cordonnier avaient soudain une autre perspective, une perspective romantique dans leur vie, ils pouvaient devenir des héros et les femmes célébraient déjà tous ceux qui portaient un uniforme, et ceux qui n'en portaient pas les saluaient avec vénération et par avance de ce nom romantique. Ils appréciaient la puissance inconnue qui les arrachait à leur train-train quotidien. » On sait qu'en face, Péguy a passé les derniers jours de sa vie civile à serrer les mains de ses amis et à se réconcilier avec ses adversaires. La perspective de la guerre, pour lui aussi, éliminait les divisions. Citons enfin les premières lignes de l'un des plus grands romans de la guerre de 14-18, *Orages d'acier* d'Ernst Jünger : « Nous avions quitté les salles de cours, les bancs de l'école et les brèves semaines d'instruction nous avaient fondus dans un grand corps brûlant d'enthousiasme. Élevés dans une ère de sécurité, nous avions tous la nostalgie de l'inhabituel, des grands périls. »

Avant d'être perçue comme l'invasion monstrueuse de la vie par l'Histoire, la mobilisation générale est accueillie comme une rupture providentielle avec l'anomie, l'ennui, les intensités basses et la socialité dispersive. L'ardeur martiale et d'aspiration à la noblesse de l'exploit font irruption dans l'univers mécanique de la division du travail. Mais c'est un exploit lui-même démocratisé, une grandeur rendue accessible à chacun par l'institution moderne du service militaire obligatoire. L'individu, de surcroît, ne paie plus sa liberté du prix terrible de l'isolement. La concurrence de tous avec tous cède la place à la fraternité nationale. L'union des volontés a raison de la séparation des êtres. L'égoïsme calculateur est transcendé par la solidarité en acte de la préparation à la bataille. Bref, le rêve héroïque et l'ivresse communautaire, l'espoir de sortir du rang et le bonheur de se fondre dans une totalité en mouvement mettent ensemble la fleur au fusil des conscrits. Du fait de l'incapacité de la société bourgeoise à effacer de la mémoire des hommes les valeurs aristocratiques qu'elle récuse et à honorer complètement les principes égalitaires dont elle se réclame, tout le monde dans cette société, y compris le bourgeois lui-même, est l'ennemi du bourgeois. La guerre est l'événement qui fait la part belle à cet ennemi en offrant à tous ses ressentiments, à toutes ses insatisfactions, un miraculeux exutoire.

Miraculeux mais bref. Péguy mobilisé revêt son uniforme noir et rouge du 276e Régiment d'infanterie. Noir et rouge, couleur de l'héroïsme. Il faudra à l'autorité militaire plusieurs mois avant de vêtir le soldat du plus discret *bleu horizon*. Car cette guerre porte la marque du monde dans lequel elle éclate. C'est une guerre industrielle à un degré que n'avait anticipé aucun de ses protagonistes. Elle est devenue, selon la très forte expression d'Ernst Jünger, *guerre de matériel* : « Que savions-nous en 1914 du matériel, ce terme étranger qui devait prendre bientôt pour nous un sens toujours plus terrible jusqu'à donner son nom aux batailles mêmes que nous allions livrer ? Le fusil et la baïonnette et quelques explosions d'obus, c'était tout, et un unique avion sans armes qui bourdonnait au-dessus des lignes était pour nous un événement. [...] Non, en 1914, nous ne savions rien encore du matériel. C'est seulement après le broyage répété des offensives contre Verdun, lorsque le destin nous jeta dans l'incroyable paysage de la Somme que se révéla à nous, à travers sa traduction sur le front en explosion de feu, la volonté des grands États ». Plus rien alors n'échappe à la guerre. Son paysage englobe la terre et le ciel, les usines et les tranchées : « Le chef d'escadrille qui, des hauteurs de la nuit, donne l'ordre de bombarder, n'est plus en mesure de distinguer les combattants des non-combattants, de même que les nuages mortels des gaz s'étendent sur tout ce qui vit *avec l'indifférence d'un phénomène météorologique.* » Le 22 avril 1915, dans la coudée d'Ypres, des soldats allemands ouvrent 1 600 grandes bouteilles (40 kg) et 4 130 petites (20 kg) remplies de chlore sous un vent dominant nord-nord-est : la substance liquéfiée — environ 150 tonnes de chlore — se propage vers les positions françaises. C'est l'acte de naissance d'un siècle où, comme l'écrit Peter Sloterdijk, « la terreur a pris la forme de l'attentat contre les conditions de vie environnementales de l'ennemi. »

La bombe atomique n'explose pas encore, mais déjà l'époque abat ses cartes, la technique fête son triomphe sanglant et impose sa loi, même aux diplomates. La politique traditionnelle de compromis n'est pas à l'échelle de l'horreur. Elle ne peut plus suivre. Pour le dire encore avec François Furet, « les souffrances ont été si dures, les morts si nombreuses que personne n'osa agir comme si elles n'avaient pas été nécessaires ». Une transgression sans décision s'est produite : celle de l'adage kantien selon lequel aucun État ne devait se permettre, dans une guerre, des hostilités qui seraient de nature à rendre impossible la confiance réciproque quand viendrait le moment de conclure la paix. Les armes dont disposaient les États ont fini par disposer d'eux et de leurs politiques. À l'instar du balai de l'apprenti sorcier dans le poème de Goethe, la machine de destruction militaire, une fois mise en marche, s'est, pour ainsi dire, émancipée de ses utilisateurs. Ne possédant pas la formule pour l'arrêter, les chancelleries n'ont rien pu faire d'autre que s'aligner sur son fonctionnement infernal. Les diplomates les plus aguerris ont été transformés, malgré eux, en jusqu'au-boutistes acharnés par une guerre que l'alliance si prometteuse en apparence de la démocratie et du progrès, avait tragiquement dé-civilisée. Ainsi la démesure a-t-elle dicté ses conditions au conflit comme à son règlement. De la guerre, la technique a fait un carnage : vingt millions d'hommes tués en quatre ans. De la paix, le carnage a fait une punition. Et le châtiment des vaincus a déclenché le compte à rebours de la Deuxième Guerre mondiale.

Ceci n'est pas une construction rétrospective. En 1919, l'historien français Jacques Bainville publiait, sous le titre *Les Conséquences politiques de la paix*, une analyse critique et remarquablement prémonitoire du traité de Versailles. Il montrait que dans cette paix « rendue comme un arrêt de justice, l'idée d'équilibre avait été sacrifiée à la fois au principe wilsonien des nationalités et à la volonté de Clemenceau de « faire le plus de mal possible à l'Allemagne ». Résultat : plus d'Autriche-Hongrie, et une Allemagne, certes humiliée, affaiblie, raccourcie, mais compacte et vouée, un jour ou l'autre, à poursuivre l'achèvement de son unité par la présence de minorités allemandes dans les États nationaux, créés à sa périphérie, sur les ruines de l'Empire des Habsbourg et du Reich bismarckien : « Accroupie au milieu de l'Europe comme un animal méchant, l'Allemagne n'a qu'une griffe à étendre pour réunir de nouveau l'îlot de Königsberg. Dans ce signe, les prochains malheurs de l'Europe et de la Pologne sont inscrits. » Les signes, en effet, étaient clairs. Ce traité de paix n'a pas mis fin à la guerre. Il a donné rendez-vous aux belligérants : « Les chirurgiens de Versailles ont recousu le ventre de l'Europe sans avoir vidé l'abcès. »

La Révolution française fut l'événement inaugural et même fondateur du XIXe siècle. L'homme rompant avec toute autorité transcendante ou héréditaire et prenant avidement son destin en main à l'instar de Napoléon, l'empereur parti de rien — telle fut la définition, enthousiaste ou critique, que, dans la foulée de l'événement révolutionnaire, ce siècle se donna.

Le XXe siècle, en revanche, procède d'un événement destinal qui n'a pas d'auteur assignable, qui a échappé à ses protagonistes, qui, en s'abattant démocratiquement sur tout un chacun, a remplacé le modèle napoléonien par la figure du soldat inconnu et qui, de Sarajevo à Sarajevo, c'est-à-dire de l'assassinat en 1914 de l'archiduc Ferdinand à la désintégration yougoslave entre 1991 et 1995, a fait vivre le monde au rythme de ses répercussions.

Nul n'a suggéré ce basculement dans l'irréparable avec plus de justesse et de mélancolique élégance que Marguerite Yourcenar lorsque, à la fin de *Souvenirs pieux*, elle décrit les sentiments qu'inspire à celui qui deviendra son père l'état des choses, en 1900 : « L'Europe dans laquelle il erre à côté d'une dame à boa et à voilette, est encore un beau parc où les privilégiés se promènent à leur gré, et où les pièces d'identité servent surtout à retirer les lettres de la poste restante. Il se dit qu'un jour il y aura la guerre et qu'alors ça va barder, et qu'ensuite on rallumera les lustres. » Ça a bardé, en effet. Et on n'a jamais rallumé les lustres.

Chapitre IV

L'âge de la radicalité

Ernst Jünger n'a pas seulement décrit les orages d'acier de la guerre de matériel, il a été le témoin capital et ambigu de la déroute philosophique du XIXe siècle. Alors qu'Auguste Comte définissait la société moderne par la substitution du travailleur au guerrier, Jünger a vu la guerre des travailleurs succéder à celle des chevaliers. Ce qui est frappant dans ce conflit, c'est l'*identité* du caractère de travail et du caractère de combat : « Nulle part peut-être on ne peut mieux observer cela que dans la transfiguration qui atteint l'uniforme lui-même et dont le signe premier se manifeste par la disparition des teintes multicolores des tenues militaires remplacées par les nuances monotones propres au paysage de combat. L'évolution tend à faire apparaître toujours plus clairement l'uniforme du soldat comme un cas spécifique de l'uniforme du travail ». Et plus la guerre industrielle professionnalise les comportements du soldat, plus également elle simplifie les enjeux dans lesquels il est pris : « Tout ce que le cerveau avait au cours des siècles taillé d'arêtes sans cesse toujours plus tranchantes, ne servait plus qu'à accroître la force du poing au-delà de toute mesure ». La régression comme récompense, le perfectionnisme marié avec le primitivisme, le déchaînement de l'élémentaire comme apothéose de l'évolution : tels furent les effets de la *surprise technique* que la guerre de 14 réserva à l'humanité. Et il ne fut pas possible, une fois la paix revenue, de fermer la parenthèse. On ne retourna pas au paradigme d'avant-guerre. Ce fut au contraire le paradigme de la guerre qui se perpétua dans la paix, comme l'avait prophétisé Jünger : « Je vois se lever dans notre vieille Europe une génération nouvelle de chefs de file qui ne connaîtront ni peur ni répugnance à verser le sang, dénués d'égards, habitués à souffrir terriblement, mais aussi à agir terriblement et à mettre en jeu leurs plus grands biens. Une génération qui construit des machines et qui sait les défier, une génération pour laquelle la machine n'est pas un métal sans vie mais un instrument de domination qu'il s'agit d'utiliser avec froideur d'esprit et violence de cœur, c'est là ce qui forgera au monde un visage nouveau. » Cette génération endurcie, brutalisée, ensauvagée dans sa pensée comme dans son action par la guerre donnera naissance aux deux formes politiques ignorées des Anciens comme des Modernes et qui firent la sinistre originalité du XXe siècle : le communisme et le nazisme.

Il est vrai que ni le projet moderne d'une maîtrise totale de l'homme sur son destin, ni le motif de la révolution comme forme privilégiée du changement, ni l'idée du socialisme comme stade suprême de la démocratie n'ont été inventés par les bolcheviks. Ceux-ci, au contraire, en ont recueilli l'héritage. Ils ont prétendu réaliser la solution du problème humain et accomplir l'Histoire au sens que le XIXe siècle avait donné à ce terme. Et c'est le projet philosophique d'une identité finale du réel et du rationnel qui explique la durable fascination exercée par l'État soviétique bien au-delà de ses frontières. On doit donc remonter loin en deçà de la guerre de 14, si l'on veut faire la généalogie de l'idée communiste. Tout commence, pourrait-on dire, avec la répudiation du péché originel. Pendant la longue période du Moyen Âge chrétien, l'inégalité sociale n'était pas tenue pour contradictoire avec l'existence d'une âme immortelle chez tous les hommes. « Bien que le péché originel soit remis à tous les fidèles par la grâce du baptême, disait Isidore de Séville, Dieu le Juste établit une discrimination dans l'existence des hommes, constituant les uns esclaves, les autres maîtres, afin que la liberté de mal agir soit restreinte par la puissance du dominant. Car si tous étaient sans crainte, comment le mal pourrait-il être prohibé ? » La Chute, en d'autres termes, avait à ce point corrompu l'âme humaine que la subordination du grand nombre au petit nombre était nécessaire à la cohésion même de la société. On peut, par opposition à cette sentence, définir les Temps modernes comme l'affaiblissement progressif de la doctrine de la Chute sur l'esprit des hommes. Moderne est l'époque qui discerne dans la succession un principe d'enrichissement et qui pense, comme l'écrit Cioran, que le temps contient en puissance la réponse à toutes les interrogations et le remède à tous les maux, que son déroulement comporte l'élucidation du mystère et la réduction de nos perplexités, qu'il est l'agent d'un accomplissement total des virtualités humaines. C'est Rousseau, en l'occurrence, qui franchit le pas décisif en opposant au péché originel l'affirmation de la bonté originelle de l'homme. Ce qui veut dire que le mal est social, qu'il tient à la société, c'est-à-dire aux institutions ou au pouvoir usurpé du fort sur le faible. Dès lors la politique peut se proposer pour fin, comme elle le fera avec la Révolution française, l'éradication du mal. C'est le sens de la phrase de Saint-Just : « Le bonheur est une idée neuve en Europe ». Quant au socialisme, on l'a vu, il naît au XIXe siècle du constat que la société bourgeoise, égalitaire dans son principe, produit, par la division du travail, de l'inégalité. Critiquant la société moderne au nom de ses propres principes, le socialisme veut conduire la révolution démocratique jusqu'à son terme : la destruction de la bourgeoisie, après celle de la féodalité et de la monarchie. « L'histoire de la société jusqu'à nos jours a été celle de la lutte des classes », écrit Marx dans le *Manifeste du parti communiste*. Le temps est venu, avec l'antagonisme de la bourgeoisie et du prolétariat, de la dernière bataille : « Étant la perte totale de l'homme, le prolétariat ne peut se reconquérir lui-même sans une reconquête totale de l'homme ». Toutes les révolutions étaient faites par des minorités. La révolution prolétarienne, annonce Marx, sera faite par la majorité au bénéfice de tous.

En profitant de la guerre et du chaos qu'elle a engendré dans son pays, Lénine s'est donc, à première vue, contenté de mettre en pratique une théorie bien antérieure. Et en l'appliquant, il lui a, dit-on souvent, fait avouer sa potentialité totalitaire. Il était inévitable qu'une politique absolue sombre dans le dogmatisme et la persécution. L'exploitation, l'inégalité, le Mal ne sont pas des adversaires légitimes. Ainsi le XXe siècle aurait-il été la réalisation cauchemardesque des rêves des siècles précédents, le théâtre des ravages de l'utopie et des dévastations de l'espérance. Il faut aller plus loin cependant : la guerre n'a pas seulement été l'occasion que les bolcheviks ont su saisir pour mener à bien la Révolution. Elle a fait plus qu'ouvrir les écluses à travers lesquelles les idéologies antilibérales ont fait irruption, elle s'est, si l'on peut dire, répandue dans la théorie comme dans la pratique révolutionnaire. Elle a envahi l'événement même qu'elle rendait possible « Nous n'avons pas besoin des élans hystériques, écrivait Lénine, ce qu'il nous faut, c'est la marche cadencée des bataillons de fer du prolétariat ». La classe universelle de Karl Marx devient sous la plume de son disciple russe une armée obéissante, irrésistible et cruelle. Lénine a projeté sur la révolution bolchevique l'image jüngerienne du « cortège triomphal d'une volonté meurtrière où se révèle la terrible profondeur de la puissance ». Un seul corps entièrement militarisé : voilà ce que devait être, à ses yeux, la classe à qui « on fait subir non un *tort particulier*, mais le *tort absolu* » pour obtenir réparation en assurant à cette *horreur sans fin* de la société capitaliste une *fin pleine d'horreur.* La guerre hyperbolique a façonné sa vision de la lutte finale. « Brandie au-dessus de la terre, une sorte de poing redoutable pousse les masses en avant, ces colonnes serrées de piétailles, impersonnelles, sans un rire, sans une chanson, enveloppées dans un bruyant nuage d'acier par le martèlement des bottes cloutées et le cliquetis des fusils contre les casques ». C'est Jünger qui parle, mais Lénine partage cet éblouissement devant les situations où le fracas des armes occupe tout l'espace sonore. Qu'est-ce, en effet, pour lui, que l'hystérie ? L'absence de silence dans les rangs, le babil et les sanglots, le verbiage des sentiments, la volubilité des états d'âme, les phrases, la littérature. « La force seule, écrit Vladimir Oulianov, peut résoudre les grands problèmes historiques. Ne prenez pas les phrases pour des actes ». Et les partis nés de la révolution d'Octobre ont su éviter la confusion, en adoptant une ligne de conduite que résument bien ces deux slogans (cités par Arthur Koestler dans son autobiographie politique) : « où que se trouve un communiste, il est toujours sur le front » ; « le front n'est pas un lieu de discussion ».

Misère des arguties. Incongruité de l'échange. Funeste frivolité de tout dialogue quand gronde la bataille. De la guerre naît une représentation de l'action qui en réserve le titre et l'exercice à l'action non verbale. Dire n'est pas faire, parler n'est pas agir. La politique a pour élément la force. Face à l'ennemi, le débat est un luxe interdit et une faiblesse qui peut s'avérer fatale. Dans l'idée marxiste de lutte des classes, la violence avait certes la part belle (ce qui était une grande première philosophique) mais, d'une part, Marx partageait l'idée démocratique que la révolution ne pouvait se produire que lorsque le prolétariat représenterait l'écrasante majorité du corps social. D'autre part surtout, il y avait place pour l'affrontement verbal, pour la confrontation des points de vue dans le concept de lutte, et pour la dialectique dans le traitement des contradictions.

Enfin quand Marx et Engels parlent de destruction, ce ne sont pas les hommes qu'ils visent mais les institutions ou les modes de production : le « système » capitaliste ou la « dictature » de la bourgeoisie. Ce qui sépare les bolcheviks de Marx, c'est l'expérience de Jünger : « Je me suis rendu compte de la différence qui existe entre l'acte et la parole et ceci, cette connaissance, la paix ne me l'eût jamais donnée ». Revue et corrigée par la guerre, la lutte frappe la parole de discrédit. Une époque est ainsi inaugurée de subordination de l'intellectuel au militaire : « Le Pape, combien de divisions ? »

Récapitulons : « La guerre, disait Clausewitz, est la simple continuation de la politique par d'autres moyens ». Cette formule a été mise en échec par la Première Guerre mondiale. La politique, on l'a vu, n'a pas conduit la guerre — elle lui a, en quelque sorte, *couru après*. Et comme pour mieux marquer la différence du XXe siècle avec le grand dispositif établi par les Temps modernes européens pour encadrer la violence entre États, c'est ce déchaînement même qui a servi de modèle à la politique révolutionnaire. Lénine a introduit dans la conflictualité du temps de paix, la violence, la radicalité et l'illimitation propres à la *guerre totale*. La révolution, autrement dit, découle de la guerre même qu'elle dénonce. Elle a certes pour ambition la paix définitive mais elle ne conçoit pas d'autres moyens de parvenir à cet idéal que l'écrasement de l'ennemi et elle exige à cet effet l'unité d'une armée en ordre de bataille. En léniniste orthodoxe, Mao Tsé-Toung écrit : « La guerre, ce monstre qui fait s'entretuer les hommes, finira par être éliminée par le développement de la société humaine, et le sera même dans un avenir qui ne sera pas lointain. Mais pour supprimer la guerre il n'y a qu'un seul moyen : opposer la guerre à la guerre, opposer la guerre révolutionnaire à la guerre contre-révolutionnaire ».

Il y a donc bien une césure entre l'âge moderne et le monde qui naquit de la chaîne de catastrophes déclenchée par la Grande Guerre. Comme le notait Élie Halévy en 1936 : « C'est du régime de guerre beaucoup plus que de la doctrine marxiste que dérive tout le socialisme d'après-guerre ». Les siècles précédents ont transmis au XXe le fantasme d'une politique absolue et la réduction de la pluralité humaine ainsi que de la diversité des situations à l'affrontement de deux forces. Mais il a fallu une conflagration immaîtrisable pour que la politique absolue prenne la forme de la *mobilisation totale* et que la lutte contre l'« ennemi de classe » aille jusqu'à la destruction systématique de celui-ci par la famine ou dans les camps de concentration.

On peut dire du national-socialisme comme du communisme que son inspiration idéologique est antérieure à la Grande Guerre. La critique de l'abstraction démocratique au nom de l'ancienne société organique a commencé dès et contre la Révolution française. C'est alors que la dissolution des liens traditionnels, la séparation et l'égalisation des individus ont été dénoncées, pour la première fois, comme un fardeau et comme un tourment. Puis il y eut le grand procès romantique de la médiocrité bourgeoise et de l'artificialisme de la grande ville. Mais la guerre a fait subir à cette critique un tournant capital. Elle a réconcilié le romantisme avec la technique en donnant à la nostalgie un nouvel objet : non plus la communauté rurale mais la *Frontgemeinschaft*, la communauté des tranchées. L'homme démocratique réduit par la société libérale au souci de son confort et à la gestion égoïste de ses intérêts s'est vu offrir la perspective exaltante de la densité de la vie et de l'authenticité retrouvée dans la fraternité des armes. De même, Hitler était antisémite avant la guerre, mais c'est la défaite qui a transformé cette *opinion* en obsession. Le mot *haine* surgit, sous sa plume, dans le passage de *Mein Kampf* où il relate sa réaction au 11 novembre. Alors que toutes les batailles s'étaient déroulées hors du territoire allemand, l'Allemagne a capitulé. Il y avait donc autre chose, une vérité secrète, des manœuvres, un complot : « La haine naquit en moi contre les auteurs de ces événements », écrit Hitler. Les événements ont des auteurs invisibles. Ces auteurs invisibles sont les invisibles Juifs. La conclusion dès lors s'impose : « Avec le Juif, il n'y a pas à pactiser mais seulement à décider : tout ou rien. Quant à moi je décidai de faire de la politique ».

Tout ou rien : le caporal Hitler place la politique sous le paradigme de la confrontation définitive avec un ennemi absolu. C'est donc bien, comme l'écrit l'historien Ian Kershaw, « la Première Guerre mondiale qui a rendu Hitler possible. Sans l'expérience de la guerre, l'humiliation de la défaite et le bouleversement de la révolution, l'artiste raté et le marginal n'aurait pas découvert que faire de sa vie en entrant dans la politique et en trouvant son métier de propagandiste et de démagogue de brasserie. Sans le traumatisme de la guerre, de la défaite et de la révolution, sans la radicalisation de la société allemande que ce traumatisme a provoquée, le démagogue n'aurait pas trouvé de public pour son message braillard et haineux. L'héritage de la guerre perdue créa les conditions grâce auxquelles les chemins de Hitler et de la population allemande commencèrent à se croiser ».

Et quand, en août 1941, la campagne de Russie piétine et connaît ses premiers revers, Hitler, devant ses proches, évoque avec insistance le souvenir de 1918. « Les auteurs de ces événements » ne s'en tireraient pas comme ça. Ils allaient, cette fois, payer pour le sang versé. Alors la persécution des Juifs prend la forme de la Solution finale.

Alliance des passions élémentaires et de la froideur technique ; mépris de fer pour les soupirs, les scrupules et les discours de la belle âme ; reconnaissance de la vérité dans la violence du poing qui s'abat ; fascination de la puissance et de l'unité de la volonté ; prééminence de la force sur les formes ; constitution du chiffre Deux, de la scission antagonique en loi universelle de l'être ; subjugation de la complexité des choses par le « lui ou moi » *indialectisable* de la pure belligérance : la Première Guerre mondiale n'a pas seulement mis l'Europe à feu et à sang, elle a fait du feu et du sang des valeurs européennes. Et le pacifisme lui-même porte la marque de cette radicalité. Le discours de la paix à tout prix est lui-même imprégné par ce qu'il récuse. En 1940, le délicat, le sensible, le raffiné Jacques Chardonne justifie en ces termes la reddition française et l'Armistice : « Je n'estime que les opinions politiques de l'histoire. Elles sont inscrites en éléments irréfutables, en catastrophes pleines de raison, et d'avance j'applaudis à l'événement dont je pâtirai s'il a l'autorité de l'ouragan. »

Le XIXe siècle avait eu ses bâtisseurs, ses inventeurs, ses rêveurs, ses artistes, ses aventuriers, ses hommes d'État, ses cabotins, ses héros, ses lâches et ses salauds. Le XXe aussi, et à foison. Mais il aura eu, en plus, Varlam Chalamov, Primo Levi, Jean Améry, David Rousset, Vassili Grossman, c'est-à-dire ses *témoins*.

> Ô vous qui vivez en sécurité
> Dans vos foyers accueillants
> Vous qui, le soir venu, retrouvez
> Des visages amis à la table dressée
> Voyez si c'est un homme
> Celui qui travaille dans la boue
> Qui ne connaît point la paix
> Qui lutte pour une maigre pitance
> Qui meurt pour un oui ou pour un non.

Ces survivants sont en porte-à-faux. Dans un siècle qui a voulu bâtir un homme nouveau, grandiose, farouche, intraitable sur les ruines du monde ancien condamné par l'éclatement de la guerre, ils témoignent *pour* une humanité engloutie et *de* la fragilité de l'humain. Ils ont vu que nul homme, aussi stoïque fût-il, n'était à l'abri du meurtre en lui de la personne morale. Le philosophe Emmanuel Lévinas dégage admirablement la signification intempestive de leur message : « Que l'on puisse créer une âme d'esclave n'est pas seulement la plus poignante expression de l'homme moderne, mais peut-être la réfutation même de la liberté humaine. La liberté humaine est essentiellement non héroïque. Que l'on puisse, par l'intimidation, par la torture, briser la résistance absolue de la liberté jusque dans sa liberté de penser, que l'ordre étranger ne vienne plus nous frapper de face, qu'on puisse le recevoir comme s'il venait de nous-mêmes, voilà la dérisoire liberté. [...] Ce qui reste cependant libre, c'est le pouvoir de prévoir sa propre déchéance et de se prémunir contre elle. La liberté consiste à instituer hors de soi un ordre de raison ; à confier le raisonnable à l'écrit, à recourir à une institution. »

Chapitre V

L'expiation des intellectuels

D'autant plus friand de commémorations qu'il s'apprêtait à basculer dans un nouveau millénaire, le XXe siècle finissant a célébré en grande pompe le centième anniversaire du « J'accuse » d'Émile Zola. Autour du 13 janvier 1998, il y eut beaucoup de quotidiens et de magazines français pour publier *in extenso*, et parfois même en *fac-similé*, la lettre ouverte à M. Félix Faure, président de la République.

Cet article, il est vrai, n'a pas usurpé sa célébrité. En quelques phrases, l'affaire d'un seul — Dreyfus — devenait, pour reprendre les mots de Clemenceau, *l'affaire de tous.* C'est le 6 octobre 1894, que le service de renseignement français avait attribué au capitaine Alfred Dreyfus la paternité d'une lettre adressée à l'attaché militaire de l'ambassade d'Allemagne à Paris et annonçant l'envoi de documents confidentiels. Dix jours plus tard, Dreyfus était arrêté. Le procès se tint en décembre de la même année. Dreyfus fut condamné à la déportation perpétuelle dans une enceinte fortifiée. Et le 5 janvier 1895, eut lieu sa dégradation solennelle dans la grande cour de l'École militaire. Voici le récit qu'en donne Jean-Denis Bredin : « Il est huit heures quarante-cinq. Le général Darras toise le traître tandis que le greffier du Conseil de guerre lit le jugement. Puis le général se dresse sur ses étriers, et l'épée haute, prononce les mots sacramentels : "Alfred Dreyfus vous n'êtes plus digne de porter les armes. Au nom du peuple français, nous vous dégradons." Alfred Dreyfus hurle d'une voix métallique qui se casse : "Soldats, on dégrade un innocent ! Soldats, on déshonore un innocent ! Vive la France ! Vive l'armée !" On entend les cris de la foule tenue à distance : "À mort ! Morts aux Juifs !" L'adjudant Bouxin de la Garde républicaine s'approche du condamné immobile. Brutalement, il arrache les galons du képi et les manches, les bandes rouges du pantalon, les pattes d'épaule, tous les insignes du grade qu'il jette à terre. [...] Il arrache sabre et fourreau, qu'il brise sur son genou. Droit, la tête haute, Dreyfus pousse un cri d'angoisse, hurlement rauque qui s'achève en sanglots. "Vive la France. Je suis innocent ! Je le jure sur la tête de ma femme et de mes enfants !" Maintenant en guenilles, le traître doit défiler devant le front des troupes et faire le tour de la place d'armes. Les soldats sont silencieux, glacés. Chaque fois que dans sa marche, il s'approche de la grille qui contient la foule, les cris redoublent "À mort, à mort !" Dreyfus s'épuise à crier encore : "Vous n'avez pas le droit de m'insulter. Je suis innocent. Vive la France !" Mais les clameurs couvrent sa voix. Quand il passe devant les représentants de la presse, il crie : “Vous direz à la France entière que je suis innocent !” Des huées lui répondent : “Lâche ! Judas ! Sale juif !” Enfin le tour du carré est achevé. Lorsque Dreyfus est arrivé à l'extrémité de la cour, deux gendarmes s'en saisissent. Ils le hissent dans une voiture cellulaire pour le conduire au dépôt. » Transféré à la Santé, Dreyfus en part le 17 janvier à destination de l'île de Ré. Le 18, en transit à La Rochelle, il subit encore une fois les clameurs et les violences de la foule. Embarqué le 21 février pour la Guyane, il y parvient le 21 mars après une terrible traversée dans une cage de fer. Il est transféré en avril à l'île du Diable, au large de Cayenne.

Le calvaire a donc commencé en décembre 1894. Le calvaire mais pas l'Affaire. Au lendemain de la condamnation, toute la presse, de gauche comme de droite, exprime sa satisfaction. Il n'y a pas de pire crime que l'intelligence avec l'ennemi pour la France traumatisée par la guerre de 1871 et qui pleure les provinces perdues. Clemenceau écrit : « Il n'a donc pas de parents, pas de femme, pas d'enfants, pas d'amour de quelque chose, pas de lien d'humanité ou d'animalité. Rien qu'une âme immonde, un cœur abject ». Et le député Jean Jaurès, sensible avant tout aux différences de traitement entre les classes sociales, intervient à la Chambre pour dire que Dreyfus aurait mérité la condamnation à mort. Il faudra l'obstination de Mathieu Dreyfus, bientôt épaulé par Bernard Lazare, pour briser cette unanimité vengeresse. En 1896, le lieutenant-colonel Picard, nouveau chef du bureau des renseignements, constate la similitude de l'écrit du bordereau (la lettre adressée à l'ambassade d'Allemagne à Paris) avec celle de Ferdinand Esterhazy. Entré dans l'armée en 1870, à la Légion étrangère, celui-ci avait rejoint en 1877, avec le grade de capitaine, le service des renseignements. Une campagne minoritaire commence alors qui pousse le gouvernement à traduire Esterhazy devant le conseil de guerre de Paris. Le procès a finalement lieu à huis clos, les 10 et 11 janvier 1898. Esterhazy est acquitté. La foule lui fait un triomphe. C'est en réponse à cette décision que Zola écrit sa lettre ouverte au Président de la République : « Un conseil de guerre vient, par ordre, d'oser acquitter un Esterhazy, soufflet suprême à toute vérité, à toute justice. Et c'est fini, la France a sur la joue cette souillure, l'histoire écrira que c'est sous votre présidence qu'un tel crime social a pu être commis. Puisqu'ils ont osé, j'oserai aussi, moi. La vérité, je la dirai, car j'ai promis de la dire, si la justice, régulièrement saisie, ne la faisait pas, pleine et entière. Mon devoir est de parler, je ne veux pas être complice. Mes nuits seraient hantées par le spectre de l'innocent qui expie là-bas, dans la plus affreuse des tortures, un crime qu'il n'a pas commis. » Dès la parution du texte, le général Billot, ministre de la Guerre, dépose plainte contre Zola pour la phrase : « J'accuse le conseil de guerre d'avoir commis le crime juridique d'avoir acquitté sciemment un coupable ». Condamné à un an de prison et à trois mille francs d'amende, Zola doit partir en exil pour Londres. Il n'empêche : cet article fraie la voie à la réhabilitation du capitaine dégradé. Le 15 janvier, *Le Temps* publie une pétition émanant d'hommes de lettres, d'universitaires, d'internes des hôpitaux, d'avocats et d'étudiants, qui demande la révision du procès d'Alfred Dreyfus. Parmi les signataires, on trouve les noms d'Anatole France, de Daniel Halévy, de Marcel Proust, de Lucien Herr, de Claude Monet, d'Émile Durkheim, de Théodore Monod... Quelques jours plus tard, Clemenceau alors directeur de *L'Aurore* (le journal qui a accueilli en première page la protestation de Zola) écrit : « N'est-ce pas un signe, *tous ces intellectuels*, venus de tous les coins de l'horizon, qui se groupent sur une idée et s'y tiennent inébranlables ? » Clemenceau n'invente pas ce terme. Le mot d'intellectuel apparaît en 1821 sous la plume de Saint-Simon : « J'invite les intellectuels positifs à s'unir et à combiner leurs forces pour faire une attaque générale et définitive aux préjugés, en commençant l'organisation du système industriel ». Mais c'est à la fin du XIXe siècle, pendant l'Affaire, que le mot d'intellectuel devient d'usage courant. Les écrivains anti-dreyfusards jouent un rôle non négligeable dans cette promotion, car ils font tout de suite de l'intellectuel leur adversaire privilégié. Ainsi, par exemple, le directeur de la *Revue des deux mondes*, Ferdinand Brunetière qui, en termes assassins, fustige l'arrogance des intellectuels et raille leur ignorance : « Le seul fait qu'on ait récemment créé ce mot d'intellectuel pour désigner comme une sorte de caste nobiliaire les gens qui vivent dans les laboratoires et les bibliothèques, ce fait seul dénonce l'un des travers les plus ridicules de notre époque, je veux dire la prétention de hausser les écrivains, les savants, les professeurs au rang de surhommes ». Et à Zola, Brunetière décoche ce trait : « L'intervention d'un romancier même fameux dans une question de justice militaire m'a paru aussi déplacée que le serait, dans la question des origines du Romantisme, l'intervention d'un colonel de gendarmerie ». Le reproche est cinglant et il a survécu à l'anti-dreyfusisme. Sans doute même est-il destiné à suivre, comme son ombre, l'intellectuel des sociétés démocratiques et à gratifier toutes ses sorties d'un sarcasme. Si tous les hommes sont égaux, au nom de quoi certains d'entre eux confisqueraient-ils à leur profit la raison ou le jugement ? Et s'il est vrai qu'avec le progrès du savoir, l'intelligence devient arborescente, qu'est-ce qui habilite encore l'intellectuel sur sa branche à prescrire sans cesse et à faire la leçon ? Au nom de quoi la connaissance acquise dans un domaine, dans une spécialité, investirait-elle certains êtres d'une éminence universelle ? Plus les lumières se divisent et se professionnalisent, moins est assurée la position de l'intellectuel et plus ses indignations globales risquent d'être tournées en ridicule : « Les intellectuels ne font que déraisonner avec autorité sur les choses de leur incompétence », écrivait, au commencement du siècle dernier, Brunetière ; et Régis Debray, au seuil du nôtre : « Je connais des historiens, des démographes, des mathématiciens, des linguistes, des archéologues. Ce sont des métiers qui s'apprennent, se transmettent, s'améliorent. Je ne connais pas de "profession : intellectuel" sauf à baptiser métier un braillard assez flemmard, intermédiaire entre l'écrivain et le journaliste, moins le style et l'imaginaire du premier (qui exigent un grand labeur) et les chemises mouillées sur le terrain du second (qui exigent aussi dépenses et méticulosité) ». Conclusion de Régis Debray : « Je propose qu'on ne parle plus entre intellectuels de "l'intellectuel" ».

Les dreyfusards cependant ne se sont pas laissé démonter par l'objection démocratique de Brunetière. Ils ont répondu du tac au tac et dans les termes mêmes de la démocratie. Durkheim, par exemple : « Si donc, dans ces temps derniers, un certain nombre d'artistes mais surtout de savants, ont cru devoir refuser leur assentiment à un jugement dont la légalité leur paraissait suspecte, ce n'est pas que, en leur qualité de chimistes ou de philologues, de philosophes ou d'historiens, ils s'attribuent je ne sais quels privilèges spéciaux et comme un droit de contrôle sur la chose jugée. Mais c'est que, étant hommes, ils entendent exercer tout leur droit d'homme et retenir par-devers eux une affaire qui relève de la seule raison. Il est vrai qu'ils se sont montrés plus jaloux de ce droit que le reste de la société ; mais c'est simplement que, par la suite de leurs habitudes professionnelles, il leur tient plus à cœur. Accoutumés par la pratique de la méthode scientifique à réserver leur jugement tant qu'ils ne sont pas éclairés, il est naturel qu'ils cèdent moins facilement aux entraînements de la foule et au prestige de l'autorité. » Pour Durkheim, autrement dit, la démocratie moderne repose sur l'autonomie, c'est-à-dire la faculté de penser, d'agir, de juger par soi-même. Cette autonomie est le propre de l'homme. Les intellectuels n'en ont donc pas le monopole. Mais dans la mesure où ils en font usage dans leur activité même, ils sont particulièrement sensibles à toutes les formes que peuvent prendre sa déchéance ou sa remise en question.

Faut-il, comme Michel Winock, conclure de cette grande et belle mobilisation que l'affaire Dreyfus inaugure le siècle des intellectuels ? Je ne le crois pas. La persécution d'un Juif au cœur de l'Europe civilisée par les Lumières annonce certes les camps raciaux du XXe siècle. Le « faux patriotique » du colonel Henry préfigure le droit à réécrire le réel au nom des impératifs fixés à l'Histoire par l'idéologie (en octobre 1896, le colonel Henry avait fabriqué une lettre que l'attaché militaire italien aurait envoyée à son collègue allemand désignant nommément Dreyfus comme un traître. Quand l'inauthenticité du document est dévoilée, Henry est envoyé au mont Valérien où il se tranche la gorge. C'est alors que Maurras parle de « faux patriotique » et que le journal *La Libre Parole* lance une souscription en faveur de la veuve du colonel Henry). Mais, à l'inverse, cette forme d'engagement des intellectuels dans la cité clôt l'époque inaugurée au XVIIIe siècle et que l'on peut caractériser avec Paul Bénichou comme celle du sacre de l'écrivain.

C'est, en effet, à l'époque des Lumières que la figure idéale de l'homme de lettres se compose dans tout son prestige. Il est celui, dit La Harpe, dont la profession principale est de cultiver la raison pour ajouter à celle des autres. Ainsi se produit comme une passation des pouvoirs de la caste ecclésiale à la corporation pensante. Ainsi naît une nouvelle cléricature. C'est ce pouvoir spirituel qui s'exerce et connaît son apothéose pendant l'affaire Dreyfus. Il y a une évidente filiation entre le Voltaire de l'affaire Callas et Zola écrivant son « J'accuse ». Ils occupent la même place. Ils défendent les mêmes valeurs. Ils remplissent la même fonction. Au XXe siècle, en revanche, les intellectuels cessent de prétendre au gouvernement de l'opinion. Ils interviennent, ils pétitionnent et ils battent le pavé comme jamais auparavant, mais ils ne s'aiment plus et ne manquent pas une occasion de le faire savoir.

C'est la révolution de 1917 qui déclenche la crise fatale. La guerre est alors déclarée à la guerre, l'internationalisme, trahi par les élites européennes en 1914, est brandi à l'Est de l'Europe par le prolétariat. L'idée de l'universel s'accomplit dans l'histoire et les maîtres de vérité et de justice ne se recrutent pas dans les salles d'étude. Le temps où la philosophie se manifestait sur les lèvres des philosophes semble désormais révolu. Les concepts sont dans la rue, les arguments dans les événements, la raison dans le drame dont l'homme est l'acteur avant d'être le penseur. Comme l'a bien vu Denis Hollier, l'intellectuel entame ainsi sa longue et douloureuse carrière de *dépossédé* : l'essentiel a lieu ailleurs. Et le voici sommé (par lui-même) de combler l'intervalle qui le sépare de la marche du monde. Il ne doit plus guider, ni réprimander ou promettre, mais se rendre utile. Il lui incombe d'être efficace et non de faire l'apôtre, de servir humblement les ouvriers et non de les conduire ou, comme dit encore Paul Nizan dans *Les Chiens de garde*, « d'être une voix parmi leurs voix et non la voix de l'Esprit ».

Thomas Mann, Hannah Arendt, Albert Camus et quelques autres ont résisté à cet ultimatum mais une telle résistance est toujours demeurée minoritaire. Et ce qui donne sa couleur au XXe siècle, c'est bien plutôt l'effort inlassable des intellectuels pour abandonner le parti des maîtres et se rallier à celui des serviteurs en sortant de ce qu'on appelle désormais leur tour d'ivoire. La théorie s'inscrit dans la praxis et la praxis ne se conçoit elle-même que comme combat. Dans un monde placé sous le paradigme de la guerre, il ne saurait être question pour l'intellectuel de faire comparaître la raison d'État et le principe d'autorité devant le tribunal de la Raison. C'est lui qui comparaît devant le tribunal de l'Histoire universelle, de la Raison au travail dans l'immanence du devenir. Il doit répondre de ses privilèges, de son inaction, de son aisance, de son inutilité, de son intérieur calfeutré, de ses ongles soignés, de son embourgeoisement et lui, l'oisif, lui, l'homme du primat du spirituel, de sa complicité *objective* avec la classe dominante. Et puis, quoi qu'il fasse, il tire à blanc. Il ne connaît que métaphoriquement l'épreuve du feu. Ses mots, aussi précis, aussi cruels, aussi blessants soient-ils, ne sont jamais que des mots. Ses engagements sont condamnés à rester toujours lacunaires. À la différence de Voltaire, de Hugo ou de Zola, ces grandes consciences qui l'ont précédé, il a *mauvaise conscience.* Il méprise les militaires et la mort au champ d'honneur, mais l'image ineffaçable du militant révolutionnaire fauché en plein assaut ne cesse de lui rappeler qu'il ne fait pas le poids. Il s'en veut, il rougit intérieurement d'être un combattant de pacotille dans un monde ensanglanté. Il agit certes, il attaque, il dénonce, il accuse ; le soupçon cependant le tourmente et le nargue de n'avoir jamais franchi le pas de l'action véritable, c'est-à-dire violente. À peine a-t-il comparé sa plume à un pistolet ou ses phrases à des projectiles que déjà il se traite de menteur. Les manifestes qu'il signe, les appels qu'il lance, les textes mêmes qu'il rédige en rafales, souffrent, il s'en rend bien compte, d'une légèreté sans remède. Il a beau répondre présent à l'appel de l'épopée, la comédie reste son destin car il lui manque, pour être sûr de l'authenticité de ses choix, l'investiture de l'affrontement mortel. Et nul n'est plus empressé à se battre la coulpe, nul ne traque en soi l'imposture avec plus d'acharnement que Jean-Paul Sartre, l'auteur des *Mots*. « *What do you read my Lord ? — Words, words, words* ». Autant que le brio étourdissant de la pensée et du style, c'est la brûlure hamlétienne de la honte et c'est la mise en pièces de l'écrivain par lui-même qui font de Sartre l'intellectuel paradigmatique du XXe siècle. Gloire pénitentielle de Sartre. Siècle du masochisme des intellectuels, non de leur apothéose.

Et si guerre il y a, en toutes circonstances, si la vie intellectuelle est à la fois un continuel procès et un continuel combat, alors l'amitié n'est plus possible que dans la forme de la fraternité d'armes. « Ô vous qui êtes mes frères parce que j'ai des ennemis ! » : cette formule emblématique de Paul Éluard définit le XXe siècle comme le siècle des scissions, des anathèmes, des amis transformés soit en scélérats soit en camarades. Aucune sympathie, aucune affinité, aucune inclination n'échappent à la politique, dès lors qu'à l'instar de Sartre, on se représente la politique comme « la lutte que les hommes mènent contre le mal ». Emmanuel Berl a vu cette mécanique infernale se mettre progressivement en place dans le Paris des années 30 : « Bolchevisme, fascisme, freudisme, cubisme, expressionnisme, populisme, tout cela rentrait dans les tiroirs multiples d'une tradition rassurante. Les affiches, fussentelles criardes, se détachaient toutes sur un même fond de compromis anciens. On trouvait très commode de se dire, les uns aux autres : « moi, je suis ceci, toi tu es cela ». « Vieil anarchiste, vieux communiste, vieux socialiste, vieux radical, cher vieux réac ». C'était sans conséquence et satisfaisait le goût de l'uniforme. On prenait donc des positions, on ne s'apercevait pas que c'était, au contraire, les positions qui venaient de vous prendre. » Et c'est toute la catastrophe du XXe siècle que Berl voit se réfléchir dans cet imperceptible renversement : « Si nous avions su garder les uns envers les autres un minimum d'accointances, fût-ce dans le désaccord, peut-être aurions-nous pu opposer quelques barrages au maléfice ? On ne voyait plus que ruptures, qu'exclusives, qu'exclusions. Où qu'on allât, on marchait sur les amitiés mortes. Si faibles qu'elles aient été, elles s'affirmaient pourtant plus vivantes, j'en suis sûr, que les monstres de papier journal par quoi elles furent englouties. »

La séquence ouverte en 1917 vient de se clore. Le tribunal de l'Histoire érigé au nom de la Révolution a été dissous. Mais si l'on veut vraiment sortir de l'âge de la radicalité, on ne peut remettre l'intellectuel sur son trône comme si de rien n'était. Car, tout en le dépossédant de son aura, le XXe siècle a compromis certains des principes dont il se réclamait et fait apparaître ce que son bel idéal avait de mortellement contradictoire. Relisons Victor Hugo, l'écrivain qui a porté sa couronne avec le plus d'éclat : « Toute l'éloquence humaine dans toutes les assemblées de tous les peuples et de tous les temps peut se résumer en ceci : la querelle du droit contre la loi. Cette querelle, et c'est là tout le phénomène du progrès, tend de plus en plus à décroître.

Le jour où elle cessera, la civilisation touchera à son apogée, la jonction sera faite entre ce qui doit être et ce qui est, la tribune politique se transformera en tribune scientifique ; fin des surprises, fin des calamités, des catastrophes, on aura doublé le cap des tempêtes ; il n'y aura, pour ainsi dire, plus d'événements [...], plus de disputes, plus de fictions, plus de parasitismes ; ce sera le règne paisible de l'incontestable ; on ne fera plus les lois, on les constatera ; les lois seront des axiomes ; on ne met pas aux voix deux et deux font quatre ; le binôme de Newton ne dépend pas d'une majorité ; il y a une géométrie sociale ; on sera gouverné par l'évidence ; le code sera honnête, direct, clair ; ce n'est pas pour rien qu'on appelle la vertu, la droiture. [...] Grâce à l'instruction substituée à la guerre, le suffrage universel arrivera à ce degré de discernement qu'il saura choisir les esprits ; on aura pour parlement le concile permanent des intelligences ».

Ce qui frappe dans ce texte, c'est d'abord que, comme presque toutes les prédictions, il est à côté de la plaque. L'oracle s'est doublement trompé : on n'a pas doublé le cap des tempêtes, on n'a pas remplacé les batailles par les découvertes ou les tueurs par les travailleurs. On a eu des catastrophes en chaîne, le savoir au service du massacre et les tueurs au travail. Mais le XXe ne s'est pas contenté de démentir l'optimisme naïf de Victor Hugo. Il a aussi dévoilé l'incompatibilité foncière entre la liberté des hommes et la souveraineté de la science.

Dès 1920, trois ans seulement après la révolution d'Octobre, dans un roman d'anticipation politique qui inspirera à la fois *Le Meilleur des mondes* et *1984*, l'écrivain russe Zamiatine mettait en scène, avec toutes ses conséquences, la grande apothéose finale de la Raison. Nous sommes un bon millier d'années après le XXe siècle et la Métropolis de l'État unique vit sous le règne de l'incontestable. Tout est clair et distinct. Tout est rectiligne. Tout est prévisible. Tout est calculable. La géométrie sociale a mis fin à l'évidence de l'autorité par l'autorité de l'évidence. La loi scientifique a supplanté la loi divine, la loi morale et la loi pénale. Le soleil de la connaissance a dissipé les opacités, supprimé les contradictions, éclairé, dans ses moindres recoins, le for intérieur de l'homme. La grande paix de la démonstration est descendue sur la terre et les noms propres sont devenus des numéros. Après avoir résolu le problème de la faim, l'État unique a mené campagne contre l'autre souverain du monde, l'Amour. Et ce fauteur de troubles, fantasque et cruel, a pu être mis hors d'état de nuire. Non, comme autrefois, par l'interdiction, la censure, la surveillance, la répression du désir et du sentiment, mais par la libération du besoin sexuel. C'est l'ordre de l'assouvissement programmé qui a vaincu le désordre amoureux. Une *lex sexualis*, en effet, stipule : « N'importe quel numéro a le droit d'utiliser n'importe quel numéro à des fins sexuelles ». Le reste, écrit Zamiatine, n'est qu'une question de technique : « Chacun est soigneusement examiné dans les laboratoires du Bureau Sexuel. On détermine avec précision le nombre des hormones de votre sang et on établit pour vous un tableau de jours sexuels. Vous faites ensuite une demande, dans laquelle vous déclarez vouloir utiliser tel numéro ou tels numéros. On vous délivre un petit carnet à souches et c'est tout ». Là où était *eros*, le sexe est advenu et le bonheur ainsi a triomphé de l'événement. Numéro inopinément sentimental, le héros de *Nous autres* s'insurge contre la vie mathématiquement parfaite de l'État unique. Mais après une grande opération qui le guérit de l'imagination, il perd cette bataille.

On dit souvent du communisme que c'est un bel idéal, égalitaire et fraternel, qui a mal tourné. Et l'on impute ce fiasco à l'arriération russe ou encore à l'idée perverse que la fin justifie les moyens. Alerté peut-être par l'habitant dostoïevskien du *Sous-sol* qui déjà répondait à Victor Hugo et à tous les bâtisseurs de palais de cristal scientifiques : « "Deux fois deux : quatre", à mon avis, respire l'impudence. "Deux fois deux : quatre" me dévisage insolemment. Les poings sur les hanches, il se plante au milieu de notre route et nous crache au visage. J'admets que "deux fois deux : quatre" est une chose excellente, mais s'il faut louer, je vous dirais que "deux fois deux : cinq" est aussi parfois une petite chose bien charmante » — Zamiatine, en pleine ébullition révolutionnaire, met en cause la fin elle-même. Il y a un lien entre l'idéal de transparence et la domination totale, que manque l'édifiante formule selon laquelle la fin ne justifie pas les moyens. Le XXe siècle nous oblige à distinguer soigneusement ce que les Lumières croyaient pouvoir confondre : l'autonomie et la maîtrise. L'homme, en effet, c'est toujours les hommes. « La pluralité, rappelle Hannah Arendt, est la loi de la terre ». Ce qui signifie que la liberté coexiste avec la non-souveraineté et le pouvoir d'entreprendre avec l'incapacité de diriger ou de prévoir entièrement les conséquences de l'action entreprise. Les Lumières brillent donc d'un éclat trompeur. Nous sommes des êtres de raison, mais nous ne vivons pas pour autant sous le soleil de la raison. La météo de notre condition, dit profondément Kundera, c'est le *brouillard* : « Brouillard, non pas obscurité. Dans l'obscurité, on ne voit rien, on est aveugle, on est à la merci, on n'est pas libre. Dans le brouillard, on est libre, mais c'est la liberté de celui qui est dans le brouillard : il voit à cinquante mètres devant lui, il peut nettement distinguer les traits de son interlocuteur, il peut se délecter de la beauté des arbres qui jalonnent le chemin et même observer ce qui se passe à proximité et réagir ». Et l'intellectuel ne fait pas exception. Il avance, comme tout le monde, dans le brouillard. Mais, par déformation professionnelle, il est constamment tenté de l'oublier. D'où son attirance pour les antithèses éblouissantes de l'âge de la radicalité. Tirer les leçons de cet âge implacable, ce n'est pas revenir purement et simplement aux principes des Lumières, c'est, comme le suggérait Merleau-Ponty en 1947, garder à l'esprit, au cœur même de la mobilisation inconditionnelle pour la justice et pour la vérité, ce « problème que l'Europe soupçonne depuis les Grecs : la condition humaine ne serait-elle pas de telle sorte qu'il n'y ait pas de bonne solution ? Toute action ne nous engagerait-elle pas dans un jeu que nous ne pouvons entièrement contrôler ? N'y a-t-il pas comme un maléfice de la vie à plusieurs ? »

Chapitre VI

La déseuropéanisation du monde

« L'Européen du XIXe siècle, a écrit Claude Lévi-Strauss, s'est proclamé supérieur au reste du monde à cause de la machine à vapeur et de quelques autres prouesses techniques dont il pouvait se targuer. » Il y avait de l'arrogance dans cette supériorité, mais pas seulement. En adoucissant le sort des hommes par la maîtrise toujours plus systématique des conditions naturelles de leur vie, les prouesses techniques conféraient à l'Europe le triple primat de la puissance, de la connaissance et de la moralité. Elles lui permettaient donc et même elles lui imposaient de mettre l'humanité à son école. À l'Europe industrieuse, la colonisation est apparue comme le moyen non d'assujettir les peuples lointains mais de les aider à combler leur retard. Une mission incombait aux nations évoluées : rassembler l'humanité sous la bannière du progrès, hâter la marche de tous vers l'instruction et le bien-être. Il fallait, pour le salut même des non-Européens, résorber leur différence — c'est-à-dire leur arriération — dans l'*universalité en mouvement* de la civilisation moderne.

La colonisation, il est vrai, a commencé avant la révolution industrielle. Les premiers conquérants sont les voyageurs de la Renaissance. Mais à l'époque des grandes découvertes, l'Europe n'était pas la civilisation la plus avancée : il y avait d'autres puissances que la puissance occidentale et elles lorgnaient sur ce qui était encore la Chrétienté avec autant d'hostilité que de gourmandise. Les luttes anti-coloniales du XXe siècle nous ont appris à dire « colonialisme européen » d'un trait. On oublie ainsi que, pendant près d'un millénaire, du premier débarquement des Maures en Espagne au second siège de Vienne par les Turcs en 1683, l'Europe a vécu sous la menace de l'Islam. Oubli d'autant plus préjudiciable à notre compréhension des choses que le processus complexe de l'expansion et de la domination européennes découle, en partie, de cette confrontation. La conquête, en effet, n'est pas première. Comme le montre Bernard Lewis, c'est le combat contre l'envahisseur qui poussa les Européens au-delà de leurs frontières : « Après avoir reconquis leurs propres territoires, les libérateurs chrétiens victorieux poursuivirent leurs anciens maîtres dans les régions d'où ils avaient surgi. Le même mouvement, le même élan qui a permis aux Espagnols et aux Portugais d'expulser les Maures de la péninsule Ibérique les entraînèrent au-delà du détroit, en Afrique, puis, par-delà l'Afrique, en des pays dont ils n'avaient pas rêvé. » L'élan de la reconquête déboucha ainsi sur la fondation des empires.

Mais en 1760, la population de ces empires ne compte que vingt-sept millions d'habitants. Ils sont cent cinquante millions en 1913 et c'est près d'un quart de la surface du globe qui se trouve alors redistribué entre les Puissances européennes. La France notamment s'agrandit pendant cette période de neuf millions de km^2. Jules Ferry, le grand instigateur de l'impérialisme colonial français, justifiait ce qu'il appelait lui-même « cet immense *steeple-chase* sur la route de l'inconnu » avec des arguments économiques mais aussi humanitaires. L'expansion coloniale, disait-il, doit assurer à l'industrie française le contrôle de certaines sources essentielles de matières premières. Et elle doit aussi lui permettre de trouver, pour ses produits, les débouchés qu'exige son développement et que menace la concurrence des autres nations manufacturières : « La politique coloniale est fille de la politique industrielle ». Elle est aussi et indissolublement fille des Lumières. Elle poursuit aux quatre coins du globe la lutte contre la barbarie, l'oppression et l'obscurantisme. « Est-ce que vous pouvez nier, s'écrie Jules Ferry, est-ce que quelqu'un peut nier qu'il y a plus de justice, plus d'ordre matériel et moral, plus d'équité, plus de vertu sociale en Afrique du Nord depuis que la France a fait sa conquête ? Quand nous sommes allés à Alger pour détruire la piraterie et assurer la liberté du commerce dans la Méditerranée, est-ce que nous faisions œuvre de forbans, de conquérants, de dévastateurs ? Est-il possible de nier que dans l'Inde et malgré les épisodes douloureux qui se rencontrent dans l'histoire de cette conquête, il y a infiniment plus de justice, plus de Lumières, d'ordre, de vertus publiques et privées depuis la conquête anglaise qu'auparavant ? Est-ce qu'il est possible de nier que ce soit une bonne fortune pour ces malheureuses populations d'Afrique équatoriale de tomber sous le protectorat de la nation française ou anglaise ? Est-ce que notre premier devoir n'est pas de combattre la traite des nègres et l'esclavage, cette infamie ? »

Pour Jules Ferry, les « races supérieures » (il parle ce langage que le XXe siècle nous a rendu définitivement odieux) ne sont pas destinées à dominer les « races inférieures ». Elles ont, au contraire, vis-à-vis d'elles, un devoir de mise à niveau. Leur éminence n'est pas un droit d'asservir. Elle s'atteste dans la diffusion des bienfaits de la raison et dans l'abolition de l'esclavage. Jules Ferry définit l'action colonisatrice comme une œuvre d'émancipation. Et ses principaux adversaires alors siègent à droite : ils lui reprochent amèrement d'oublier la France, de l'affaiblir et de sacrifier l'Alsace et la Lorraine à des considérations matérielles. « J'ai perdu deux sœurs, s'exclame Déroulède, et vous m'offrez vingt domestiques ».

Troisième caractéristique, après le triomphe de la machine et l'expansion coloniale, de ce siècle européen : la paix de cent ans. Entre 1815 et 1914, l'Angleterre, la France, la Prusse, l'Autriche, l'Italie et la Russie, ne se sont fait la guerre les unes aux autres que dix-huit mois au total. Ce miracle résulte de l'*équilibre des forces*, c'est-à-dire, comme le rappelle Henry Kissinger dans son livre *Diplomatie*, d'une politique mise en œuvre par l'Europe quand « sa première option, le rêve médiéval d'un empire universel, s'effondra et qu'une quantité d'États plus ou moins forts naquit des cendres de cette aspiration séculaire. » Le XIXe siècle n'a donc pas plus inventé l'équilibre des forces qu'il n'a enfanté le colonialisme. C'est en réponse à la guerre de Trente Ans, menée au nom d'un idéal théologico-politique d'universalité par l'empereur Ferdinand II contre les princes protestants d'Europe centrale, que ce système international a vu le jour. Mais jusqu'à Napoléon, l'équilibre des forces ne faisait que limiter la guerre. C'est après Napoléon, et pour éviter le retour d'une telle démesure, que cet équilibre a mis la guerre quasiment hors jeu. Échaudées, les unités capables d'exercer une puissance se sont comportées de façon à combiner la puissance des unités plus faibles contre tout accroissement de puissance chez la plus forte. Les prétentions agressives d'un membre de la communauté internationale étaient tenues en échec par l'action conjuguée des autres.

Lorsqu'au début du XXe siècle, l'Allemagne choisit de défier la Grande-Bretagne sur le terrain de la maîtrise des mers, seuls restèrent aux prises deux groupes de puissances. La guerre vint, et, après quatre années de dévastation, l'Europe fut mise en demeure par un nouvel acteur diplomatique — les États-Unis — de rompre avec l'équilibre des forces et de changer la règle du jeu mondial. L'époque des conquêtes est révolue, dit, en substance, le président Wilson : « Le temps est venu d'appliquer le droit des peuples à disposer d'eux-mêmes » et d'instaurer un ordre des choses où les questions pertinentes seraient : Est-ce bien ? Est-ce juste ? Est-ce dans l'intérêt de l'humanité ? La sauvegarde de la paix ne devait plus résulter de l'arithmétique traditionnelle des forces mais d'un consensus mondial étayé par un mécanisme de police. À toutes les ingénieuses constructions de la pensée politique européenne pour mettre l'égoïsme de l'homme au service d'un bien supérieur, Wilson opposait le concept de sécurité collective, c'est-à-dire la capacité des nations démocratiques à user de la force ou des sanctions en fonction du bien-fondé des cas et sans se soucier de leurs intérêts nationaux spécifiques dans les problèmes en cause.

Nulle hypocrisie dans ce déferlement d'idéalisme. Dépositaires des principes de l'indépendance individuelle et de l'égalité des conditions, les Américains ont toujours combiné une attirance esthétique pour les monuments du Vieux Continent et une répulsion éthico-politique pour ses traditions, son formalisme, ses supériorités héritées. Dans un magnifique roman épistolaire intitulé *Le Point de vue* et publié en 1882, Henry James croise toutes les opinions possibles sur les relations entre les deux occidents. Et il fait dire ceci à Marcellus Cockrell, son personnage américain le plus imbu des mérites de sa nation : « Je suis simplement arrivé à une conviction : j'ai ôté l'Europe de mes épaules. L'ampleur et la fraîcheur du monde américain, notre développement à grand pas et à grande échelle, le bon sens et la bonne nature de la population me consolent de l'absence de cathédrales et de Titiens. [...] Leurs grosses armées pompeuses défilant en rangs stupides, leurs brandebourgs dorés, leurs salamalecs, leur hiérarchie, semblent un passe-temps pour enfants ; ici le sens de l'humour et de la réalité nous fait rire à leur nez. Oui, nous sommes plus proches de la réalité — nous sommes plus proches de ce qu'ils n'atteindront jamais ; et le spectacle d'une rangée de potentats hautains qui considèrent leur peuple comme une propriété personnelle, en paradant avec des plumes et des sabres pour s'impressionner mutuellement nous paraît un mélange de grotesque et d'abominable. Que nous importe la parole de ces potentats qui s'amusent à s'asseoir sur leur peuple ? C'est leur affaire et on devrait les enfermer dans le noir pour les laisser s'expliquer entre eux. Une fois qu'on a compris que les grandes questions d'avenir sont les questions sociales, qu'une puissante marée entraîne le monde vers la démocratie et que notre pays est la plus grande scène où se puisse jouer ce drame, les sujets européens à la mode paraissent mesquins et paroissiaux. » Si l'on s'imagine que ce personnage a vécu, comme son auteur, assez vieux pour assister au déclenchement de la Première Guerre mondiale, on peut être sûr qu'il y aura vu la confirmation paroxystique de ses analyses. Et si, malgré la répugnance et l'horreur que lui inspirait le massacre mécanique déclenché par l'attentat de Sarajevo — « Y a-t-il quelque part une gloire qui puisse justifier les millions de cadavres exigés pour prendre et défendre Verdun dans une guerre moderne ? » — Wilson a finalement choisi d'entrer en guerre au lieu d'enfermer jusqu'au bout les pays européens dans le noir pour les laisser s'expliquer, s'il a rompu avec l'isolationnisme de Marcellus Cockrell, ce n'est pas seulement pour vaincre l'Allemagne, c'est parce qu'il lui est paru conforme à la vocation démocratique américaine d'*ôter l'Europe des épaules de l'Europe*, en changeant, une fois pour toutes, son mode de pensée.

Mais l'Europe avait la peau dure. Ou plutôt à vif. Traumatisée par l'expérience de deux occupations allemandes en un demi-siècle, la France n'était pas d'humeur messianique. Indifférente à l'idéalisme wilsonien, elle voulait, au nom de l'équilibre des forces, le démembrement de l'Allemagne. Ce qu'elle obtint, à la place, ce furent des territoires de l'ancien Reich pour les peuples nouvellement affranchis de l'Europe centrale. Résultat : « Trop douce pour ce qu'elle avait de dur » selon la formule de Bainville, la paix concoctée par la vieille Europe et la jeune Amérique créait les conditions d'un nouvel affrontement. Et ce deuxième conflit mit fin, une fois pour toutes, à la suprématie européenne. L'armistice de juin 1940 avait apporté la preuve que les puissances coloniales n'étaient pas invincibles et quand elles l'emportèrent, elles n'étaient plus puissantes. À l'épuisement matériel se joignait la vulnérabilité idéologique. Quoi de plus naturel, en effet, quoi de plus légitime que de retourner contre les vainqueurs les valeurs d'égalité raciale qu'ils avaient défendues face à Hitler ? Certes, la tâche éducative assignée par Jules Ferry aux « races supérieures » était en totale contradiction avec l'idéal prédateur du *Herrenvolk*. Mais la belle catholicité des Lumières ne servait-elle pas à dissimuler la réalité prosaïque de l'inégalité et du pillage ? La mission civilisatrice des diverses administrations coloniales n'était-elle pas quotidiennement contredite par la différence de statut entre les populations blanche et indigène ainsi que par la division du travail entre une Europe industrialisée et le reste du monde pourvoyeur de matières premières ?

Écrit en 1939, le *Cahier d'un retour au pays natal* du poète martiniquais Aimé Césaire, acquit, après la guerre, la force et l'évidence d'un manifeste de la négritude. L'avance technologique de l'Occident perdait soudain tout pouvoir d'intimidation :

> ô Lumière amicale
> ô fraîche source de la lumière
> ceux qui n'ont inventé ni la poudre ni la boussole
> ceux qui n'ont jamais su dompter la vapeur ni l'électricité
> ceux qui n'ont exploré ni les mers ni le ciel
> mais ceux sans qui la terre ne serait pas la terre gibbosité
> d'autant plus bienfaisante que la terre déserte davantage la terre
> [...]
> véritablement les fils aînés du monde
> poreux à tous les souffles du monde
> aire fraternelle de tous les souffles du monde
> lit sans drain de tous les eaux du monde
> étincelles du feu sacré du monde
> chair de la chair du monde palpitant du mouvement même du monde !

Au sentiment d'infériorité succédait donc la fierté identitaire (« j'accepte... j'accepte entièrement, sans réserve, ma race ») et la volonté d'émancipation : « Et nous sommes debout maintenant, mon pays et moi, les cheveux dans le vent, ma main petite maintenant dans son poing énorme, et la force non n'est pas en nous, mais au-dessus de nous, dans une voix qui vrille la nuit et l'audience comme la pénétrance d'une guêpe apocalyptique. Et la voix prononce que l'Europe nous a pendant des siècles gavés de mensonges et gonflés de pestilences... »

Et cette Europe congédiée ne pouvait se consoler en se disant qu'elle restait le centre du monde. Auprès de la puissante Amérique et de la Russie soviétique qui avait joué dans la victoire un rôle décisif, elle comptait désormais pour du beurre. Et ce en dépit d'un redressement économique et d'une inventivité politique tout à fait spectaculaire. Répudiant à son tour l'équilibre des forces, elle se lança dans la construction d'un objet politique sans précédent, et dont les mots mêmes de fédération ou de confédération sont loin d'épuiser la nouveauté. Mais le rideau de fer en fixa très vite la limite. Et cette Europe cassée en deux fut, pour la première fois dans l'histoire des Temps modernes, non plus un protagoniste à part entière mais l'objet ou l'enjeu d'une bataille pour la domination du monde. Cette nouvelle bataille, l'Amérique l'aborda dans un esprit wilsonien. À la doctrine des sphères d'influence, Franklin Roosevelt opposa la nécessité d'un système de sécurité collective qui autoriserait les seules grandes puissances — la Grande-Bretagne, les États-Unis, l'Union soviétique et peut-être la Chine — à être armées. Ces quatre Policiers veilleraient ensemble au maintien de la paix. Pour ce faire, Roosevelt avait besoin de la confiance de Staline. Pour l'obtenir, il choisit de se démarquer ostensiblement de Churchill lors du premier sommet organisé à Téhéran en prévision de l'après-Hitler, entre le 28 novembre et le 1er décembre 1943. Voyant Staline éclater d'« un gros rire chaleureux » face à un Winston Churchill écarlate et renfrogné, il l'appela « Uncle Joe » : « La veille, il m'aurait jugé insolent, mais ce jour-là, il rit, s'approcha et me serra la main. Dès lors nous eûmes des rapports personnels. La glace était rompue et nous discutâmes en hommes et en frères. » En baptisant Staline du nom magiquement débonnaire d'« Uncle Joe », Roosevelt livrait la politique au *kitsch*. Et c'est l'Amérique en lui qui accomplissait ce sortilège ; c'est l'Amérique, qui, dans cette naïveté, voyait le monde à son image. Comme l'écrit très justement Kissinger, cet héritier de Metternich au pays de la comédie musicale : « Roosevelt ne révélait pas une particularité de son caractère en insistant sur la bonne volonté de Staline, mais la caractéristique d'un peuple qui croit davantage en la bonté innée de l'homme qu'à l'analyse géopolitique. On préférait voir en Staline un ami avunculaire plutôt qu'un dictateur totalitaire ». Cette tendresse, cependant, ne survécut pas à Roosevelt et face à la puissance soviétique, l'Amérique mit sur pied la politique de *containment* (endiguement). Il ne s'agissait plus de négocier ni a fortiori de s'associer avec les Russes mais de résister à l'expansionnisme soviétique. La raison d'État et l'équilibre des forces firent leur retour et justifièrent le soutien sans états d'âme à des régimes dictatoriaux. Mais ce qui subsistait de l'idéologie wilsonienne dans cette politique réaliste, c'était la volonté d'aboutir, par les moyens de la guerre froide, à l'effondrement définitif du communisme. Il n'est donc pas étonnant que le messianisme démocratique ait retrouvé droit de cité dans la rhétorique américaine après la chute du mur de Berlin et l'effondrement du dernier empire : l'empire soviétique. « Nous avons la vision d'un nouveau partenariat des nations qui transcendera la guerre froide, déclarait le premier président Bush. Un partenariat fondé sur la consultation, la coopération et l'action collective, s'exerçant en particulier, par l'entremise des organisations internationales et régionales. Un partenariat fondé sur les principes de la suprématie du droit et soutenu par un partage équitable des coûts comme de l'engagement. Un partenariat qui aura pour but plus de démocratie, plus de prospérité, plus de paix et moins d'armement. » Ce rêve d'un nouvel ordre mondial trouva un prolongement philosophique dans la thèse développée par Francis Fukuyama de la *fin de l'Histoire*. La démocratie alliée à l'économie de marché ayant vaincu tous ses adversaires, la parenthèse du XXe siècle pouvait se refermer et, en dépit de quelques résistances spasmodiques, de quelques convulsions marginales, le siècle qui venait allait exaucer les prévisions optimistes des philosophes du XIXe.

Les choses ne sont pas si simples, on s'en est aperçu depuis, et cela parce que la contestation de l'Occident a pris une tournure littéralement stupéfiante. C'est bien, comme le voulait Aimé Césaire, la fierté d'être soi qui a été mise en avant par les peuples du tiers-monde :

> car il n'est point vrai que l'œuvre de l'homme est finie
> que nous n'avons rien à faire au monde
> que nous parasitons le monde
> qu'il suffit que nous nous mettions au bas du monde mais
> l'œuvre de l'homme vient seulement de commencer
> et il reste à l'homme à conquérir toute interdiction
> immobilisé au coin de sa ferveur
> et aucune race ne possède le monopole de la beauté, de
> l'intelligence, de la force
> et il est place pour tous au rendez-vous de la conquête et nous
> savons maintenant que le soleil tourne autour de notre terre
> éclairant la parcelle qu'a fixée notre volonté seule et que

toute étoile chute du ciel en terre à notre commandement sans limite.

Au lieu d'être opposée à l'arrogance prométhéenne de la civilisation occidentale, cette revendication identitaire a fini par se retourner contre les valeurs critiques de l'Occident, c'est-à-dire l'aptitude à se mettre soi-même en question ou (pour le dire avec les mots de Leszek Kolakowski) à « ne pas subsister dans sa suffisance et sa certitude éternelle ». Comme le remarque Samuel Huntington, l'auteur du *Choc des civilisations*, la voie choisie fut, dans bien des cas, celle d'une *modernisation sans occidentalisation.* Ainsi la Chine esquivant la démocratie par l'alliance du confucianisme et de la compétitivité ; ainsi surtout l'islamisme radical s'efforçant de combiner le rejet des Lumières et les techniques de pointe. Le retour du religieux, autrement dit, n'est pas une nouvelle version de la querelle qui oppose, depuis l'aube des Temps modernes, l'obscurantisme et la science. Le procès de Galilée n'est pas à l'ordre du jour. Démenti vivant à nos certitudes les mieux établies, à nos repères les plus solides, l'*ingénieur intégriste* sait que la terre tourne et que le livre de la nature est écrit en langue mathématique. Il le sait et il veut faire fructifier ce savoir. Qu'il soit médecin, informaticien, agronome, biologiste ou chercheur de haut niveau, sa foi intransigeante et la minutie de ses rituels s'accordent avec la maîtrise des techniques les plus sophistiquées. Il répond par l'alliance du Dogme et de la Méthode à une modernité occidentale née de leur rupture.

On ne peut donc exclure que dans le XXIe siècle techno-spirituel qui s'annonce, le monde soit toujours plus moderne et toujours moins occidental. C'est cette hypothèse que développe Huntington dans un livre au titre trompeur. Il n'est pas belliqueux, il est isolationniste et il recommande à l'Occident d'éviter la guerre des cultures, en cessant de se mêler des affaires des autres. Si la Chine avale le Tibet, ça la regarde : « Cette règle d'abstention est la règle première de la paix dans un monde multipolaire et multicivilisationnel ». Les grands principes ne sont pas exportables : Huntington veut convaincre les États-Unis d'entrer dans le XXIe siècle, libres, légers, délestés, non seulement de l'Europe mais de l'idéalisme que le président Wilson avait voulu, pour sortir de l'ancien régime européen, imprimer aux relations internationales.

Mais, par-delà les différences de mentalité et d'histoire entre l'Europe et l'Amérique, l'Occident procède tout entier de la tension entre ce qui est bien et ce qui est à soi. Les intellectuels, on l'a vu, n'existent que pour rappeler et maintenir cet écart. Le mouvement dreyfusard est né du refus de plier devant les arguments de la raison d'État et de sacrifier la justice à l'intérêt national. Et c'est une vieille affaire. Quand les Anciens parlent de politique, ils s'interrogent sur le meilleur régime. Ils disent, en d'autres termes, que le bien a une dignité plus haute que ce qui est à nous ou que le meilleur régime constitue un objet de considération plus élevé que la patrie. Quand les Modernes déclarent les droits de l'homme, ils peuvent d'autant moins limiter la portée de cette déclaration à leur aire culturelle et la traiter comme une coutume occidentale qu'elle procède précisément de l'arrachement à la coutume. En plaidant pour un ethnocentrisme heureux, autrement dit, Huntington demande à l'Occident de se renier pour mieux s'accomplir.

Cette perspective n'est pas plus engageante ou pertinente que l'affirmation de la fin de l'histoire. Et, de toute façon, l'effroyable exploit terroriste que constitue la destruction des deux tours de Manhattan, le 11 septembre 2001, a réduit à néant, d'un seul coup la géographie de l'isolationnisme. Reste à savoir si, en répondant au défi de la modernisation sans occidentalisation par ce que Pierre Hassner appelle « le wilsonisme botté », l'Amérique ouvre un chapitre inédit de l'histoire ou si elle dessine une nouvelle figure de l'Empire.

Chapitre VII

L'Internationale qui ne verra jamais le jour

Un jour, dans un tramway de Varsovie, Leszek Kolakowski entendit l'injonction suivante : « Avancez vers l'arrière, s'il vous plaît ! » Quelque temps plus tard, en 1978 exactement, il proposa d'en faire « le mot d'ordre d'une puissante Internationale qui n'existera jamais », dans un credo publié sous le titre : *Comment être socialiste-conservateur-libéral.* Il fallait un certain toupet pour retourner ainsi la disjonction en conjonction et mettre un trait d'union entre les trois grandes doctrines politiques de l'âge moderne. Et ce qui inspira à Kolakowski cet audacieux accouplement, c'est l'expérience du XXe siècle.

Le conservateur, c'est l'homme qui accueille le donné comme une grâce et non comme un poids, qui a peur pour ce qui existe et qu'émeut toujours la patine du temps sur les êtres, les objets ou les paysages. Or, en exacerbant la passion révolutionnaire, le XXe siècle a fait du changement le mode privilégié de l'action politique au point d'oublier que toute innovation n'était pas nécessairement un bond en avant et que, quand bien même elle bondirait, « il n'y a jamais eu et il n'y aura jamais dans la vie des hommes d'améliorations qui ne soient payées de détériorations et de maux ». Sensible à ces maux, incapable de tourner la page, le conservateur voit des mondes finir là où d'autres regardent s'accomplir la fin de l'histoire. À l'optimisme démocratique de la révolution, il oppose son amour mélancolique du déjà-là et des vieilles traditions chancelantes. Il vit sous le regard des morts, il plaide pour la fidélité, il est celui qui regrette la lenteur quand tout s'accélère et qui trouve constamment trop cher *le prix à payer* pour ce qu'on appelle le progrès. Le conservateur refuse, en second lieu, d'accorder à la raison une confiance sans réserve. *Les Lumières terrassant la superstition* : cette intrigue lui paraît trop sommaire pour rendre compte des phénomènes humains. Tout ce qui n'est pas rationnellement explicable ne relève pas nécessairement de la bêtise ou de l'obscurantisme. Le conservateur, autrement dit, perçoit comme une menace l'approche technicienne du monde symbolique. « Il croit fermement, écrit Kolakowski, que nous ne savons pas si diverses formes traditionnelles de la vie sociale — comme les rituels familiaux, la nation, les communautés religieuses — sont nécessaires pour rendre la vie en société tolérable ou même possible. Cependant, il n'y a pas de raison de croire que, en détruisant ces formes, en dénonçant leur caractère irrationnel, nous augmentons nos chances de bonheur, de paix, de sécurité et de liberté. Nous ne pouvons pas savoir de manière certaine ce qui se passerait si, par exemple, la famille monogamique était supprimée, ou bien si la coutume consacrée par le temps qui nous fait enterrer les morts était remplacée par un recyclage rationnel des cadavres à des fins industrielles. Nous serions bien avisés, pourtant, d'en attendre le pire ». La disposition d'âme du conservateur, sa tonalité affective dominante, est le pessimisme. Ce n'est pas que pour lui, l'homme soit plutôt méchant que bon, c'est qu'il se refuse à voir dans le bien et le mal un pur problème social. À ses yeux, l'imperfection de la vie n'est pas contingente. On peut remédier à certains aspects de la misère humaine, mais une part de notre misère est incurable. Là encore le XXe siècle lui a donné raison en poussant l'immodestie jusqu'à ses plus tragiques conséquences : « Le conservateur croit fermement que l'idée fixe de la philosophie des Lumières — à savoir que l'envie, la vanité, la cupidité et l'instinct d'agression ont toujours pour cause des institutions sociales défectueuses et disparaîtront lorsque ces institutions auront été réformées — n'est pas seulement tout à fait invraisemblable et contraire à l'expérience mais extrêmement dangereuse. Comment toutes ces institutions ont-elles pu voir le jour si elles étaient totalement contraires à la nature profonde de l'homme ? Nourrir l'espoir qu'on pourra institutionnaliser la fraternité, l'amour, l'altruisme, c'est préparer à coup sûr l'avènement du despotisme ». Bref, l'épreuve totalitaire ratifie l'hostilité foncière du conservateur à la tentative de transformer l'approche de la réalité humaine en recherche prometteuse d'une solution définitive du problème humain.

Il est impossible aussi, en 1978, de ne pas accorder au libéral que dans les communautés humaines où l'initiative individuelle est bridée et la concurrence anéantie au nom de l'idéal d'égalité, la stagnation s'installe et le ressentiment sévit. L'égalité ne peut donc être une fin en soi mais uniquement un moyen : « La lutte pour davantage d'égalité n'a pas de sens si elle se traduit simplement par l'abaissement des privilégiés et non pas par l'élévation des défavorisés. L'égalité parfaite est un idéal qui se retourne contre lui-même ».

Enfin, comme le dit le socialiste, une communauté où le marché régnerait en maître dans tous les secteurs de la vie ne serait pas plus viable au bout du compte que « les sociétés où le stimulant du profit a été entièrement rayé du nombre des forces régulatrices de la production ». Si rien dans le capitalisme ne fait exception au capitalisme, s'il n'y a plus de valeurs non négociables, si l'esprit mercantile gagne des domaines comme l'art, la science ou la religion, alors la société risque de s'effondrer. Ce n'est pas tirer la leçon du siècle que de justifier par la débâcle du communisme la généralisation à l'ensemble des activités humaines des principes de l'économie de marché. La catastrophe du « socialisme réel » n'infirme ni la distinction des ordres antérieure au capitalisme ni le souci de redistribution qui anime la pensée socialiste : « Il est absurde et hypocrite de conclure qu'une société parfaite et exempte de conflits étant impossible, l'inégalité sous quelque forme qu'elle existe est inévitable et toutes les façons de réaliser un profit sont justifiées. Ce pessimisme anthropologique typiquement conservateur qui a conduit à l'étonnante conviction qu'un impôt progressif sur le revenu était abominable et inhumain, est aussi suspect que l'optimisme historique qui a servi de base à l'Archipel du Goulag. »

Éclairé par le soleil noir du XXe siècle, Kolakowski percevait la parenté entre les trois grandes doctrines politiques que l'on croyait autrefois mutuellement exclusives. Qu'en est-il aujourd'hui de l'Internationale dont il rêvait il y a vingt-cinq ans ? On rencontre toujours des socialistes, des libéraux, des partisans du marché mondial et des défenseurs altermondialistes d'une plus juste distribution des richesses. On trouve également des libéraux convaincus de la nécessité de l'État-providence ou des vertus du protectionnisme et des socialistes convertis au libre-échange. Il arrive donc que l'atténuation des effets du libéralisme incombe à des gouvernements libéraux et que des gouvernements socialistes accompagnent la privatisation de l'économie. Entre ces deux écoles de pensée, tout est possible : l'hostilité déclarée, l'alternance tranquille, la convergence cachée et même le trait d'union préconisé par Leszek Kolakowski. Mais celui qui manque à l'appel, c'est le conservateur. Partout la transformation est à l'ordre du jour, notamment chez ceux qu'on appelle aux États-Unis les néoconservateurs. Le besoin de stabilité n'a plus droit de cité. Cette disposition d'âme se terre dans l'inavouable et la doctrine particulière qui s'en inspire est devenue un repoussoir universel. Si le conservatisme subsiste, en effet, c'est à titre non de *credo* mais de *péché*. Péché qui consiste, pour la gauche, dans la défense des privilèges ; pour la droite, dans la défense des avantages acquis et pour l'individu hypermoderne, de droite comme de gauche, dans le goût des convenances, des formes ou, pire encore, des uniformes.

Le même constat vaut pour la scène artistique. Un beau livre aujourd'hui est un livre *dérangeant* mais qui dérange-t-il s'il est jugé dérangeant par la critique officielle ? Il y a quelques années, juste avant la fin du XXe siècle, deux grands médias français, *Le Monde* et *France Culture*, proposaient à la jeunesse un concours d'écriture ainsi libellé : « Paroles de révolte. Place aux paroles en rupture, paroles de mouvement et de rébellion, paroles de tous ceux qui savent se cogner aux interdits et aux stéréotypes ». Voici donc venu le temps des prix de désobéissance. Il n'y a maintenant rien de plus prisé que le scandale, rien de plus bourgeois que la bohême, rien de plus recherché que la transgression. Notre époque a fait de la révolte de tous ceux qui savent se cogner aux interdits et aux stéréotypes un des principaux articles de sa morale.

De ce bannissement du conservatisme, il ne faudrait pas conclure au triomphe de la philosophie des Lumières. Contre la défense de l'ordre des choses en raison même de leur ancienneté, l'Internationale du XXIe siècle dit certes, avec Rabaud Saint-Étienne : « Notre histoire n'est pas notre code ! » Mais l'argumentaire qui justifie cette fière proclamation n'est plus celui de la raison conquérante. Ce n'est pas la victoire sur le préjugé qu'on célèbre dans l'innovation, c'est une configuration inédite dans un monde où nulle forme ne peut prétendre incarner les Lumières. Ceux qui prennent, aujourd'hui, le parti du mouvement perpétuel, pensent, avec le conservateur, que rien n'échappe à la juridiction de l'Histoire, qu'il n'y a pas d'au-delà de la sagesse du temps.

En 1983, Mario Vargas Llosa assistait à une conférence de sir Edmund Leach, le grand anthropologue britannique. La scène se déroulait à Cambridge et le titre de la conférence était : *Literacy is doomed*, « La culture livresque va périr ». Thèse déjà banale, mais ce qui l'était moins et qui stupéfia Vargas Llosa, c'était la malice jubilatoire avec laquelle Leach prononça cette condamnation : « Pour consoler ceux qui peuvent s'affliger à la perspective d'une humanité où ce qui se faisait et s'obtenait par la lecture et l'écriture, allait s'exécuter au moyen de projecteurs, haut-parleurs et cassettes, il se hâtait de rappeler que la période alphabétique de l'humanité était très brève. Tout comme dans le passé, les hommes avaient vécu des milliers et des milliers d'années en créant une culture splendide et des civilisations sans livres, de même pouvait-il en être dans l'avenir ». *Not books but gadgets*, concluait Leach avec espièglerie. Non pas d'ailleurs qu'il préférât lui-même les seconds aux premiers, ou qu'il perçût l'écran informatique comme un progrès sur l'imprimerie. Un nouveau monde succédait simplement à l'ancien, un système de transmission voyait le jour, un code culturel apparaissait contre lequel nul principe ne valait car ce que nous apprend l'histoire, c'est la multiplicité sans fin des schémas perceptifs, des supports de l'échange, des valeurs et des pratiques humaines.

Ceux que n'angoissent pas aujourd'hui la future gestation du bébé hors du corps de la mère dans un utérus artificiel ou la perspective du clonage — c'est-à-dire la reproduction à l'identique des êtres humains — tiennent exactement le même raisonnement. Ils ouvrent, en clignant de l'œil, la porte sur l'inconnu. N'avons-nous pas appris au contact des autres cultures que notre idée de l'enfant et de la parentalité est façonnée par une tradition particulière ? S'il n'y a, en guise de vérité, qu'une variété de coutumes, quelle raison aurions-nous de nous accrocher aux nôtres ? La prééminence que l'Occident moderne accorde au livre et à la famille nucléaire ne se retrouve ni plus tôt ni plus loin. Le temps et l'espace dénaturalisent ces dilections et leur retirent impitoyablement leur prétention à l'universalité. Une tradition chassera l'autre, et après ? S'en inquiéter, ce serait ériger nos habitudes en normes suprêmes. Nous sommes au-dessus de ce réflexe petit-bourgeois. Au lieu de sombrer dans la nostalgie, c'est-à-dire dans la *préférence culturelle*, pourquoi ne pas tenter une nouvelle aventure ? Pourquoi pas ? Telle est la réponse laconique et désinvolte que l'Internationale du XXIe siècle adresse aux propositions incessantes que lui fait la technique. Ce « pourquoi pas ? » nihiliste désarme beaucoup mieux que l'optimisme béat les objections du conservatisme. Et si l'ironie souriante de Leach ne suffit pas, alors s'imprime sur les visages soudain sévères le rictus douloureux de la mémoire : toutes ces vieilles lunes et ces belles choses ont-elles empêché le XXe siècle de basculer dans le désastre ? *Not gadgets but books*, dites-vous mais c'est l'Allemagne, l'un des pays les plus cultivés, les plus livresques du monde qui a commis l'irréparable. Il ne saurait être question, après Auschwitz, de prendre le deuil de ce monde englouti. Ainsi le XXe siècle a-t-il pour fonction, au XXIe, de mettre le passéisme hors la loi. Ainsi l'Occident répond-il par la liquidation de son héritage au défi techno-spirituel qui lui est lancé. Les conservateurs ont disparu.

On aurait tort cependant de déduire de cette disparition que le conformisme est mort et que les défenseurs du statu quo ont quitté la scène. Ils se bousculent au contraire, et ils triomphent. Qu'est-ce, en effet, que le statu quo, de nos jours, sinon la mobilité perpétuelle ? Le progrès n'est plus un arrachement à la tradition, il est notre tradition même. Il ne résulte plus d'une décision, il vit sa vie, automatique et autonome. Il n'est plus maîtrisé, il est compulsif. Il n'est plus prométhéen, il est irrépressible. Nous sommes soumis à la loi du changement comme nos ancêtres pouvaient l'être à la loi immuable. En tous domaines ou presque, l'obsolescence a eu raison de la permanence. Il n'y a donc pas de mérite particulier à faire bouger les choses, car elles se passent très bien de nous pour cela. *Ça déménage* avant même que nous songions à lever le petit doigt. On peut même dire que dans un monde voué à l'innovation et à l'interaction continues, agir vraiment contre l'ordre établi, ce serait non plus foncer tête baissée mais ralentir, faire un pas de côté, lever la tête de l'écran, regarder derrière soi, se débrancher. Mais qui parle aujourd'hui de se débrancher ? Qui lève la tête ? Qui secoue l'*inertie de l'activisme* ? Qui tient compte du fait que les hommes ont déjà accès à toute l'information dont ils ont besoin ? À l'ère des nouvelles technologies de la communication et du vivant, qui dit, avec Walter Benjamin, que la révolution n'est pas la locomotive de l'histoire mais la main de l'espèce humaine « tirant la sonnette d'alarme » à bord du train de l'histoire fourvoyé dans la mauvaise direction ? Qu'il s'agisse de l'informatique ou des biotechnologies, on n'emploie plus maintenant le mot *révolution* que pour désigner notre destin. Et ce qui, pour solde de tout compte, caractérise l'entrée dans le XXIe siècle, c'est le *conservatisme du mouvement.*

Ouvrages cités

HÉRODOTE, *L'Enquête*, Gallimard, 1985.

Jules MICHELET, *La Cité des vivants et des morts*, Belin, 2002.

Walter BENJAMIN, *Œuvres*, I, II et III, Gallimard, Folio, 2000.

Henri-Charles PUECH, *Enquête de la Gnose*, I, *La Gnose et le Temps*, Gallimard, 1978.

Karl LÖWITH, *Histoire et Salut*, Gallimard, 2002.

Michel SERRES, *Hominessences*, Le Pommier, 2001.

Jacques ATTALI, *Dictionnaire du XXIe siècle*, Fayard, 1999.

Victor HUGO, *Politique*, Robert Laffont, collection « Bouquins », 1985.

Roland MORTIER, *Anacharsis Cloots ou l'utopie foudroyée*, Stock, 1995.

Benjamin CONSTANT, *De la liberté chez les Modernes*, Hachette, Le Livre de Poche, 1980.

François FURET, *Le Passé d'une illusion, essai sur l'idée communiste au XXe siècle*, Robert Laffont/Calmann-Lévy, 1997.

Joseph de MAISTRE, *Considérations sur la France*, Éditions Complexe, 1988.

Victor HUGO, *Les Misérables*, Robert Laffont, collection « Bouquins », 1985.

Stefan ZWEIG, *Le Monde d'hier, souvenirs d'un Européen*, Belfond, 1982.

Ivo ANDRIC, *Le Pont sur la Drina*, Belfond, 1994.

Albert THIBAUDET, *La Campagne avec Thucydide* in Thucydide, *Histoire de la guerre du Péloponnèse*, Robert Laffont, collection « Bouquins », 1990.

Raymond ARON, *Guerres en chaîne*, Gallimard, 1947.

Paul VALÉRY, *Regards sur le monde actuel*, *Œuvres*, II, Pléiade, 1960.

Ernst JÜNGER, *Orages d'acier*, Gallimard, Folio, 1987.

Ernst JÜNGER, *La Guerre comme expérience intérieure*, Christian Bourgois éditeur, 1997.
Ernst JÜNGER, *Feu et Sang*, Christian Bourgois éditeur, 1998.
Ernst JÜNGER, *Le Travailleur*, Christian Bourgois éditeur, 1989.
Ernst JÜNGER, *L'État universel* suivi de *La Mobilisation totale*, Tel Gallimard, 1990.
Peter SLOTERDIJK, *Écumes*, *Sphères* III, Maren Sell éditeurs, 2005.
Virginia WOOLF, *L'Art du roman*, Seuil, 1962.
Jacques BAINVILLE, *Les Conséquences politiques de la paix*, Éditions de l'Arsenal, 1995.
Marguerite YOURCENAR, *Souvenirs pieux*, Gallimard, 1974.
Dominique COLAS, *Le Léninisme*, PUF, 1982.
Karl MARX, *Pour une critique de la philosophie du droit de Hegel*, *Œuvres*, III, Gallimard, 1982.
Arthur KOESTLER, *Œuvres autobiographiques*, Robert Laffont, collection « Bouquins », 1994.
Raymond ARON, *Chroniques de guerre*, Gallimard, 1990.
Jean-Denis BREDIN, *L'Affaire*, Julliard, 1983.
Régis DEBRAY, *Les Intellectuels*, lignes n° 32, Éditions Hazan, octobre 1997.
Paul NIZAN, *Les Chiens de garde*, Agone éditeur, 1998.
Emmanuel BERL, *Sylvia*, Gallimard, 1952.
ZAMIATINE, *Nous autres*, Gallimard, 1971.
Milan KUNDERA, *Les Testaments trahis*, Gallimard, 1990.
Eric HOBSBAWN, *L'Ère des empires, 1875-1914*, Fayard, 1989.
Henry KISSINGER, *Diplomatie*, Fayard, 1996.
Henry JAMES, *Le Point de vue* in *Nouvelles*, Éditions de la Différence, 1992.
Samuel HUNTINGTON, *Le Choc des civilisations*, Odile Jacob, 1994.

Leszek KOLAKOWSKI, *Comment être socialiste-conservateur-libéral*, *Commentaire* n° 4, Hiver 1978-1979.

Mario VARGAS LLOSA, « La culture de la liberté », *Le Débat,* n° 43, janvier-mars 1987, Gallimard.

Ian KERSHAW, *Hitler, 1889-1936 : Hubris*, Flammarion, 1998.

Hannah ARENDT, *Condition de l'Homme moderne*, Calmann-Lévy, 1976.

DOSTOÏEVSKI, *Le Sous-sol*, Gallimard, 1956.

Aimé CÉSAIRE, *Cahier d'un retour au pays natal* in *Anthologie poétique*, Imprimerie nationale, 1996.

Quatrième leçon

La question des limites

Chapitre I

L'homme entreprend l'infini

Victor Hugo, *Les Travailleurs de la mer* : « De toutes les dents du temps, celle qui travaille le plus, c'est la pioche de l'homme. L'homme est un rongeur. Tout sous lui se modifie et s'altère, soit pour le mieux, soit pour le pire. Soit il défigure, soit il transfigure. La balafre du travail humain est visible sur l'œuvre divine. Il semble que l'homme soit chargé d'une certaine quantité d'achèvement. Il approprie la création à l'humanité. Telle est sa fonction, il en a l'audace, on pourrait presque dire l'impiété. La collaboration est parfois offensante. L'homme, ce vivant à brève échéance, ce perpétuel mourant, entreprend l'infini. Il entend faire ce que bon lui semble. Un univers est une matière première. Le monde, œuvre de Dieu, est le canevas de l'homme. Tout borne l'homme, mais rien ne l'arrête. Il réplique à la limite par l'enjambée. L'impossible est une frontière toujours reculante. [...] L'homme travaille à sa maison et sa maison, c'est la terre. Il dérange, déplace, supprime, abat, rase, mine, sape, creuse, fouille, casse, pulvérise, efface cela, abolit ceci et reconstruit avec de la destruction. Rien ne le fait hésiter, nulle masse, nul bloc, nul encombrement, nulle autorité de la matière splendide, nulle majesté de la nature. Si les énormités de la création sont à sa portée, il les bat en brèche. Ce côté de Dieu qui peut être ruiné le tente et il monte à l'assaut de l'immensité, le marteau à la main. »

L'homme dont parle Victor Hugo n'est pas l'homme tout court. C'est l'homme moderne. Aucun poète, aucun penseur, aucun théologien d'aucune humanité antérieure n'aurait pu proclamer en s'en félicitant que l'homme *réplique à la limite par l'enjambée.* « Rien de trop » dit la sagesse des Anciens. Elle le dit même de plusieurs manières avec une conviction inlassable. Cet adage laconique figure dans la liste des préceptes attribués par la tradition aux Sept Sages de la Grèce et qui tournent tous autour de la même idée : « La mesure est la meilleure des choses », « Maîtrise le plaisir », « Adresse des prières à la Fortune », « Connais-toi toi-même », « Connais le moment opportun », « Aime la prudence. » C'est commettre, en effet, un anachronisme, un contresens moderne que d'entendre dans le « Connais-toi toi-même » un appel à l'introspection. Comme le souligne très justement Pierre Aubenque, la formule delphique « ne nous invite pas à trouver en nous-mêmes le fondement de toutes choses, mais nous rappelle, au contraire, à la conscience de notre finitude. » Jusqu'à Socrate, et même Platon, cette formule n'a jamais signifié que ceci : « Connais ta portée, qui est limitée ; sache que tu es un mortel, et non un dieu ». De même la légende de Prométhée, si appréciée des Modernes, illustre, à l'origine, non la grandeur intrépide du franchissement ou de la transgression mais les méfaits de la démesure. Le Titan Prométhée fait sa première apparition chez Hésiode, au VIIe siècle avant notre ère, dans la *Théogonie* et dans *Les Travaux et les Jours*. Prométhée, c'est le prévoyant, le rusé, qui, au cours d'un sacrifice solennel, fait deux parts d'un bœuf. D'un côté, il met sous la peau la chair et les entrailles qu'il recouvre du ventre de l'animal. De l'autre, il dispose les os dépouillés de la viande et les recouvre de graisse blanche. Puis il dit à Zeus de choisir sa part — le reste devant aller aux hommes. Zeus qui est le roi des dieux mais non le Dieu tout-puissant, choisit avidement la graisse blanche. Quand il découvre qu'elle ne cache que des os, Zeus est saisi de colère contre Prométhée et contre les mortels que sa ruse avait favorisés. Il décide donc de ne plus leur envoyer le feu. Prométhée vole alors, une seconde fois, au secours des hommes et « dérobe, au creux d'une férule, l'éclatante lueur de feu infatigable ». Pour se venger Zeus ordonne à Héphaïstos de « tremper d'eau un peu de terre sans tarder, d'y mettre la voix et les forces d'un être humain et d'en former, à l'image des déesses immortelles un beau corps aimable de vierge. » Tous les dieux de l'Olympe ornent cette créature d'une qualité. Elle reçoit la beauté, la grâce, l'habileté manuelle, la persuasion etc. Mais Hermès met dans son cœur le mensonge et la fourberie. Et Zeus offre aux hommes « ce présent en qui tous se complairont à entourer d'amour leur propre malheur. »

Dans *Les Travaux et les Jours*, Hésiode complète le mythe. Il raconte que Zeus envoie Pandore (littéralement : le présent de tous) à Épiméthée (celui qui pense après coup, qui a l'esprit de l'escalier). Oubliant que son frère Prométhée lui avait intimé l'ordre de ne recevoir aucun cadeau de Zeus, Épiméthée, séduit par la beauté de Pandore, en fait sa femme. « Or il y avait une jarre qui contenait tous les maux. » À peine sur terre, Pandore, dévorée de curiosité, ouvre la jarre et tous les maux se répandent sur l'humanité. Hésiode ajoute : « Seul l'Espoir reste là, à l'intérieur de son infrangible prison, et ne s'envole pas en dehors, car Pandore a replacé le couvercle par le vouloir de Zeus. »

La légende, à ce stade, a une signification contraire à celle qui fera de Prométhée le personnage emblématique du monde moderne. Hésiode veut mettre les hommes en garde contre l'*hubris* : en soulignant que l'Espoir, et l'Espoir seul, est resté dans la jarre, il leur présente les maux comme inhérents à leur condition.

Deuxième grande occurrence du mythe : le *Prométhée enchaîné* d'Eschyle. Prométhée n'est pas seulement le rusé, mais le révolté qui se dresse contre Zeus quand celui-ci, trouvant que la race humaine est mal faite, veut recommencer et lui en substituer une autre. Pour contrecarrer ce plan exterminateur, Prométhée dérobe le feu aux dieux et, par la même occasion, remet aux hommes tous les arts ainsi que toutes les sciences. Il a donc offensé les dieux en livrant leurs privilèges aux mortels. Pour punir Prométhée, Zeus le fait enchaîner par des liens d'acier sur le Caucase et, chaque jour, un aigle aux grandes ailes dévore son foie immortel qui a reconstitué pendant la nuit la part qui lui a été ainsi enlevée. S'inspirant d'un autre cycle légendaire, Eschyle imagine, par surcroît, que Prométhée est dépositaire d'un secret. Il sait que si la déesse Thétis épouse un dieu de l'Olympe, le fils qu'elle donnera à ce dieu sera plus fort que son père et le renversera. Zeus veut donc absolument connaître le nom de la déesse en question pour éviter de l'épouser. Dans les pièces qui suivent le *Prométhée enchaîné* et dont il ne nous reste que le canevas, le Titan enchaîné finit par livrer le secret au roi des dieux. Il est délivré et réhabilité.

C'est donc bien avec la tragédie que l'orgueil et l'insoumission deviennent les attributs de Prométhée. Mais ce qu'Eschyle célèbre à travers cette histoire, c'est moins tant la révolte elle-même que la douloureuse école par où l'on passe de la démesure et ses cruelles violences à la modération et à la retenue qui sont des vertus partout, *même au ciel.* Comme l'écrit Pierre Vidal-Naquet : « La triologie des Prométhée enseigne aux hommes que le dieu de justice n'est devenu juste qu'au bout de longs siècles. Par la clémence seule, il a obtenu la soumission du dernier révolté. » C'est dire que la justice à laquelle aspirent les hommes n'est pas une puissance qui existe en dehors d'eux : c'est à eux-mêmes qu'il appartient de la faire naître par un lent apprentissage des limites, de la mesure, cette vertu supérieure que Zeus a mis du temps à acquérir et à laquelle il doit d'avoir établi la paix sur l'Olympe. « La démesure en mûrissant produit l'épi de l'égarement et la moisson qu'on en lève n'est faite que de larmes » écrit Eschyle.

À la condamnation par l'homme grec de toutes les formes d'*hubris* et à l'éloge concomitant de la réserve, de la pudeur, de la modestie dans la pensée et dans l'action, répond, chez l'homme chrétien, le dogme du péché originel. « Tout homme est souillé par le péché du premier homme », dit saint Augustin. Cela signifie que l'homme n'est pas à lui-même son propre rédempteur. Depuis que Dieu s'est fait homme pour sauver le genre humain, l'Espoir est sorti de la jarre mais comme l'écrit profondément Leszek Kolakowski : « La foi en Jésus le rédempteur témoigne de ce que nous autres êtres humains, nous n'avons pas la force de nous délivrer nous-mêmes du mal, que la souillure du péché originel pèse irrémédiablement sur nous et que nous ne pouvons nous laver de cette souillure sans recevoir une aide extérieure. »

La vertu grecque de *modération* ne souffre aucune exception : elle vaut pour les dieux comme pour les hommes. Par la vertu chrétienne d'*humilité*, en revanche, l'homme prend conscience de sa faiblesse, de sa caducité, il se dépouille de tout ce dont l'orgueil le recouvre et, en abandonnant tout espace propre, il ouvre un champ où Dieu peut agir. Il faut se savoir pécheur pour recevoir la grâce. Il faut se savoir fini pour libérer l'amour de l'infini, aux deux sens que ce génitif peut prendre.

Notre Prométhée, le Prométhée que nous sommes, donne orgueilleusement congé à ces deux morales. Voici, par exemple, ce que lui fait dire Goethe :

> Couvre ton ciel, ô Zeus !
> De la vapeur des nuages,
> Et semblable à l'enfant

Qui décapite les chardons,
Exerce-toi contre les chaînes et les montagnes ;
Il faudra bien
Que tu me laisses ma terre
Et ma chaumière que tu n'as pas bâtie,
Et mon foyer,
Dont tu m'envies
La flamme joyeuse.

Je ne connais rien de plus pauvre
Sous le soleil que vous autres, les Dieux !
Vous nourrissez maigrement
Votre Majesté
De l'offrande des sacrifices
Et de la fumée des prières
Et vous dépéririez,
Sans les enfants et les mendiants
Fous emplis d'espérances.
[...]
Moi, t'honorer ? Pourquoi ?
As-tu jamais adouci les souffrances
De l'homme accablé ?
As-tu séché les larmes
De celui qui pleure d'angoisse ?
N'est-ce pas le temps tout-puissant
Qui m'a forgé homme,
Et le destin éternel,
Qui sont mes maîtres et les tiens ?
T'imaginais-tu, peut-être,
Que j'allais haïr la vie,
Fuir dans le désert
Parce que tous mes rêves en fleurs
N'ont pas mûri ?

Me voici, je modèle des hommes
D'après mon image,

Une race qui soit pareille à moi,
Pour souffrir, pour pleurer,
Pour jouir, pour se réjouir,
Et pour te mépriser,
Comme moi !

Le Prométhée de Goethe n'est plus le bienfaiteur de l'humanité mais son porte-parole. C'est l'Homme, en effet, qui à l'aube des Temps modernes a voulu prendre son destin en main. C'est l'Homme, et non quelque intervenant extérieur, quelque *deus ex machina* qui, selon la formule inaugurale de Francis Bacon, s'est donné à lui-même le mandat de « produire des inventions capables, dans une certaine mesure, de vaincre et de maîtriser les fatalités et les misères de l'humanité. » Et le dieu contre lequel s'insurge ce Titan si intensément humain entrecroise les traits bibliques et ceux de la mythologie. « As-tu jamais adouci les souffrances/De l'homme accablé ? » Cette question s'adresse au Dieu chrétien. Mais la réponse négative fait apparaître ce Dieu comme un despote capricieux dont les promesses ne valent rien et qui a maintenu l'humanité dans une vallée de larmes en lui inculquant l'idée d'une incurable corruption de sa nature.

Dieu est Zeus dit Goethe. Et après lui, Proudhon dans sa *Philosophie de la misère* : « Qu'on ne nous dise plus : les voies de Dieu sont impénétrables ! Nous les avons pénétrées, ces voies, et nous y avons lu en caractères de sang les preuves de l'impuissance, si ce n'est du mauvais vouloir de Dieu. Père éternel, Jupiter ou Jéhovah, nous avons appris à te connaître : tu es, tu fus, tu seras à jamais le jaloux d'Adam, le tyran de Prométhée. »

Héritier de la Renaissance non moins enthousiaste que Goethe et que Proudhon, Victor Hugo transfère lui aussi à la figure biblique d'Adam les traits de Prométhée. Ce qu'il exalte dans l'introduction des *Travailleurs de la mer*, c'est une action qui, au lieu d'être prescrite à l'homme par sa nature, porte en elle-même des possibilités toujours nouvelles et dépasse par principe tout cercle limité. À la différence de Goethe et de Proudhon, il s'arrête avant la destitution de Dieu, il s'interdit certes le blasphème ; mais c'est aussi par la sollicitude, par le souci de faire du monde un séjour vivable qu'il justifie l'*impiété* c'est-à-dire l'*empiétement* du travail humain sur ce que la Tradition considérait comme une prérogative divine. « L'homme entreprend l'infini », écrit-il. Ce que les Américains, laconiques et lyriques traduisent en disant : « *The sky is the limit !* »

En ce sens, nous ne sommes plus ni grecs ni chrétiens. Nous avons largué les amarres et nous naviguons désormais loin, très loin d'Athènes et de Jérusalem. Ce que les Anciens appelaient démesure ou péché façonne notre paysage quotidien et nous avançons, nous avançons tout le temps. À la limite, nous répliquons *automatiquement* par l'enjambée. Mais le lyrisme, la fierté et la joie conquérante accompagnent-ils encore ces sauts et ces bonds ? Où est, aujourd'hui, pour nous le destin ? Dans les frontières ou dans leur dépassement ? Dans ce qui nous est donné pour impossible ou dans l'impossibilité où nous sommes de nous arrêter, de faire le point et même de ralentir ?

Notre élan est sans retour. Reste à savoir si nous pouvons être encore hugoliens.

Chapitre II

Trop haut, trop vite, trop fort !

De toutes les pratiques humaines, il en est une qui réplique *littéralement* à la limite par l'enjambée et qui fait de l'enjambée une frontière toujours reculante : le sport. Ludique, cette occupation n'a cependant rien de superficiel : elle est l'activité paradigmatique où l'homme moderne prend conscience de sa vocation. « Oh ! De l'initiative ! Le football vous en donnera, j'en suis convaincu », déclarait, au début du XXe siècle, Pierre de Coubertin dans un discours adressé à des élèves de l'enseignement secondaire : « C'est sur lui que je compte pour vous empêcher d'enfermer vos ambitions dans un portefeuille, de faire de quelques ronds-de-cuir les étapes de votre vie. Mais regardez donc le vaste monde qui est ouvert à vos énergies ! Si vous êtes plus tard un grand commerçant, un journaliste distingué, un explorateur hardi, un industriel avisé, le comptoir que vous ouvrirez au loin, l'agence de nouvelles que vous établirez, le produit perfectionné que vous lancerez seront autant de victoires pour la France [...] pour ces œuvres-là, il faut être un homme d'initiative, *un bon joueur de football*, n'ayant pas peur des coups, toujours agile, de décision rapide, conservant son sang-froid ; il faut (pour traduire cette expression yankee qui est si belle) être *self-governed*, c'est-à-dire exercer le gouvernement de soi-même. J'aimerais voir votre attention d'écolier se fixer surtout sur les choses lointaines, sur les œuvres d'initiative, sur les hommes d'action ; je voudrais que vous ayez l'ambition de découvrir une Amérique, de coloniser un Tonkin et de prendre un Tombouctou. Le football est l'avant-propos de toutes ces choses. Tout cela, c'est à mettre dans le même sac, cela fait partie du même programme, c'est l'éducation du "va de l'avant" ».

Loisir, le football, selon Pierre de Coubertin, est aussi et avant tout une école. Ce qui s'y joue, c'est la formation de l'homme prométhéen, le développement de l'esprit d'entreprise, l'initiation à la conquête, à l'exploration, à l'envie d'aller toujours plus loin, l'apprentissage d'une double domination : celle de soi et celle de l'univers. Le divertissement que l'inventeur des Jeux olympiques modernes place le plus sérieusement du monde au cœur d'une « éducation du *va de l'avant* » se démarque à la fois des jeux médiévaux dont il s'inspire et du sport antique auquel il prétend faire retour.

Il y a, en effet, une différence flagrante entre le football et son ancêtre le jeu de soule. Cette compétition était un affrontement violent où l'on pouvait utiliser tous les moyens pour porter la soule — boule de bois ou de cuir remplie de foin — dans le camp adverse. Ayant pour fonction, dans l'esprit de ses promoteurs, de maintenir les garçons des *public schools* à l'intérieur des espaces de jeux de leurs établissements et de les empêcher ainsi de rôder dans les rues ou sur les terrains vagues, le football, en revanche, est une pratique précisément codifiée et contraignante qui discipline le vacarme, la turbulence ou le besoin d'agitation. Ce qui apparaît, sous le nom de sport, en Angleterre au début du XIXe siècle s'inscrit dans le *processus de civilisation* de l'Europe moderne, c'est-à-dire, comme l'a montré le sociologue Norbert Elias, le refoulement progressif de la violence et le remplacement de l'autorité extérieure par un dispositif intériorisé de censure. Lieu de la libération contrôlée des émotions, le sport marie comme aucune autre activité humaine l'épargne et la dépense. S'il a, aux yeux de ses promoteurs enthousiastes, des vertus pédagogiques irremplaçables, c'est parce qu'on s'y prépare au franchissement des limites par l'exercice de la liberté dans les limites de la règle et parce qu'on y apprend à se défouler sans s'abandonner, à plier la force que l'on déploie sous la férule d'une législation tatillonne, à conjoindre enfin la rage de vaincre avec l'art de perdre. D'où l'idée, si présente chez Pierre de Coubertin, que cette invention est, en fait, une *renaissance* et qu'il revient à l'âge moderne d'avoir sorti le sport antique d'une très longue hibernation. Avec nos stades, nos arènes, nos hippodromes, nos gymnases, nos épreuves de lancer de disque ou de décathlon, nos athlètes maîtres d'eux-mêmes et concourant pour la gloire, nous voici grecs à nouveau.

Sauf que les Grecs vivaient dans un monde clos où il s'agissait de s'accomplir, alors que le sport moderne met en œuvre et en scène l'aspiration inextinguible au dépassement de soi. L'idéal antique était un idéal de proportion, d'harmonie, d'équilibre, de juste mesure : il n'incombait pas à l'homme de s'affranchir des règles naturelles — mais de réaliser sa nature. Ce qui caractérise, à l'inverse, le sport moderne, c'est le culte de la performance. Les Grecs vivaient dans l'élément de la nature ; nous vivons, nous, dans l'élément de l'histoire. Il n'y a d'être, à nos yeux, que provisoire : le devenir emporte tout. L'excellence d'aujourd'hui sera périmée demain. Le destin des frontières n'est pas de marquer la finitude mais de céder devant l'appel de l'infini. À la *border*, c'est-à-dire la borne, les confins, la ligne de démarcation, l'Amérique oppose la *frontier*, c'est-à-dire le front mobile d'une expansion continue. En ce sens nous sommes tous américains : dans le sport, comme ailleurs, le spectacle de la perfection laisse la place à celui du perfectionnement continu de l'espèce humaine. Coubertin qui se voulait un homme du *retour* dit cette *rupture* en latin : « Chercher à plier l'athlétisme à un régime de modération obligatoire, c'est poursuivre une utopie. C'est pourquoi on lui a donné cette devise : *Citius. Altius. Fortius.* Toujours plus vite, plus haut, plus fort, la devise de ceux qui prétendent à battre les records ! »

Ce que Coubertin ne pouvait pas prévoir, et qui nous cueille nous-mêmes à froid, c'est le virement du *plus* en *trop*. « Trop vite ! Trop haut ! Trop fort ! » Un nouvel adverbe s'est invité et il est en train de gâcher la fête. Le nuage de l'inquiétude et de l'incrédulité assombrit aujourd'hui la lumière des performances et des records. Nous étions équipés et programmés pour admirer l'inépuisable merveille de l'impossible devenu possible. Voici que, bien malgré nous, cette merveille nous accable. Il y a désormais de la terreur dans notre fascination. C'est tout juste si nous ne demandons pas aux sprinters et aux coureurs cyclistes de *freiner* pour nous permettre d'applaudir sans arrière-pensées leurs exploits. L'âge de *l'emballement* succède à celui de la *perfectibilité.* Nous sommes des Modernes encore — le mouvement est notre lot — mais des Modernes méfiants, des Modernes dégrisés, des Modernes orphelins de la religion des Modernes : nous n'adhérons plus au mouvement. Les hommes qui font reculer les frontières de l'impossible quittent peu à peu le registre de l'épopée pour entrer dans celui de la science-fiction. Le rêve tourne au cauchemar. Maintenant quand un record tombe, notre cœur se serre, car, dans le recordman, nous flairons le mutant. Une question nous obsède et nous interdit d'entretenir avec le spectacle sportif un rapport innocent : le dopage. Vieille affaire, dira-t-on, que la potion magique. Sur ce point, et sur ce point seulement, Astérix n'est pas anachronique : la pharmacopée vénéneuse remonte aux origines de l'humanité. Les Anciens consommaient goulûment et sans vergogne toutes sortes de substances destinées à multiplier artificiellement leurs capacités et leur puissance. Mais à cette *magie,* les Modernes ont substitué la *méthode* : ils ont médicalisé le dopage. Et comme le reste, celui-ci va de l'avant. D'où la menace qui pèse aujourd'hui sur l'essence même du sport. On n'est plus sûr que le meilleur gagne. Peut-être la victoire revient-elle au mieux dopé. Le soupçon gâche le spectacle et dissipe l'enchantement démocratique d'une haute compétition à armes égales.

Et ce n'est pas tout. L'ingénierie génétique élargit vertigineusement le champ du dopage. Non seulement des drogues indétectables remplacent celles que l'on peut déceler mais la science est en voie de modifier des cellules pour leur permettre de produire elles-mêmes les substances requises. Dopage génique et non plus dopage chimique. Implants de prothèses, de fibres ou de tissus et non plus simples injections de produits compliqués. Fabrication des athlètes et non plus tricheries momentanées, manquements ponctuels à l'éthique sportive. Nous n'en sommes pas encore là sans doute, mais nous sommes arrivés assez loin pour ne plus nous en laisser accroire. Les champions qui incarnaient magnifiquement le refus de l'humanité de se laisser enclore dans une définition nous apparaissent toujours davantage comme les cobayes du *post-humain*.

Ce qui nous oblige aujourd'hui à envisager la perspective étrange et inquiétante d'une post-humanité, c'est le fait que l'homme n'en est plus, comme au temps où Victor Hugo écrivait *Les Travailleurs de la mer*, à déranger, déplacer, creuser, fouiller, pulvériser, amalgamer et recombiner comme il l'entend la matière inanimée. Dans le tout qui, sous lui, se modifie et s'altère, il faut désormais compter la *matière vivante*. Munie d'une double clef — celle du monde inerte et celle de la vie — l'action humaine devient authentiquement universelle. Michel Serres écrit avec des accents post-hugoliens : « De naturés, je veux dire plongés, passifs dans une nature qui signifie l'ensemble de ce qui naît ou va naître sans nous, nous devenons naturants, architectes et ouvriers actifs de cette nature. Naguère Spinoza désignait Dieu comme *causa sui* ou cause de soi : il se produisait lui-même puisque aucun créateur ne pouvait être pensé au-dessus de lui. Nous nous saisissons de cet attribut naguère divin. Nous devenons cause opérationnelle de notre vie ». Autrement dit, les nouveaux vivants — hommes compris — tendent à devenir des *bio-techno-structures* et s'il est vrai, comme l'affirme Heidegger, que « l'essence du matérialisme ne consiste pas dans l'affirmation que tout n'est que matière, mais bien plutôt dans une détermination métaphysique selon laquelle tout apparaît comme le matériau d'un travail », nous entrons, sportifs en tête, dans l'ère d'un matérialisme généralisé dont la glorieuse incertitude du sport risque bien de faire les frais.

Ce péril extrême a conduit, dans les premières années d'un siècle dont tout indique qu'il sera celui des *bio-* et des *nano*-technologies, des médecins, des généticiens, des artistes, des intellectuels et quelques athlètes à publier un manifeste pour le sport comme véhicule des valeurs humaines. Le premier commandement de ce texte qui en comporte 16 déclare sobrement : « Que l'homme redevienne le centre des préoccupations dans le sport. » L'homme et non la machine humaine ; l'homme et non le spectacle ou l'argent ou les manipulations techniques ; l'homme et non le festival des artifices ou le déchaînement des supporters ; l'homme et non la fuite en avant mortelle dans le toujours plus.

On aimerait partager un souci aussi noble et une aussi impeccable résolution, mais l'homme ainsi invoqué ne peut se tenir quitte des débordements qui l'affolent. En vérité, le ver du post-humain est déjà dans le fruit de l'humanisme.

C'est dès sa naissance, on s'en souvient, que l'humanisme a fait de l'homme une « œuvre à l'image indistincte ». Dans le *Discours sur la dignité de l'homme* composé par Pic de la Mirandole en 1486, l'homme comme substance cède, pour la première fois, la place à l'homme comme liberté. Reçoit alors le nom d'homme l'être qui fait exception à l'adage selon lequel l'agir découle de l'être. Je rappelle les paroles que Pic de la Mirandole met dans la bouche du Créateur : « Je ne t'ai donné ni place déterminée, ni visage propre, ni don particulier, ô Adam, afin que ta place, ton visage et tes dons, tu les veuilles, les conquieres et les possèdes par toi-même. La nature enferme d'autres espèces en des lois par moi établies. Mais toi, *que ne limite aucune borne*, par ton propre arbitre, entre les mains duquel je t'ai placé, tu te définis toi-même. Je t'ai mis au milieu du monde, afin que tu puisses mieux contempler autour de toi ce que le monde contient. Je ne t'ai fait ni céleste ni terrestre, ni mortel ni immortel, afin que, souverain de toi-même, tu achèves ta propre forme librement à la façon d'un peintre ou d'un sculpteur. Tu pourras dégénérer en formes inférieures comme celles des bêtes, ou, régénéré, atteindre les formes supérieures, qui sont divines. »

Ainsi, quand nous raturons, triturons, suturons, et même remplaçons la nature, nous ne cessons pas d'être humanistes, nous appliquons, intrépidement, le programme. Les opérations d'une pensée possédée par sa propre puissance, sont une réponse adéquate à l'indétermination de l'homme c'est-à-dire au fait que, pour lui, il n'y a rien à reconnaître mais tout à accomplir. On ne peut espérer échapper au vertige du post-humain par la voie d'un retour pur et simple aux principes et aux pratiques de l'humanisme. C'est avec l'humanisme, en effet, que la pensée s'est dégagée de l'impression terrassante d'une substantialité immuable de l'être et que la volonté d'artificialité l'a emporté sur la propension à se conformer à une nature définie ou à une Antiquité normative.

Nous voici donc contraints par ces nouveaux possibles à sortir de l'alternative humaniste entre nature et liberté. L'humanisme pris au mot est voué à trahir ses promesses. Ses valeurs en s'incarnant avouent leur inconséquence. La part du non-choisi ne cesse de diminuer, la part du fabricable augmente et c'est paradoxalement cette réduction du règne de la nécessité qui met la liberté en péril. Ce paradoxe conduit le philosophe Jürgen Habermas, quand il affronte les problèmes posés par le développement spectaculaire des biotechnologies, à remettre en circulation le vieux mot, usé, galvaudé, méprisé, de *nature humaine*. En voie d'être expulsé de l'humain par la réalisation même de l'humanisme, l'homme est reconduit contre son gré à la distinction qui lui semblait définitivement hors d'usage entre ce qui croît de soi-même et ce qui est fabriqué. Il ne fait plus de l'artificialisation la voie royale de l'émancipation. L'extension indéfinie de son pouvoir démiurgique l'inquiète désormais autant qu'elle l'enchante. Quelque cinq cents ans après le *De dignitate hominis*, ce lointain descendant d'Adam prend conscience que la même maîtrise qui corrige les déficiences ou les dysfonctionnements de l'organisme humain s'attaque aux conditions mêmes de la liberté humaine en réduisant toujours plus la part de l'improgrammable. À son corps défendant, il constate que les fondations biologiques de son existence ne doivent pas être entièrement à disposition, s'il veut préserver ses chances d'être libre.

Certes, la nature ne saurait être pour lui un principe d'ordre ou un modèle à suivre. Mais il la redécouvre, en tremblant, comme le *fonds indisponible* où s'enracine son humanité, au moment d'enjamber l'ultime frontière qui séparait encore la croissance naturelle des choses de la production des objets.

Chapitre III

L'éclipse de la nature

Là où était le donné, pullulent désormais les artefacts. Le monde est le canevas de l'homme : nulle autorité de la matière splendide, nulle majesté de la nature ne le retiennent de faire ce que bon lui semble et de battre en brèche par la fabrication de produits inertes ou vivants l'émergence de la réalité organique, le surgissement et la croissance spontanée de la nature.

Au temps où Victor Hugo voyait s'opérer ce grand bouleversement, les paysans étaient en dehors du coup. Ils travaillaient certes à faire de la terre une maison, mais leur activité n'avait rien de démiurgique. Assujettis au rythme des saisons et à tous les cycles de la nature, englobés dans le cosmos, enfoncés dans la glèbe, fixés sur leur petit lopin quotidiennement travaillé, ils étaient extérieurs au mouvement de l'histoire et aux évolutions de la société. À l'âge de l'homme que rien n'arrête, ils demeuraient des hommes que tout bornait. Ils étaient l'immobile dérogation à la bougeotte universelle. Quand les autres montaient à l'assaut de l'immensité, ils répétaient des gestes immémoriaux. Le mot de *culture* qui, depuis les Latins, désignait leur activité, indiquait, comme le rappelle justement Hannah Arendt, « une attitude de tendre souci et se tenant en contraste marqué avec tous les efforts pour soumettre la nature à la domination de l'homme ».

La deuxième moitié du XXe siècle a eu raison de cet anachronisme. Le temps n'est plus où la culture de l'âme se modelait sur celle des champs ; la culture des champs a fini par s'aligner sur le dispositif général de remise en ordre et d'appropriation. En quelques décennies, une civilisation millénaire a disparu et les paysans ont rattrapé leur retard. Ils ont même changé d'identité. Devenus exploitants agricoles, ils se sont jetés corps et âme dans la danse de l'artificialisation. Et leur profession modernisée contribue maintenant à faire de l'impossible une frontière toujours reculante. Le travail agricole, autrement dit, ne se règle plus sur une réalité préexistante, il soumet le réel à sa loi. Cultiver, c'était prendre soin de la nature ; c'est maintenant instaurer un univers fonctionnel, machinable et malléable. L'homme des champs a cessé de limiter ou d'entraver l'ambition de l'homme des villes. Ils ont ceci de commun, ces deux hommes autrefois si différents, qu'ils font fi l'un et l'autre du visage que les choses présentent à partir d'elles-mêmes. Comme l'écrit Dominique Bourg dans un livre triomphalement intitulé *L'Homme-Artifice* : la nature se retire des campagnes : « De la préparation des rations alimentaires pour le bétail à la gestion informatisée des parcelles en passant par la comptabilité proprement dite, rien ne se fait sans calcul. Il n'est plus d'appréhension immédiate et spontanée des choses dans ce métier dont le sens a pourtant été inoculé dès la prime enfance des générations durant. Celui-ci se fonde bien plutôt sur la connaissance d'un enchaînement réglé de phénomènes, relatif à des normes quantifiées. La nature peut être ramenée à un ensemble d'éléments discrets combinables selon des règles déterminées, sur lesquels on peut intervenir pour obtenir les résultats souhaités ». Ainsi du lait par exemple. Autrefois, c'était une denrée substantielle aux qualités immédiatement perceptibles. Aujourd'hui, c'est une liste de taux divers : taux de protéines, de matières grasses, de leucocytes etc. Autrefois, c'était un don de la nature. Aujourd'hui, c'est le résultat d'un procès maîtrisé.

Il en va de ce prométhéisme tardif comme du prométhéisme industriel célébré, avec une avalanche de verbes, par Victor Hugo. Ce qui l'a motivé, ce qui l'a mis en mouvement, c'est d'abord la volonté de soulager le sort des hommes. Le monde agricole a rompu, au sortir de la Deuxième Guerre mondiale, avec l'ordre traditionnel des champs pour participer à l'édification d'une société de croissance. Dans la France libérée, s'équiper et rationaliser pour produire plus et au moindre coût, c'était un devoir justifié par la nécessité de nourrir tout le monde. Et cette conversion des campagnes au projet indissolublement technique et éthique de la modernité paraissait d'autant plus indispensable et même urgent que le maréchalisme, avec son idéologie de l'enracinement dans une terre qui « elle, au moins, ne ment pas », avait gravement compromis le monde rural. « Entre l'homme et la terre », disait ainsi Jules Le Roy Ladurie qui fut ministre de l'Agriculture du premier gouvernement de Vichy, « il y a le lien d'une loi naturelle. Il n'y a pas de contrat social. Au contraire, entre le prolétaire et son employeur, entre le fonctionnaire et son État, il y a des liens contractuels, des conventions collectives particulières, débattues, concertées et modifiables au gré des intéressés, ou encore un statut ». La Révolution nationale érigeait en contre-modèle de 1789 et de la communauté des citoyens, la communauté organique et la sagesse immuable de l'homme qui travaille au milieu des forces naturelles.

Pour les paysans qui s'étaient reconnus dans cette image, c'était une rédemption, et pour ceux qui l'avaient combattue, ce fut une délivrance d'entrer de plain-pied dans le monde moderne au lendemain de la Libération. Tous mirent un point d'honneur à changer d'englobant, c'est-à-dire habiter la *société* et non plus la *terre*. Ils nous rappelaient jadis notre condition terrestre ; ils partageaient maintenant notre condition sociale, et s'ils décidèrent de mettre fin au développement séparé du monde rural en introduisant massivement dans l'agriculture les machines et les méthodes qui avaient fait leur preuve dans l'industrie, c'était aussi pour signifier à la face du monde qu'ils n'étaient plus une survivance de l'Ancien Régime. Il y a donc de la grandeur dans ce tournant prométhéen. Mais il y a aussi de la violence. Cette dualité est dévoilée par Dominique Bourg dans un texte qui se veut pourtant tout entier acquis à la cause de l'artificialisation du travail agricole. Visitant une installation de pointe en matière d'élevage, l'auteur la décrit en ces termes : « Il s'agissait d'un vaste hangar dissimulant plus de cent truies hurlantes et malodorantes, réparties en plusieurs compartiments, avec une loge idoine pour un verrat aux dimensions quasi monstrueuses. Chaque compartiment abritait un automate distribuant des rations alimentaires modulées et modulables, commandé par un micro-ordinateur central. Devant chaque automate, une horde indisciplinée piaffait d'impatience. À l'intérieur, protégée par des parois tubulaires, une truie identifiée par l'émetteur individuel qu'elle portait à l'oreille s'alimentait avec frénésie. Les avantages d'un tel système sont nombreux : un suivi de chaque animal avec des rations individualisées, ingérées selon un système régulier et donc de façon optimale, sans compter le gain de temps et de surveillance. »

Cette scène est insoutenable. Or, celui qui la décrit ne s'en aperçoit pas. Tout à sa recherche, l'enquêteur est minutieux, exhaustif, il a les yeux grands ouverts, aucune opération n'échappe à son regard et pourtant il ne voit pas ce qu'il voit. Ou plutôt il ne voit que les opérations et non le malheur des bêtes. Son attention à la machinerie se paye d'une cécité complète à ce qu'elle machine. Seul est réel ce qui est quantifiable, ce qui s'exprime en nombres, et le bruit pourtant assourdissant du vécu est réduit au silence par la découverte émerveillée d'un fonctionnement maximal. Dans l'univers numérique qui a succédé à la ferme, rien ne demeure de l'opposition de l'inerte et du vivant : l'automatisme des instruments déteint, en quelque sorte, sur les cochons. Là tout n'est qu'ordre, efficacité et productivité. Le reste, ce n'est même pas de la littérature, ce n'est rien. L'épaisseur sensible du monde est bien présente, mais elle ne s'imprime plus comme telle dans le cerveau du travailleur et de l'observateur. Ce qui s'imprime, ce sont les pièces multiples d'un dispositif minutieux. Le scrupule, c'est-à-dire *le fait d'être tenu en respect par ce qui se tient à votre merci*, leur est donc épargné, et la question « de quel droit ? » ne peut plus se faire entendre. De quel droit, quoi ? L'élevage concentrationnaire ? Mais de quoi y a-t-il concentration, sinon d'objets techniques ? Il ne peut plus être fixé de limite à ce qui est permis, depuis que l'homme a répliqué par une enjambée décisive à la limite qui le séparait du reste de la création.

Le grand récit hugolien de l'appropriation de la terre à l'humanité trouve son épilogue, et son épitaphe, dans ce constat fait, dès 1948, par Paul Claudel : « Maintenant une vache est un laboratoire vivant, qu'on nourrit par un bout et qu'on trait à l'électricité par l'autre. Le cochon est un produit sélectionné qui fournit une quantité de lard conforme aux standards. La poule errante et aventureuse est incarcérée et gavée artificiellement. Sa ponte est devenue mathématique. Chaque espèce est élevée à part et en série. [...] Qu'a-t-on fait de ces pauvres serviteurs ? L'homme les a cruellement licenciés. Il n'y a plus de liens entre eux et nous. Et ceux qu'il a gardés, il leur a enlevé l'âme. Ce sont des machines, il a abaissé la brute au-dessous d'elle-même. Et voilà la cinquième plaie : Tous les animaux sont morts. Il n'y en a plus avec l'homme. »

Le lien, qu'il soit égalitaire ou hiérarchique, suppose en effet la séparation. Nulle alliance sans distance, sans différence, sans distinction du Même et de l'Autre. Or précisément c'est ce paradigme qui a disparu : il n'y a plus d'Autre mais du calculable, c'est-à-dire du Même à perte de vue. Claudel encore : « Le bœuf travailleur, l'âne héroïquement résigné, le chien aimant, le chameau contemplatif et sobre, la poule fureteuse et gloutonne, l'agneau du sacrifice, la brebis féconde et chargée de laine, le porc lui-même hilare et savoureux, tout cela est désaffecté, tout cela a perdu son intérêt, tout cela est mort, il n'y a plus que des machines utiles, des magasins vivants de matières premières que nous manœuvrons d'une main molle et dégoûtée. Les serviteurs de l'âme sont morts. Elle n'est plus servie que par des cadavres vivants. En somme, la cinquième plaie de notre Égypte spirituelle, c'est l'Ennui. »

L'homme donc est seul. Partout, comme dit, avec le poète Claudel, le physicien Heisenberg, il ne rencontre que des instruments ou « des structures dont il est l'auteur ». Aussi loin qu'il aille dans le dépaysement, c'est toujours à lui qu'il a à faire. Il ne se perd pratiquement jamais de vue : tout ou presque lui renvoie son image. Le monde n'est plus un mystère, mais un miroir. La Création tend à devenir *sa* création. Hugo est sensible à la grandeur de cet effort ; Claudel un siècle plus tard en perçoit la cruauté et les méfaits. Ils ont raison tous les deux, mais peut-être, penseront certains, Hugo a-t-il finalement plus raison que Claudel. Peut-être la violence de cette machination et « l'Ennui » qu'elle génère sont-il le prix à payer pour la réduction de la part du tragique dans l'existence. Ce n'est pas, en effet, la soif de pouvoir qui pousse l'homme prométhéen à accomplir les tâches que tous les âges précédents avaient considérées comme la prérogative de l'action divine, c'est un désir d'aménagement et de confort. Ce Prométhée n'a rien de luciférien, son but n'est pas d'abattre Dieu mais de vivre chez soi sur la terre. S'il soumet l'être au calcul, c'est pour conjurer les catastrophes. S'il n'a de cesse d'approprier la Création à l'humanité, c'est pour en finir avec les caprices et les duretés de ce que, depuis la nuit des temps, l'impuissance humaine appelle alternativement le destin ou le hasard. Il y a certes de bonnes surprises et des hasards heureux, l'immaîtrisable n'est pas toujours détestable, l'altérité n'est pas toujours un fléau. Mais ne l'oublions pas : le fléau est toujours autre, autre que ce qui est attendu, désiré, programmé : le fléau, c'est une altérité soudaine qui dévaste sans prévenir l'ordre précaire du monde.

Claudel, cependant, résiste et Hugo vacille car le calcul n'a pas eu raison des catastrophes. Il en est même un des grands pourvoyeurs. Avec l'appropriation de la terre à l'humanité, la main de l'homme est partout, même dans ce qui lui arrive de plus inattendu et de plus cruel. C'est le calcul qui a fait de la vache un outil de transformation entre l'herbe et le lait et qui a remplacé l'appréhension spontanée de ses qualités par tout un ensemble de paramètres, de procédures et de normes quantifiées. La fonctionnalité des vaches annule ce que Gombrowicz, dans un passage extraordinaire de son *Journal*, appelle leur *vachéité* : « Je me promenais dans l'allée bordée d'eucalyptus, quand tout à coup surgit de derrière un arbre une vache. Je m'arrêtai et nous nous regardâmes dans le blanc des yeux. Sa vachéité surprit à ce point mon humanité — il y eut une telle tension dans l'instant où nos regards se croisèrent — que je me sentis confus *en tant qu'homme*, en tant que membre de l'espèce humaine. Sentiment étrange que j'éprouvai sans doute pour la première fois : la honte de l'homme face à l'animal. Je lui avais permis de me voir, de me regarder, ce qui nous rendait égaux, et du coup j'étais devenu moi-même un animal, mais un animal étrange, je dirai illicite. »

Pour qu'un tel saisissement fût possible, il fallait une certaine promiscuité, quelque chose comme un espace commun à l'homme et aux vaches. Ce lien social a été brisé. Cet espace n'est plus. L'abstraction généralisée évite à l'humanité les rencontres déplaisantes. Face aux numéros de la filière bovine, elle n'est pas surprise ni interdite. Rien ne l'arrête. Nulle expérience ne remet en cause ses expérimentations. Nulle extériorité ne freine son avancée triomphale. Dès la fin du XIXe siècle, il était conseillé, par les pionniers de l'élevage moderne, de donner des farines fourragères de viande à manger aux ruminants malgré leur répugnance initiale pour ce genre de pâtée. Cent ans après, les préjugés et les automatismes qui classaient encore ces bêtes parmi les herbivores étaient surmontés. Et là où l'usine de ceux qu'on n'appelait plus les *éleveurs* mais les *producteurs* de bovins tournait à plein régime, on nourrissait les vaches avec des « suppléments protéiques concentrés » ou des « granulés osseux » provenant d'ateliers de recyclage utilisant les restes des animaux abattus, de vaches en particulier. Bref, les vaches mangeaient de la vache. Et comme le note le biologiste Maxime Schwartz, ce système d'alimentation s'est beaucoup accru dans les années 1960-1970, particulièrement pour les vaches laitières avec le développement d'une agriculture intensive visant un maximum de productivité.

L'artificialité déchaînée est donc à l'origine de la contamination des vaches par l'encéphalopathie spongiforme bovine, cette affection qui finit par donner au cerveau l'apparence d'une éponge en le taraudant d'une multitude de trous microscopiques, et dont nous savons maintenant qu'elle est transmissible à l'homme sous la forme d'une variante de la maladie de Kreutzfeld-Jacob.

Un danger né de l'activisme humain, des prouesses accomplies par l'homme pour colmater toutes les brèches et palier tous les dangers ; un cataclysme qui ne procède pas de la nature mais de son humanisation illimitée : voilà ce que Victor Hugo ne pouvait pas prévoir.

Chapitre IV

L'émergence de la précaution

Dès 1620, dans son *Novum Organum* Francis Bacon avait érigé l'*ambition* en vertu contre la doctrine chrétienne de l'*humilité* et l'idéal grec de la *mesure.* « Il ne sera pas inopportun de distinguer trois genres et comme trois degrés d'ambition, écrivait l'illustre philosophe anglais : Le premier comprend ces hommes qui sont avides d'accroître leur propre puissance au sein de leur pays ; c'est le genre le plus commun et le plus vil. Le second comprend ceux qui s'efforcent d'accroître la puissance et l'empire de leur patrie au sein du genre humain ; ce genre montre plus de dignité, mais non moins d'avidité. Mais qu'un homme travaille à restaurer et à accroître la puissance et l'empire du genre humain lui-même sur l'univers, cette ambition-là sans doute (s'il faut encore la nommer ainsi) est plus sage et plus noble que les autres. Or l'empire de l'homme sur les choses repose tout entier sur les arts et les sciences. Car on ne gagne d'empire sur la nature qu'en lui obéissant. »

Émule de Bacon et fervent apôtre du projet moderne, Victor Hugo, près de deux siècles et demi plus tard, donnait ses lettres de noblesse poétique à la volonté d'accroître sans cesse la puissance de l'homme. Mais aussi émerveillé qu'il fût par le travail inlassable de Prométhée, l'auteur des *Travailleurs de la mer* croyait qu'une part de la nature échapperait pour toujours à ses prises : le ciel. « La masse suprême ne dépend point de l'homme, disait-il. Il peut sur le détail, non sur l'ensemble. [...] Le Tout est providentiel. Les lois passent au-dessus de nous. Ce que nous faisons ne va pas au-delà de la surface. L'homme habille ou déshabille la terre ; un déboisement est un vêtement qu'on ôte. Mais ralentir la rotation du globe sur son axe, accélérer la course du globe dans son orbite, ajouter ou retrancher une toise à l'étape de sept cent dix-huit mille lieues par jour que fait la terre autour du soleil, modifier la procession des équinoxes, supprimer une goutte de pluie, jamais. Ce qui reste en haut reste en haut ». Et ce constat, sous sa plume, n'avait rien d'amer ou de mélancolique. Loin de le désoler, l'impossibilité de contrôler le climat et de réaliser « la restitution du printemps perpétuel à la terre » réjouissait Hugo. Dans le droit fil de Francis Bacon, il glorifiait l'empire humain sur les choses, mais, refusant à cette ambition grandiose le monopole de la sagesse, il la voyait d'un bon œil se casser les dents sur les nuages. La réalité irréductible se chargeait ainsi de rappeler à ceux qui seraient tentés d'avoir la grosse tête la différence essentielle et toujours abyssale du bien-être et du bien-vivre. « L'Eden est moral et non matériel.

Être libres et justes, cela dépend de nous. La sérénité est intérieure. C'est au-dedans de nous qu'est notre printemps perpétuel. »

Entre-temps, cependant, la marque du travail humain a balafré l'espace céleste. Nous avons studieusement aboli la ligne de partage stoïcienne entre les maux qui dépendent de nous et ceux qui n'en dépendent pas. Comment pourrions-nous cultiver la sérénité au-dedans, dans la citadelle de notre for intérieur, quand tout, au dehors, nous compromet et dépend à quelque degré de nous, même le temps qu'il fait, même les caprices du ciel ? La météo naguère précédait l'information. De plus en plus souvent, elle fait l'actualité. Le décor est entré dans le drame ; rien, pas même les intempéries, n'est extérieur à l'intrigue ; l'histoire physique relève, chaque jour davantage, de l'histoire humaine. Le « Il » de « Il neige », « Il vente », « Il fait chaud » n'est plus tout à fait un pronom impersonnel. La politique est cosmique et c'est la ville elle-même qui pleut quand il pleut sur la ville.

Que Dresde ou Prague soient inondées en plein été, qu'une vague de froid sans précédent submerge le Pérou, que Louxor, en Égypte, connaisse, au même moment, des températures records, qu'il y ait tempête ou canicule — aucun de ces « événements climatiques extrêmes » n'est imputable à la seule Providence. Les fluctuations de l'atmosphère ont, comme par le passé, une incidence sur les activités humaines, mais ce qui distingue le présent de toutes les époques antérieures, c'est l'incidence grandissante des activités humaines sur les phénomènes atmosphériques. Quand les éléments se déchaînent, ce n'est plus Zeus qui fait des siennes, c'est Prométhée. « Nous savons que l'augmentation de température de la seconde moitié du XXe siècle nous est largement imputable », écrit Jean-Marc Jancovici, auteur notamment de *L'Avenir climatique. Quel temps ferons-nous ?* Et ce « nous » se répartit ainsi : « un quart pour les transports, un quart pour les industries, un quart pour l'agriculture, un quart pour le chauffage ». Nous savons enfin que si nous laissons filer les choses et la terre se réchauffer sous l'effet d'émissions d'origine humaine de gaz à effet de serre, nous prenons le risque, entre autres, d'une extension des zones de sécheresse en Afrique, d'une augmentation des pluies de mousson en Asie et d'une élévation du niveau de l'océan mondial qui noierait d'eau salée les deltas productifs et très peuplés des grands fleuves tropicaux.

Prométhée n'en revient pas. Il s'enchantait de ses progrès gigantesques dans la constitution d'une nouvelle genèse placée sous le signe de l'efficacité et de la productivité. Il revendiquait des droits d'auteur sur la création. Ses porte-parole, tel le philosophe François Dagognet, déclaraient avec une euphorique emphase : « Désormais on instaure et suscite la nature. […] Le faire se substitue à l'être. La nature devient plus ce qu'on invente que ce qu'on explore. Le savant matérialise les lois. Il s'ensuit des corps et des industries qui, sans lui, n'auraient jamais existé. Si le biologiste reprogramme les vivants, le physicien n'en modifie pas moins les éléments les plus complexes et les plus stables. Le laboratoire crée, il ne contemple plus. » Et voici que ce démiurge ne peut se tenir quitte de rien dans un monde dont il est de moins en moins le maître. La puissance d'achèvement dont il se croyait investi est, en quelque sorte, démentie par son exercice même. En guise d'*œuvre*, en effet, il a mis en branle des *processus* dont il ne contrôle ni le déroulement ni l'issue. Il a tant et si bien réduit l'écart entre ses possibilités et son imagination qu'il n'est plus capable désormais de se représenter la réalité qu'il est capable de produire. À force de tout conquérir en éclairant tout, il tâtonne dans *son propre brouillard.* Il sait ce qu'il fait, mais, selon la profonde observation de Valéry, « il ne sait jamais ce que fait ce qu'il fait. » « Excédé de n'être qu'une créature », comme dit encore Valéry, l'homme est devenu créateur, mais de quoi ? Il a assez de science pour substituer le faire à l'être, mais à l'instar de l'apprenti sorcier d'un autre poème de Goethe, il ne connaît pas la formule de rétro-métamorphose qui lui permettrait d'arrêter le maelström qu'a déclenché sa docte et redoutable imprudence.

Comme l'écrit Hans Jonas, dès les premières lignes de son maître-livre *Principe responsabilité* : « Le Prométhée définitivement déchaîné, auquel la science confère des forces jamais encore connues et l'économie son impulsion effrénée, réclame une éthique qui, par des entraves librement consenties, empêche le pouvoir de l'homme d'être une malédiction pour lui. »

Le grand récit de la modernité est donc bouleversé de fond en comble par ce rebondissement de dernière minute : le héros de l'audace et du défi mis au défi de jouer à contre-emploi et sommé de chercher dans l'inhibition les voies de la liberté ! Lui qui répliquait systématiquement à la limite par l'enjambée et qui, pour cette raison, occupait, comme disait Marx, le premier rang parmi les saints et les martyrs du calendrier philosophique des Modernes, doit toutes affaires cessantes, adopter la conduite inverse. Répliquer à l'enjambée par la limite en modérant son propre dynamisme, s'assagir : tel est le geste subversif qui s'impose maintenant à cet insatiable briseur de tabous. En lui, la révolution s'identifiait à la transgression ; et c'est inopinément la transgression de la transgression, la révolution de la révolution qui se trouve mise à l'ordre du jour.

Prométhée est pris au dépourvu. Rien ne le préparait à cette obligation paradoxale. Et il ne peut faire fond, pour la remplir, sur aucune sagesse antérieure. Car la limite, autrefois, était inscrite dans l'univers, et c'est l'oubli ou le mépris où elle était tenue qui provoquait les catastrophes. Il n'était pas facile d'être sage mais la sagesse avait de puissants alliés naturels. L'homme qui, par orgueil ou par voracité, allait au-delà de ce que lui prescrivait sa condition, était sévèrement rappelé à l'ordre : il s'écrasait en plein vol. Aujourd'hui, tout est possible, *il n'y a plus de principe de réalité.* Aux enjambées de l'artificialisme, nous ne pouvons répliquer que par des limites elles-mêmes artificielles. Ce n'est pas la résistance des choses qui enseignera à Prométhée la retenue ou l'abstinence : il est irrésistible et ne trouvera qu'en lui-même la force de s'empêcher. En lui-même, c'est-à-dire, très précisément, dans la peur qu'il s'inspire à lui-même. À son corps et son esprit défendant, il se voit désormais plus menacé par ses propres entreprises que par la sauvagerie des éléments. Il a su se prémunir contre la plupart des agressions naturelles. Mais à mesure que ce danger s'éloigne, le risque comme effet secondaire, produit dérivé de ses constructions et de ses convoitises, augmente. Il sait, et ce savoir l'accable, qu'il épuise la terre en l'appropriant à l'humanité. Il prend péniblement conscience du fait que ce n'est pas seulement le producteur en lui qui se trouve impliqué dans la pollution des nappes phréatiques et de l'atmosphère mais le consommateur avec sa volonté de manger toujours plus de viande ou même son goût *citoyen* de produits bio qu'on fait venir du Chili ou d'Argentine. Démiurge dégrisé, il doit aussi reconnaître qu'il a beau, avec la maîtrise de l'ADN, s'être emparé d'un attribut naguère divin, l'abolition progressive de la frontière entre la nature qu'il est et l'équipement organique qu'il se donne ne fait pas de lui un Dieu. Car quand Dieu est cause de soi, Il est Dieu et seulement Dieu : l'individu, en Lui, se confond avec le genre. C'est l'homme générique, en revanche, qui peut être dit *causa sui*, pas l'homme individuel. Celui-ci n'est pas Dieu, car il est (au moins) deux, la cause et l'effet, Pygmalion et Galatée, celui qui passe commande et le produit optimal qui lui est livré.

L'*homo faber* divinise son pouvoir de faire et l'appelle liberté jusqu'au jour inéluctable où il comprend que ce n'est pas le même homme qui fabrique et qui est fabriqué. Ce jour survient avec la perspective du clonage. Prométhée (celui qui réfléchit à l'avance) devenu en quelque sorte son propre Épiméthée (celui qui a toujours un temps de retard) se rend compte qu'en soumettant l'individu futur non plus seulement à ses projets, mais à son programme, il lui confère un destin et l'empêche de se concevoir comme l'auteur de sa vie personnelle.

Bref Prométhée s'affole et cet affolement, dit Hans Jonas, est sa dernière chance. Pourquoi sa chance ? Parce que Jonas ne fonde pas la morale sur la morale. Il n'est pas demandé à Prométhée d'être déjà sage ni même de vouloir le Bien. Hans Jonas n'attend pas de lui qu'il accomplisse ce périple tautologique où la vertu requérant la vertu, le point d'arrivée se confond avec le point de départ ; il ne table pas sur d'hypothétiques aspirations nobles mais sur la chair de poule. Quand sera mise au point, par exemple, la technique du clonage c'est-à-dire de la duplication parfaite d'un individu ayant déjà existé, des êtres grandiront en sachant d'avance qui ils sont. Pour peu qu'on se mette à la place non du cloneur, mais du cloné, cette possibilité de porter atteinte à la faculté de chaque être humain de trouver sa propre voie et d'être une surprise pour lui-même, inspire l'effroi. Et en montrant ce qu'une telle indétermination a de *précaire*, cet effroi dévoile ce qu'elle a de *précieux*.

Il y a, en d'autres termes, une clairvoyance du tremblement, ou, selon l'expression de Jonas, une *heuristique de la peur*. La peur est bonne conseillère. Elle nous apprend quelque chose. Loin d'obscurcir notre entendement, elle l'éclaire, elle est plus intelligente que nos désirs. Sachons-donc lui faire bon accueil et prêter davantage l'oreille aux prophéties du malheur qu'à la prophétie du bonheur.

Et il semble que cette mutation soit en bonne voie et que Prométhée soit en train de saisir sa chance. Dans les sociétés les plus redevables à sa puissance et à ses productions, le Principe Espérance cède le pas au *principe de précaution*, c'est-à-dire à la mise en pratique de la thèse selon laquelle « l'absence de certitudes, compte tenu des connaissances scientifiques et techniques du moment, ne doit pas retarder l'adoption de mesures effectives et proportionnées visant à prévenir un risque de dommage grave et irréversible à l'environnement à un coût économique acceptable. »

Les visions hugoliennes ne font plus rêver les Cassandre que nous sommes devenus à contre-cœur. Même ceux qui espèrent encore ou à nouveau qu'un autre monde est possible ne pourraient plus dire comme naguère Trotski : « Le mur qui sépare l'art de l'industrie et aussi celui qui sépare l'art de la nature s'effondrent. L'emplacement actuel des montagnes, des rivières, des champs et des prés, des steppes, des forêts et des côtes ne peut être considéré comme définitif. L'homme a déjà opéré certains changements non dénués d'importance sur la carte de la nature, simple exercice d'écolier par comparaison avec ce qui viendra. La foi pouvait seulement promettre de remplacer les montagnes, la technique qui n'admet rien par foi les abattra et les déplacera réellement. » En désenchantant le monde, c'est-à-dire en faisant appel non plus à des moyens magiques mais à la raison pour maîtriser toute chose, la technique avait enchanté les hommes. Maintenant que l'incertitude est logée au cœur de nos savoirs et de nos pouvoirs, nous sortons de cet enchantement-là. La mise en place du technocosme a invalidé l'optimisme technicien, et là où nous étions si fiers d'œuvrer avec *méthode*, nous sommes mis en demeure d'agir avec *prudence*. La méthode, claire et distincte, tenait pour faux ce qui n'est que vraisemblable. Et elle nous a précipités dans un monde où la certitude ne peut plus être le seul fondement de l'action.

Ce désenchantement s'énonce ainsi : il peut être justifié de limiter, d'encadrer ou même d'empêcher certains actes potentiellement dangereux sans attendre que ce danger soit établi de façon certaine. Et, intronisation paradoxale du jugement en situation dans un domaine promis à l'acribie de la science, le principe de précaution est l'un des dix articles de la Charte sur l'environnement qui, en 2004, a été inscrite dans la Constitution française : « Lorsque la réalisation d'un dommage, bien qu'incertain en l'état des connaissances scientifiques, pourrait affecter de manière grave et irréversible l'environnement, les autorités publiques veillent, par application du principe de précaution, à l'adoption de mesures provisoires et proportionnées afin d'éviter la réalisation de dommages, ainsi qu'à la mise en œuvre de procédures d'évaluation des risques encourus. »

Chapitre V

Peur contre peur

La réhabilitation de la peur a provoqué une avalanche d'objections et de réprimandes. Quoi de moins enthousiasmant, en effet, que l'apologie de l'immobilisme et l'invitation à la pusillanimité ! Quoi de moins philosophique aussi ! La peur n'est-elle pas l'ennemie intime de la réflexion ? La superstition ne fleurit-elle pas sur le terreau de l'épouvante ? N'a-t-il pas fallu autant de témérité que de courage pour affronter la réalité et passer ainsi du mythe à la philosophie, comme en témoigne l'hommage inoubliable de Lucrèce à Épicure dans le *De natura rerum* ?

> La vie humaine, spectacle répugnant, gisait
> Sur la terre, écrasée sous le poids de la religion,
> Dont la tête surgie des régions célestes
> Menaçait les mortels de son regard hideux,
> Quand pour la première fois, un Grec,
> Osa la regarder en face, l'affronter enfin.

> Le prestige des dieux ni la foudre ne l'arrêtèrent,
> Non plus que le ciel de son grondement menaçant,
> Mais son ardeur fut stimulée au point qu'il désira
> Forcer le premier les verrous de la nature

N'est-ce pas, en outre, la glorieuse caractéristique de l'homme moderne — philosophe ou pas — que d'être sorti de l'état de minorité où le maintenaient les représentants sur terre de la crainte du Diable ou du Bon Dieu ? « *Sapere aude !* » Aie le courage de te servir de ton propre entendement : voilà, rappelle Kant, la devise des Lumières. La panique inhibe, la terreur paralyse et réclame protection. Seul est libre, mûr, authentiquement vivant l'homme qui n'a pas froid aux yeux et qui ne s'en laisse pas accroire.

Ainsi tous les cœurs vaillants qui ont coupé la tête hideuse surgie des régions célestes dénoncent le caractère régressif du principe de précaution et, tel le philosophe Michel Onfray, opposent une « heuristique de l'audace » à l'infantile heuristique de la peur. À y regarder de près cependant, ce procès est un faux procès. Quand Jonas dit que « crainte et tremblement font désormais partie de l'expérience du savoir en portant ombrage à la hardiesse qui lui est propre », il ne plaide en aucune façon pour la mise au pas de l'investigation intellectuelle. Ni obscurantiste, ni réactionnaire, ni, comme on ne cesse de le dire aujourd'hui de tous ceux qui émettent des réserves à l'égard du mouvement, *frileux*, Jonas ne veut pas éteindre la lumière, il ne joue pas la carte de l'irrationnel contre les entreprises de la raison ; la peur sur laquelle il fait fond est une *peur pensante* qui éclaire d'une lueur d'orage le destin que le progrès nous prépare. Et puis, surtout, les vertus viriles mobilisées aujourd'hui contre l'heuristique pétrifiante de la peur, s'appuient sur une autre sorte de peur. Non plus la peur de l'incontrôlable, non plus l'angoisse provoquée par la représentation des conséquences lointaines des processus qui nous entraînent mais la crainte viscérale, obsessionnelle de la mort. L'adversaire le plus résolu d'une éthique de l'empêchement se présente comme un homme qui n'a peur de rien. Il est, en fait, l'homme que la mort fait claquer des dents, l'homme qui maudit la mort, l'homme que la mort empêche de dormir. Cette sensibilité a fait son apparition en Europe au début du XVe siècle dans un poème de Johannes von Tepel, dit aussi Johannes von Saaz (du nom de la petite ville où il était écrivain public et maître d'école) : *Le Laboureur de Bohême.* Deux personnages s'affrontent : un paysan qui vient de perdre sa femme aimée et la Mort qui la lui a prise. Comme tous les affligés, le paysan pleure. Mais il y a dans ses larmes autant de colère que de douleur. Son chagrin a ceci d'inouï qu'il s'exprime d'emblée sous la forme du réquisitoire. « Ruine acharnée de toutes gens, abominable proscripteur de tous les êtres, épouvantable assassin de tous les hommes, ô Mort, soyez honnie ! Qu'angoisse, affliction, misère, ne Vous lâchent où que Vous alliez ; que souffrance, peine et désolation Vous fassent en tout lieu cortège ; qu'adversité funeste, infamant mépris et honteuse réprobation Vous accablent sans faiblesse en toute place ! Que ciel, terre, soleil, lune, astre, mers, eaux, monts, campagnes, vallées, plaines, l'abîme infernal, tout ce qui possède vie et existence, Vous soient contraires, hostiles, et Vous maudissent pour l'éternité ! Sombrez dans l'iniquité, disparaissez dans le dénuement et demeurez pour la fin des temps dans le plus inflexible bannissement de Dieu, de l'humanité entière, et de toutes les créatures ! »

D'abord étonnée puis tour à tour féroce, mielleuse, condescendante, pédagogique, la Mort essaie de raisonner le laboureur. Faisant flèche métaphysique de tout bois, elle invoque aussi bien la religion chrétienne que la philosophie stoïcienne et elle martèle inlassablement que « la terre et tout ce qu'elle contient reposent sur l'éphémère. » En vain. Aucun argument n'apaise ni même n'entame la rage du laboureur. Il ne consent ni ne se lamente, il accuse. Il n'a pas le deuil élégiaque mais pugnace. Il refuse de laisser la consolation ou la désolation mater sa révolte. Ce qui conduit la Mort à demander, de guerre lasse, l'arbitrage du Dieu Tout-Puissant, et Dieu à conclure la joute en ces termes : « Vous avez tous deux bien débattu : l'un que la souffrance contraint à se plaindre, l'autre que les attaques du plaignant forcent à dire la vérité. En vertu de quoi, honneur au plaignant, et victoire à la mort ! » Mais comme l'écrit Ernst Cassirer dans son livre *Individu et Cosmos dans la philosophie de la Renaissance* : « Cette victoire de la mort est, en même temps, sa défaite. Sa force physique est renforcée mais sa force spirituelle est brisée. L'anéantissement de cette vie, le fait que Dieu l'abandonne à la mort, ne signifie plus le néant de cette vie. » Le néant pour le laboureur de Bohême, c'est, au contraire, tout ce qui n'est pas cette vie.

Ce laboureur oublié est le grand ancêtre des Modernes : notre monde procède de sa fureur. Nous sommes les héritiers de son deuil impossible. Avec lui, le malheur est frappé d'illégitimité, la souffrance n'est plus une expiation mais un scandale. Rien, ni l'espoir d'une récompense future, ni l'idée d'un péché originel, ni le culte de la réalité éternelle, ne retire à la mort son dard venimeux. Il n'y a pas de réparation, il n'y a pas de compensation, il n'y a pas de justification ; il n'y a pas d'autre être que l'existence précaire et corruptible. On ne vit qu'une fois : la volonté d'approprier la Création à l'humanité est née de cet effrayant constat. Ce n'est plus Orphée qui, par son chant, prend en charge la perte d'Eurydice mais l'activisme de Prométhée et son refus radical de la part de fatalité que comporte l'existence. « Impudent meurtrier, Maître de la Mort, méchant sac à malices ! » : la criminalisation de la mort par le laboureur de Bohême inaugure l'époque où la longévité détrône l'éternité, où le médecin qui soulage remplace le prêtre qui sauve, où, pour le dire d'un mot, la *santé* se substitue au *salut* comme objectif humain prioritaire. Cette époque qui fait de la conservation de la vie le premier des droits de l'Homme, et de son entretien, la valeur suprême, est plus que jamais la nôtre. Le téméraire Michel Onfray lui-même est un héritier qui s'ignore du laboureur en larmes. Sur quoi s'ouvre, en effet, *Féeries anatomiques*, le livre qu'il a écrit à la gloire de tout ce qui fait peur : le clonage, la manipulation du génome, la transgenèse, l'optimisation technique de l'enfant à naître, la fabrication en cours d'un corps entièrement dénaturé par la volonté prométhéenne des biologistes, des généticiens, des médecins, dans toutes leurs spécialités, des chirurgiens et de ceux qui les assistent ? Sur un râle d'épouvante, sur le cri d'horreur et de terreur qu'il a poussé lorsque sa compagne lui a appris qu'elle était atteinte d'un cancer. Au commencement, il place la tumeur et ce récit introductif est sa manière à lui de dire à la mort qu'elle est le cruel ennemi du genre humain et de promettre, comme le laboureur de Bohême : « De toutes mes forces, je m'opposerai éternellement à Vous ». Ce qui veut dire que le pourfendeur des peurs a peur. Qu'il a peur de la mort et c'est pour soustraire le corps à ses prises, qu'il milite en faveur de sa complète artificialisation. Heuristique de l'audace ? Certainement pas. Ce n'est pas le goût du risque qui conduit à imposer partout, en médecine comme en politique, le terme *d'appareil.* « Les parties d'un appareil sont interchangeables, note justement Gadamer, ce qui les distingue clairement des parties d'un organisme vivant. » Ce n'est pas le goût du risque non plus qui pousse la modernité biomédicale à rectifier le corps humain en le rehaussant de prothèses et en le branchant sur des ordinateurs : c'est le rêve de la santé parfaite, le désir de sécurité absolue et d'une chair à ce point remodelée qu'elle ne soit plus l'encombrant fardeau où mûrissent la fragilité et la mort. Souhait utopique ? Rien n'est moins sûr. Avec le clonage thérapeutique et la perspective de recréer, à partir de *cellules souches cultivées in vitro*, des pièces de substitution pour les organes malades, « nous tiendrons, dans les trente à cinquante ans à venir, le moyen de conserver les individus en bonne santé, donc en vie le plus longtemps possible, à l'infini peut-être… » affirmait récemment Jean-Claude Weill, professeur d'immunologie dans un grand hôpital parisien et comme le note la neurologue Laura Bossi, dans son *Histoire naturelle de l'âme*, il est d'ores et déjà « impossible sur un certificat de décès, de déclarer que quelqu'un est mort de vieillesse. Il faut impérativement déclarer une cause : arrêt cardiaque, embolie pulmonaire, accident vasculaire-cérébral. C'est la défaillance d'un organe, l'accident "mécanique" qui est tenu pour responsable du naufrage final. L'espoir inconscient qu'on pourra un jour tout "réparer" perce à travers ces pratiques. »

À la volonté de préserver l'humain comme surgissement, comme événement, comme ouverture au nouveau contre toute fixation en une entité positive, répond l'aspiration tout aussi humaine et même humaniste (puisque avant d'être peur pour soi, elle est peur pour le proche) à la fixité inoxydable de la machine. La machine, elle, au moins, ne meurt pas. Et qui veut mourir ?

Prométhée est devenu un champ de bataille. Deux peurs lui font battre alternativement le cœur et se disputent âprement la direction de son esprit. La première l'adjure de s'arrêter, de prendre son temps, de laisser souffler la terre ; la seconde l'exhorte à foncer tête baissée. La première voudrait restreindre ses pouvoirs ; la seconde, les augmenter. La première lui enjoint d'être *raisonnable*, la seconde de *rationaliser* le monde jusqu'à la mort de la mort. La première en appelle à la loi pour fixer des limites, la seconde invoque la vie contre la loi. La première parle le langage du droit et de la responsabilité ; la seconde parle le langage de la revendication et dénonce comme une atteinte aux droits de l'homme chaque tentative de recourir au droit pour tenir en respect la démesure. La première est une angoisse pour le donné à l'ère de la manipulabilité générale ; la seconde est un ressentiment contre le donné, coupable du péché originel de n'être pas un meccano ou un artefact indéfiniment réparable. Bref, ce qui empêche la conversion souhaitée par Jonas de Prométhée en chargé d'affaires de la nature, c'est le penchant invincible pour le bien-être et la promesse d'immortalité que la technique véhicule. Conclusion : si nous voulons résister aux fièvres de l'illimité, l'heuristique de la peur ne suffit pas, il faut aussi, en un certain sens, *faire la paix avec la mort.*

« Le Prométhée définitivement déchaîné réclame une éthique qui empêche le pouvoir de l'homme de devenir une malédiction pour lui », dit, on s'en souvient, Hans Jonas, au début du *Principe responsabilité.* Et dans un de ses derniers textes qui compte aussi parmi les plus beaux : *Du fardeau et de la grâce d'être mortel,* il laisse entendre que cette éthique des limites réclame elle-même, pour voir éventuellement le jour, un assentiment ontologique à la finitude. « Deux significations se confondent au sein du terme "mortel", écrit Jonas. Celle selon laquelle l'être nommé mortel peut mourir, est exposé à la possibilité constante de la mort, et celle qui fait qu'il doit mourir en fin de compte, qu'il est voué à la nécessité finale de la mort. » Comme en témoigne le souhait immémorial de « vivre vieux et rassasié de jours », l'espèce ne s'est jamais accommodée de ce fardeau. Mais, c'est aux Temps modernes qu'il revient d'avoir fait de la prière biblique un projet, en élevant au rang de droit imprescriptible le besoin de survivre, le désir qu'a chacun d'assurer sa propre conservation. Qu'est-ce, en effet, que le *Léviathan* de Thomas Hobbes sinon l'artifice politique qui protège les hommes de la mort violente ? Heuristique de la peur : les guerres civiles religieuses qui déchirent alors l'Europe et le contraignent à fuir sa patrie, ont révélé à Hobbes que, dans l'état de nature, la vie humaine est « solitaire, misérable, dangereuse, animale et brève ». Universalité de la peur : il y a dans le monde des forts et des faibles, des héros et des pleutres, mais tout le monde est assez fort pour tuer et assez faible pour mourir. Rationalité de la peur : elle incite les hommes à sacrifier leur *jus in omnia*, leur droit naturel sur toutes choses. Et par la constitution d'un État voué à l'entretien du processus vital (ce qu'on appelle aujourd'hui le *biopouvoir*), cet affect spontané et involontaire joue un rôle éminemment civilisateur. Comme dit Jonas, commentant Hobbes : « Un effet de la civilisation, *ce vaste artefact de l'intelligence humaine*, est incontestablement la domestication des causes extérieures de la mort chez les hommes. »

Mais l'entretien du processus vital n'est pas seulement l'affaire de la *polis* c'est aussi, et surtout, l'affaire de la médecine. Faisant nôtre la douleur du laboureur de Bohême et quittant avec lui le registre de la plainte *plaintive* pour celui de la plainte *plaignante*, c'est-à-dire accusatrice, nous avons englobé toute mort prématurée dans le concept de mort violente. Et que nous soyons résolument modernes, ironiquement post-modernes, ou simplement sceptiques, nous partageons avec Descartes l'idée que « la santé est le premier bien et le fondement de tous les autres en cette vie. » Comme dit le personnage d'un film de Woody Allen, attendant le résultat de ses analyses médicales « le plus beau mot de la langue n'est pas “je t'aime”, mais “c’est bénin” ». Et ce mot est plus beau encore quand il s’applique à une personne aimée. Rien donc ne peut ni ne doit nous faire renoncer à la bataille contre la mort prématurée ; mais voici, écrit encore Jonas, que « certains progrès de la biologie cellulaire nous font miroiter la perspective pratique de pouvoir contrecarrer les processus biochimiques de vieillissement et de prolonger la durée de la vie humaine, peut-être même de l’étendre pour une durée indéterminée. La mort n’apparaît plus comme une nécessité faisant partie de la nature du vivant, mais comme un défaut organique évitable susceptible au moins en principe de faire l’objet d’un traitement et pouvant être longuement différé. Une nostalgie éternelle de l’humanité semble être plus proche d’être exaucée. Et, pour la première fois, nous avons à nous poser sérieusement la question : Dans quelle mesure cela est-il désirable ? Dans quelle mesure est-ce désirable pour l’individu ? Dans quelle mesure pour l’espèce ? » L’espèce n’y trouverait pas son compte parce que la succession inlassable des générations est un bien pour l’humanité. La naissance, en effet, n’est pas — pas encore ? — la fabrication d’un produit, c’est l’apparition d’un commencement. La natalité, poursuit l’auteur du *Principe responsabilité* dans le sillage de son amie Hannah Arendt, garantit « qu’il y en a toujours qui verront le monde pour la première fois, verront les choses avec des yeux neufs, s’émerveilleront quand d’autres seront engourdis par l’habitude, débuteront là où ceux-ci seront arrivés. » Sans expériences accumulées, l’humanité stagnerait. Mais elle a aussi besoin, pour ne pas sombrer dans la routine et l’ennui, de ce que l’expérience détruit et ne peut jamais reconquérir : l'étonnement, l'initialité, la curiosité naïve de l'enfant face au réel. Or, sur une terre déjà surpeuplée, le prix à payer pour une vie prolongée en manipulant et en déjouant les rythmes biologiques serait un ralentissement proportionnel de la relève, autrement dit, un apport moindre de vie nouvelle. L'aptitude à reculer indéfiniment les frontières de la mort mettrait en grand péril la faculté humaine de commencer.

Et cet assaut contre la nécessité ultime ne comble qu'en apparence l'individu : celui-ci y perd également, affirme Jonas, convaincu qu'il est comme Tocqueville « qu'il sera toujours malaisé de faire bien vivre un homme qui ne veut pas mourir ». Son article *Du fardeau et de la grâce d'être mortel* s'ouvre par le verset d'un psaume : « Apprends-nous à compter les jours, que nous puissions acquérir un cœur sage », et se clôt par ces mots : « Quant à chacun d'entre nous, le fait de savoir que nous ne sommes ici que brièvement et qu'une limite non négociable est imposée à notre espérance de vie peut même être nécessaire comme un encouragement à compter nos jours et à les faire compter. »

J'irai plus loin : rien d'autre que ce *memento mori* anachronique n'est en mesure de nous guérir, nous autres modernes, de notre ressentiment contre le donné. Où s'enracine, en effet, l'ambition délirante de parvenir à un contrôle absolu des conditions de la vie sur une terre transformée en technocosme, en laboratoire préservé de l'imprévisible, sinon dans la révolte admirable du laboureur de Bohême : « ô Mort, soyez honnie ! Sombrez dans l'iniquité, disparaissez dans le dénuement et demeurez pour la fin des temps dans le plus inflexible bannissement de Dieu, de l'humanité entière, et de toutes les créatures ! Scélérat impudent, sans fin soyez de sinistre mémoire, qu'effroi et terreur Vous suivent en quelque endroit que Vous erriez et logiez. Tout le genre humain et moi-même, Vous crions grand haro » ?

Il en faudrait donc davantage pour ralentir Prométhée et pour le faire réfléchir que les périls induits par ses propres machinations. C'est seulement dans l'hypothèse bien improbable où il serait touché par la grâce d'être mortel qu'il pourrait rester fidèle à la grande colère de Johannes von Saaz sans pour autant vouloir remplacer totalement le milieu qui l'entoure et le corps qu'il habite par un monde d'appareils, d'automates, d'engins et de pièces de rechange, à même de conjurer la corruptibilité de la matière par leur interchangeabilité sans fin.

Chapitre VI

L'Âge d'or de l'accusation

Le 1er novembre 1755, la ville entière de Lisbonne est anéantie par un tremblement de terre. Goethe, dans ses Mémoires, se souvient qu'à cette occasion — il avait six ans — la bonté de Dieu lui est « en quelque façon, devenue suspecte ». Alors, en effet, « une grande et magnifique capitale et, en même temps ville commerçante et maritime, est frappée inopinément par la plus effroyable calamité. La terre tremble et chancelle, la mer bouillonne, les vaisseaux se heurtent, les maisons s'écroulent et, sur elles les églises et les tours ; le palais royal est en partie englouti par la mer, la terre entrouverte semble vomir des flammes, car la fumée et l'incendie s'annoncent partout au milieu des ruines. Soixante mille créatures humaines, un moment auparavant heureuses et tranquilles, périssent ensemble, et celle-là peut être estimée la plus heureuse, à qui n'est plus laissé aucun sentiment, aucune connaissance de ce malheur. Les flammes poursuivent leurs ravages, et avec elles, exerce ses fureurs une troupe de scélérats cachés auparavant ou que cet événement a mis en liberté. Les infortunés survivants sont abandonnés au pillage, au meurtre, à tous les mauvais traitements, et la nature fait ainsi régner de toutes parts sa tyrannie sans frein. Dieu, créateur et protecteur de la terre et des cieux, condamne ainsi à être anéantis à la fois les justes et les injustes. »

Comme l'indique cette dernière phrase, le tremblement de terre de Lisbonne provoque un véritable séisme philosophique dans l'Europe accablée. Tout vacille en même temps, le sol et le ciel, le monde et l'ordre du monde : « Comment l'esprit d'un jeune garçon pouvait-il se défendre contre ses doutes si même les savants et les doctes en écriture ne savaient guère comment expliquer ces terribles phénomènes ? », demande anxieusement Goethe. Et Voltaire qui, à l'époque n'a pas six ans mais soixante, dit sa révolte et son incompréhension dans un poème devenu célèbre :

> Ô malheureux mortels ! Ô Terre déplorable !
> Ô de tous les mortels assemblage effroyable !
> D'*inutiles douleurs* éternel entretien !
> Philosophes trompés qui criaient « Tout est bien » ;
> Accourrez, contemplez ces ruines affreuses,
> Ces débris, ces lambeaux, ces cendres malheureuses,
> Ces femmes, ces enfants l'un sur l'autre entassés,
> Sous ces marbres rompus, ces membres dispersés ;
> Cent mille infortunés que la terre dévore,
> qui, sanglants, déchirés et palpitants encore,
> Enterrés sous leur toit, terminent sans secours
> Dans l'horreur des tourments leurs lamentables jours !

> [...] Direz-vous en voyant cet amas de victimes :
> Dieu s'est vengé, leur mort est le prix de leur crime !
> Quelle faute, quel crime ont commis ces enfants
> Sur le sein maternel, écrasés et sanglants
> [...] Tout est bien dites-vous, et tout est nécessaire.
> Quoi, l'univers entier, sans ce gouffre infernal,
> Sans engloutir Lisbonne eût-il été plus mal ?
> [...] Un jour tout sera bien : voilà notre espérance.
> Tout est bien aujourd'hui : voilà l'illusion.

Pas plus que le laboureur de Bohême, Voltaire ne consent à laisser le sens, quelque sens que ce soit, transformer ce qui est en ce qui doit être. Comme le veuf inconsolable, il défend le tragique de l'événement contre sa moralisation et réfute un à un tous les systèmes qui prétendent apaiser le scandale ou réduire la cruauté du mal en lui trouvant une justification. L'Europe acclame ce poème qui met en mots son malaise et son effroi. Une exception, cependant : Rousseau. « Convenez », écrit-il à celui qu'il dépeint ironiquement ailleurs comme « un pauvre homme accablé, pour ainsi dire, de prospérités et de gloire », « convenez que si la nature n'avait point rassemblé là vingt mille maisons de six à sept étages et que si les habitants de cette grande ville eussent été dispersés plus également, et plus légèrement logés, le dégât eut été beaucoup moindre et peut-être nul. Tout eût fui au premier ébranlement, et on les eût vus le lendemain à vingt lieues de là aussi gais que s'il n'était rien arrivé. Mais il faut rester, s'opiniâtrer autour des masures, s'exposer à de nouvelles secousses, parce que ce qu'on laisse vaut mieux que ce qu'on peut emporter. Combien de malheureux ont péri dans ce désastre pour vouloir prendre l'un ses habits, l'autre ses papiers, l'autre son argent. »

Ce n'est certes pas l'homme qui fait trembler la terre. Mais, à en croire Jean-Jacques, ce n'est ni Dieu, ni Satan, ni l'insondable nature, qui ont fait du tremblement de terre de Lisbonne une catastrophe aussi meurtrière : c'est la civilisation. Inutile donc de monter sur ses grands chevaux métaphysiques et de pourfendre, dans toutes ses variantes, l'idée de théodicée : la bonté du Créateur n'est nullement compromise par un sinistre *humain* de part en part. Là où Voltaire dénonce l'inexplicable et la volonté éperdue de trouver une explication, Rousseau voit la marque de l'homme dénaturé.

Qu'en est-il de ce grand débat, deux cent cinquante ans et d'immenses avancées technologiques plus tard ? Nous avons fait nôtre la contestation voltairienne de l'axiome « tout est bien ». Nous avons, à sa suite, choisi l'espérance active contre les sortilèges de l'illusion et nous avons mis en pratique l'exhortation à cultiver notre jardin avec une telle ardeur et une telle efficacité qu'il n'y a plus désormais de catastrophe naturelle. Le jardinier est omniprésent. On ne trouve rien ni sur la terre ni au ciel qui ne porte sa marque. De près ou de loin, il est mêlé à ce qui arrive. Situation que Hans Jonas résume en ces termes : « La frontière entre « État » (polis) et « nature » a été abolie : la cité des hommes, jadis une enclave à l'intérieur du monde non humain, se répand sur la totalité de la nature terrestre et usurpe sa place. La différence de l'artificiel et du naturel a disparu, le naturel a été englouti par la sphère de l'artificiel. »

Mais que se passe-t-il quand tombe cette frontière immémoriale, que nulle limite ne fait plus sens, que l'indifférenciation détrône tous les dualismes et que l'autre de la société est absorbé dans le social, l'autre de la culture dans le culturel, l'autre de la technique dans le technocosme ? L'homme, alors, occupe seul le banc des accusés du mal qui est sur la terre. Et nous voici, nous autres voltairiens, insensiblement rousseauistes. L'allégeance au commandement du philosophe de Ferney conforte paradoxalement la diatribe du Citoyen de Genève. À la protestation enflammée contre la berceuse du *tout est bien*, succède, une fois Candide au travail, l'imputation morale de tous les désastres à la malfaisance ou à l'incurie humaines. *Nihil est sine auctore* : chaque événement a sa raison d'être, chaque fléau son fabricant, chaque souffrance son coupable.

Un peu plus de cinq siècles après *Le Laboureur de Bohême*, et quelque deux siècles après le *Poème sur le désastre de Lisbonne*, en 1977 très exactement, paraissait en Allemagne *Mars* de Fritz Zorn. Zorn, c'est-à-dire « colère », était le pseudonyme choisi par l'auteur, héritier d'une prospère famille suisse, mort à trente-deux ans d'un cancer, quelques jours avant la publication de son livre. En voici les premiers mots : « Je suis jeune et riche et cultivé ; et je suis malheureux, névrosé et seul. Je descends d'une des meilleures familles de la rive droite de Zurich, qu'on appelle aussi la rive dorée. J'ai eu une éducation bourgeoise et j'ai été sage toute ma vie. Ma famille est passablement dégénérée, c'est pourquoi j'ai sans doute une lourde hérédité et je suis abîmé par mon milieu. Naturellement j'ai aussi le cancer, ce qui va de soi si l'on en juge d'après ce que je viens de dire. » Tout le livre est l'exploration, l'approfondissement et la revendication de ce « naturellement ». Le cancer de Fritz Zorn ne tombe pas n'importe où, n'importe comment. Il a lieu sur Mars, c'est-à-dire sur une planète régie par le dieu des batailles. Il n'est ni inattendu, ni absurde, il est logique. En lui s'incarne, selon l'auteur, la violence de la société bourgeoise, « ce Moloch qui dévore ses propres enfants », et, à la fois, sa riposte personnelle, son ultime défi au système. La tumeur, autrement dit, est plus que la tumeur, c'est une arme : la maladie explose comme une grenade et cette grenade porte une double signature : celle de l'ennemi implacable — le calme suisse — et la sienne. Il est, lui Fritz Zorn, la victime et l'adversaire. Il lui importe donc au plus haut point de ne pas laisser à la science médicale le pouvoir de nommer ce qui lui arrive et de dire *ad usum delphini* qu'il est mort des suites d'une longue maladie : « Les noms sont sûrement quelque chose d'important. De même qu'au commencement du monde, Adam a éprouvé le besoin de nommer les animaux et de dire : toi tu es le tigre et toi tu es l'araignée et toi tu es le kangourou, de même j'éprouve, devant ma destruction imminente, à chaque coup qui me transperce le cœur, le besoin de dire : toi tu t'appelleras ainsi, et toi tu t'appelleras ainsi, et toi tu t'appelleras ainsi. Personne n'a le droit d'être anonyme ; personne non plus ne veut sans doute mourir d'une chose anonyme. »

Avant d'être une activité *mimétique* de représentation, l'écriture apparaît à Fritz Zorn comme une activité *adamique* de nomination. Et nommer, dans son cas, c'est offrir à sa vie un scénario, un récit, une intrigue. En décrivant son corps calciné comme le lieu d'une guerre totale entre ce qu'a fait de lui le refoulement helvétique des pulsions vitales et ce qu'il a fait de ce qu'on a fait de lui, Fritz Zorn arrache son cancer à la nature et le confie à l'histoire : « Telle est ma vie. J'ai grandi dans le meilleur, le plus sain, le plus harmonieux, le plus stérile et le plus faux de tous les mondes ; aujourd'hui je me trouve devant un tas de débris. Tout de même n'est-ce pas mille fois mieux de se trouver devant un tas de débris plutôt que devant un arbre de Noël branlant, et obligé de subir la peur terrible que cet infirme stupide malgré tout ne tombe, se casse et soit fichu ! Ce qui m'amène à la morale de cette histoire : plutôt le cancer que l'harmonie. Ou, en espagnol : *¡Viva la muerte !* »

On le voit : Fritz Zorn met à produire du sens à propos de sa mort le même acharnement désespéré que le laboureur de Bohême à dire la mort insensée et injustifiable. Il nie le fortuit, il ne supporte pas de vivre dans l'inexplicable. À la tragédie, il répond par la paranoïa. À l'axiome « Tout est bien » des théologiens et des métaphysiciens, il oppose non l'idée de l'absurde mais celle de « cosmocriminologie » : « Il n'y a qu'un seul mal qui est perpétué continuellement et sur chacun ».

Colère prémonitoire. Quelques années après la parution du livre de Fritz Zorn, c'est par l'indignation et la recherche de l'auteur du crime que l'avant-garde éclairée des sociétés occidentales réagit à cet événement aussi féroce qu'imprévisible : la pandémie du sida.

Le 5 janvier 1981, l'hebdomadaire d'une agence épidémiologique américaine décrit, sans pouvoir donner de nom à leur maladie, cinq cas graves observés dans les hôpitaux de Californie et dont les symptômes communs sont : fièvre, perte de poids, affection respiratoire, pratiques homosexuelles. Très vite la maladie prend de l'ampleur et l'on commence à parler de *cancer gay*. L'écrivain américain Edmund White révèle l'existence de cette pathologie à Michel Foucault et quelques amis, lors d'un dîner. « Ils ont trouvé cela tellement drôle, se souvient White, qu'ils ont éclaté de rire. Ils ont considéré que c'était l'expression de mon puritanisme et, en définitive, ils ne m'ont pas cru. » Ce scepticisme n'empêche pas la médecine de progresser et d'identifier bientôt le sida comme une affection virale transmissible par voie sexuelle ou sanguine et caractérisée par une chute brutale des défenses immunitaires de l'organisme.

Foucault meurt lui-même du sida en 1984. Il faudra attendre quelques années encore pour que s'éteigne son rire. Aux premiers temps de la pandémie, l'incrédulité l'emporte chez les militants homosexuels, comme dans une partie importante de la gauche, sur l'inquiétude et sur la précaution. « On ne croyait pas une seule seconde au sida, reconnaît un ancien journaliste du Gai Pied. On ne nous tenait plus par la morale, plus par l'Église, plus par la Justice. Nous nous sommes dits qu'il fallait bien qu'ils inventent un virus. Le sida, c'était les petits hommes verts venus punir les homosexuels au moment où les lois ne les réprimaient plus. » La communauté gay qui était alors en voie de formation n'a pas voulu se laisser abuser. N'y avait-il pas, en effet, une coïncidence *troublante* entre l'apparition du virus et le succès de ses revendications ? L'apparition d'un cancer gay en pleine libération sexuelle, c'était trop beau pour être vrai, trop conforme à l'attente et au souhait des dévots pour être pris au sérieux. Le récit d'Edmund White s'est donc brisé sur le rire de Foucault. « Il se trouve que les homosexuels sont frappés par une maladie inconnue », a dit naïvement l'Amérique. « Il se trouve *justement* que cette maladie surgit après la proclamation du droit à la jouissance et de l'équivalence des sexualités », a répondu l'intelligence. *Post hoc propter hoc* : le hasard est hors de cause ; c'est *comme par hasard* que l'on a vu mourir dans d'atroces souffrances les adeptes d'une sexualité déviante.

On ne la faisait pas aux militants de la liberté. Ils n'étaient pas nés de la dernière pluie. La bêtise n'était pas leur fort. Ils ne prenaient pas les vessies sécuritaires pour les lanternes de la santé, ni pour argent comptant les fantasmes d'une majorité morale aux abois : « Rien de tel, s'exclamaient-ils avec Guy Hocquenghem, qu'une épidémie de peur pour susciter des petits chefs frappés d'ignorance et de présomption. » C'est ainsi qu'une nouvelle fois, dans la longue histoire de l'idéologie, la résistance au réel a pris la forme de la traversée des apparences et de la démystification. Et les politiques eux-mêmes ont été touchés : s'ils n'ont pas été comme les militants jusqu'à rire de la peur et à répondre « mon œil ! » à l'effroyable réalité, ils se sont attachés à ne rien faire qui puisse, comme on disait alors, « diaboliser » la maladie et entretenir le *rejet de l'Autre.*

La même confiance dans la justesse de la cause et la même défiance envers les informations qui risquaient d'en compromettre le progrès, ont provoqué les mêmes dégâts dans un autre « groupe à risque » : les hémophiles. C'est vers la fin de l'année 1982 que l'infection d'hémophiles ayant reçu des produits sanguins infiltrés apporte la preuve de la nature virale de la nouvelle maladie. Or l'Association française des hémophiles était alors engagée dans un processus de normalisation très étroitement lié aux spectaculaires avancées de la médecine. Les hémophiles qui, avant la Seconde Guerre mondiale, n'atteignaient pratiquement jamais la vingtième année, avaient vu leur espérance de vie s'accroître grâce à un traitement transfusionnel. Puis une amélioration décisive avait été obtenue par l'utilisation de produits concentrés qui permettaient l'auto-traitement. Ainsi les hémophiles pouvaient voyager, faire du sport : ils avaient conquis leur autonomie. L'Association ne parlait plus de maladie, mais de trouble de la coagulation. Ce qui fait qu'en 1983, quand la direction du Centre national de transfusion sanguine fait état d'une mystérieuse infection à virus, l'Association manifeste sa mauvaise humeur : alors même qu'ils militent pour la mise à disposition de produits anti-hémophiliques concentrés, cette mise en garde tombe mal. À l'époque, autrement dit, le rationnement des produits est plus redouté que la contamination virale. Après tout, il y a déjà des hépatites et ce risque n'est pas mortel… Entre deux dangers — le risque social de revenir à une situation de dépendance et le danger médical —

l'Association choisit de combattre le premier. Elle chasse d'un revers de main la vérité importune : la lutte contre l'exclusion et pour la normalisation des hémophiles prévaut sur toute autre considération tant il est difficile d'imaginer le retour des maladies infectieuses dans l'Occident de la fin du XXe siècle : la peste n'est pas au programme. Le succès de la bataille engagée contre les épidémies n'a-t-il pas doublé, en moins d'un siècle, la longévité dans les pays développés ?

Mais justement, comme l'explique Mirko Grmek dans sa remarquable *Histoire du sida*, l'expansion du virus (qui existait sans doute depuis longtemps à l'état de « petit malfaiteur subreptice ») a été rendue possible par la suppression du barrage que lui opposaient quelques maladies infectieuses particulièrement fréquentes comme la tuberculose ou le typhus exanthématique. Si l'on ajoute à cet élément la brèche transfusionnelle provoquée par la découverte récente des groupes sanguins, l'universalisation des seringues médicales, le grand brassage touristique des populations et la libération des mœurs, force est de constater que l'émergence de cette maladie est liée au progrès.

Cependant la violence du fait a fini par avoir raison de l'intelligence sarcastique. Le rire est rentré dans la gorge des rieurs. Et ils sont passés brutalement de l'ironie à la fureur. L'hyper-dramatisation a succédé sans transition à la dédramatisation. Symbole de ce renversement : la création, en 1987, de l'association Act-up qui choisit pour emblème le triangle rose, qui affiche pour premier slogan : « Le sida est notre holocauste », et qui proclame : « Demandons un Nuremberg du sida pour signifier par là qu'un procès peut avoir autant d'impact dans la prise de conscience de la nature politique de cette épidémie que le procès de Nuremberg dans la prise de conscience de la véritable nature du nazisme. » Bref, si le discours a radicalement changé, la même logique, la même négation du tragique sont à l'œuvre. On n'oppose plus à la maladie une méprisante fin de non-recevoir, on est enfin dégrisé de l'ivresse du dégrisement, mais la *colère* est intacte. La lutte continue, et l'on reste dans l'univers de la toute-puissance et de la « cosmocriminologie ».

Les médecins, les médias et les politiques à qui il était reproché d'exagérer l'importance du sida pour mettre au pas la minorité homosexuelle, sont accusés désormais de se croiser les bras, sinon même de favoriser l'épidémie parce qu'elle touche prioritairement les homosexuels. Ils avaient, disait-on, répandu un mythe ; voici qu'ils propagent un nouveau Zyklon B. Ils faisaient croire, ils font place nette. Les menteurs sont devenus des nazis et l'indignation est encore montée d'un cran.

Mais ce qu'oublie cette référence à l'holocauste, c'est le rôle joué par l'antiracisme et les bonnes intentions dans la pusillanimité gouvernementale. La politique mise en parallèle par Act-up avec le crime des crimes, résulte en fait de la hantise de cet événement et de la volonté irréprochable d'en tirer toutes les leçons. Si, en effet, il y a eu plus de personnes contaminées par voie transfusionnelle en France que dans d'autres pays, c'est moins tant à cause du retard pris pour instaurer un test de dépistage obligatoire que parce que la sélection des donneurs de sang s'est heurtée au souci de ne pas s'immiscer dans les vies privées et surtout de ne stigmatiser personne. L'Administration craignait les effets démobilisateurs d'un questionnaire indiscret et elle n'avait pas le cœur de traiter avec suspicion des donneurs *bénévoles*. Dans l'esprit de cette bureaucratie sentimentale, on ne pouvait être à la fois désintéressé et contaminé. Lorsque, en 1985, un rapport d'experts établit de façon claire, formelle et définitive le caractère extrêmement dangereux des collectes de sang en prison, celles-ci *ne furent pas* suspendues par les autorités françaises de la santé : il apparaissait inhumain de répondre par l'exclusion à cette forme louable et même exemplaire de réinsertion des détenus dans la communauté nationale. Quant à la mise à l'écart des « populations à risque », elle était jugée discriminatoire dans son principe même. Un jour vint, pourtant, où l'alarme sanitaire sonna plus fort que la rectitude idéologique. Le gouvernement français voulut prendre des dispositions pour identifier « les personnes homosexuelles ou bisexuelles ayant des partenaires multiples » ainsi que « les sujets ayant séjourné en zones d'épidémie : les Caraïbes ou l'Afrique équatoriale ». Mais la presse veillait et le journal *Le Monde* fit aussitôt connaître sa réprobation dans un éditorial intitulé « Santé et vie privée » : « Comment les donneurs dans leur ensemble acceptent-ils une telle enquête ? À l'échelon local, les responsables ne vont-ils pas craindre de choquer par des questions par trop intimes ceux qui, généreusement, offrent une partie d'eux-mêmes et font par là même vivre les centres de transfusion ? En d'autres termes les modalités du dispositif ne vont-elles pas à l'encontre de son efficacité ? »

L'histoire de la réception du sida mériterait d'être longuement méditée. Ce qu'elle fait apparaître, en effet, c'est cette conséquence inattendue de l'humanisation du monde : *l'accusation illimitée.* À l'intérieur d'un univers peuplé désormais d'objets hybrides, dans une nature devenue techno-nature, le fonctionnement est la règle et l'on est en droit de chercher, quand le système se détraque ou tombe en panne, la faute ou l'erreur de conception. Le progrès aidant, le scandale des catastrophes a cessé d'être métaphysique (Voltaire), pour devenir progressivement et presque intégralement politique (Rousseau). Et ce changement de régime n'est pas sans motif. Plus s'étendent les conquêtes de la civilisation — « ce vaste artefact de l'intelligence humaine » — et plus augmentent les dommages du fait d'autrui. L'artificiel, en effet, élimine l'accidentel ; les dévastations totalement fortuites ou purement naturelles se réduisent comme peau de chagrin. Fin de l'innocence et de la contingence : les hommes sont mis en demeure de répondre aussi de ce qu'ils n'ont pas voulu. Pour le dire autrement : le danger jadis venait de l'extérieur sous la forme de l'aléa, du coup du sort, puis, à l'apogée de l'optimisme prométhéen, sous la forme de l'événement statistique que l'on pouvait maîtriser par la prévention. Ces phénomènes n'ont pas disparu, mais les risques majeurs aujourd'hui viennent du *dedans* : ils sont, le plus souvent, les produits dérivés de nos actions, de nos décisions, de nos calculs. Risques technologiques, risques alimentaires, risques sanitaires : notre société se met elle-même en danger. Et à mesure qu'augmentent nos pouvoirs, la négligence se révèle plus redoutable, plus maléfique que la méchanceté elle-même. À l'ère de la machinerie généralisée, ce que l'homme peut faire de pire à l'homme se loge et se logera toujours davantage dans la zone grise du non-intentionnel. Il y a là une nouvelle donne qui oblige les industriels, les ingénieurs, les politiques, tout un chacun à redoubler d'attention, et qui conduit le droit à pénaliser même l'involontaire afin que *nul ne puisse se prévaloir de son inadvertance*. Il ne suffit pas de n'avoir pas fait exprès ce que l'on a fait pour en être quitte. Cette *extension du domaine de la responsabilité* a quelque chose d'admirable. Comme le souligne Emmanuel Lévinas : « La certitude que tous nos malheurs nous viennent du prochain, que de tout il y a responsabilité, le droit d'accuser et de juger, la civilisation, c'est peut-être cela. Un monde qui a un sens ».

Mais le sens aussi a besoin de limites. Nous avons vu, tout au long de ce cours que c'est le projet de rationalisation du réel qui fait planer sur le monde humain et extra-humain la menace la plus grave. Or le droit, pour mieux combattre les ratés de ce projet, en épouse la logique et en devient insensiblement partie prenante. La certitude que de tout, il y a responsabilité, nourrit sa propre démesure. En reculant sans cesse les frontières de l'imputabilité, le droit réplique à la limite par l'enjambée, comme la technique dont il pourchasse les effets pervers : c'est son apport à la domination de la question « pourquoi ? » sur l'intelligence et l'existence humaine.

Entre machines et prétoires, nous sommes les inlassables serviteurs du pourquoi. « Ce terme interrogatif chasse devant lui la pensée représentative, la faisant passer d'une raison à une autre » dit magnifiquement Heidegger :

« Le pourquoi ne laisse aucun repos, n'offre aucun lieu de halte, ne fournit aucun point d'appui. Le mot “pourquoi” recouvre un courant puissant qui nous engage dans un impitoyable *et-ainsi-de-suite* et qui — à supposer que la science consente seulement à accepter les yeux fermés toute peine et toute fatigue — l'entraîne si loin qu'elle coure le risque d'aller un jour trop loin. »

Pour conjurer ce risque et desserrer l'étau du *pourquoi* de sorte que « quelque chose comme du donné demeure », selon la belle expression d'Élisabeth de Fontenay, il faudrait avoir la ressource ou, pour le dire d'un mot démodé et qui nous manque : la vertu, de s'arracher à l'alternative entre ces deux principes de raison (selon lesquels rien ne doit arriver sans qu'il y ait une raison pour que cela soit ainsi et pas autrement) : la computation qui affirme la calculabilité de toute chose et l'imputation qui cherche un coupable chaque fois que le calcul est pris en défaut.

Épilogue

Sauver l'obscur

Au début de l'année 2002, la République tchèque a voté une loi limitant les flots lumineux des systèmes d'éclairage extérieur. Désormais à Brno, à Prague et dans toutes les autres zones urbaines du pays, les nouveaux appareils d'éclairage doivent porter des coiffes pour ne pas diffuser de lumière au-dessus de la ligne d'horizon. Ils doivent être pourvus d'un variateur de puissance afin de pouvoir réduire l'intensité lumineuse de 30 % après minuit. Les édifices publics doivent être éclairés de haut en bas et, si ce n'est pas possible, la partie supérieure de l'édifice ne doit pas être totalement illuminée. Des amendes, stipule le texte de loi, doivent être infligées aux contrevenants.

Cette loi signée par Vaclav Havel était le premier succès politique d'une association créée en 1988 aux États-Unis : l'Association pour la protection du ciel nocturne (*Dark Sky Association*). Stupéfiant objectif si l'on pense à ce qu'a représenté pour la métaphysique le simple fait de lever les yeux vers les étoiles. « Ce n'est qu'après avoir étudié à fond les mouvements célestes [...] que nous pourrons stabiliser les mouvements qui, en nous, ne cessent de vagabonder », écrit Platon dans le *Timée*. Et l'astronome Ptolémée confirme : « Je le sais, je suis mortel et ne dure qu'un jour mais quand j'accompagne les astres dans leur course circulaire, mes pieds ne touchent plus terre, je vais auprès de Zeus lui-même me rassasier d'ambroisie comme les dieux. » On voulait imiter le ciel autrefois, on le contemplait, on le craignait, on révérait en lui le siège de l'au-delà, on y localisait l'espérance — mais il était littéralement impensable de prétendre protéger cet espace fermé à la mainmise.

L'impensable est devenu indispensable quand la lumière artificielle a répandu ses bienfaits sur les villes, les banlieues mais aussi les villages et que les systèmes d'éclairage ont illuminé outre les sites qui leur étaient assignés, la nuit environnante.

Du fait de cette pollution lumineuse, les oiseaux migrateurs se fracassent contre les gratte-ciel illuminés, les bébés tortues, après leur éclosion, sont attirés par les lumières des sites balnéaires au lieu de se précipiter dans la mer, et comme le dit Jan Holan, astronome à l'Observatoire Nicolas Copernic de Brno, à qui il est de plus en plus difficile d'observer les étoiles filantes même avec de bonnes jumelles, l'humanité entière est pénalisée dans la mesure où selon les termes de l'association : « le ciel étoilé est notre seule fenêtre ouverte sur l'infini. »

D'où cette exigence inouïe : que la nuit, ce chef-d'œuvre en péril, soit classée *patrimoine* de l'humanité. Le mot de patrimoine ne doit pas être entendu au sens de richesse commune, de bien public, d'héritage de tous y compris des générations à venir comme dans le cas de la mer ou de la terre menacées de se tarir, de s'épuiser si le souci de préservation ne vient pas adoucir à temps le rapport de domination que l'homme entretient avec la nature ; car ce qui est ici demandé, c'est que le ciel nocturne reste, ou plutôt redevienne, une réalité extérieure, une composante non appropriable de la vie. Il s'agit bien de transférer à l'humanité une responsabilité nouvelle, mais cette paradoxale responsabilité post-prométhéenne consiste à remettre l'humanité au pouvoir de la nuit. Et la nostalgie qui transparaît dans cette revendication n'est pas le mal du pays, c'est le *mal de l'ailleurs*, le deuil du dehors et de l'être sans l'homme. Comme dit Dieu, dans *Le Porche du mystère de la deuxième vertu* de Péguy :

> Ô belle nuit, nuit au grand manteau, ma fille au manteau étoilé
> Tu me rappelles, à moi-même tu me rappelles ce grand silence qu'il y avait
> Avant que j'eusse ouvert les écluses d'ingratitude.
> [...]
> Ô douce, ô grande, ô sainte, ô belle nuit peut-être la plus sainte de mes filles, nuit à la grande robe, à la robe étoilée
> Tu me rappelles ce grand silence qu'il y avait dans le monde
> Avant le commencement du règne de l'homme.

Ce règne de l'homme par la lumière, c'est la modernité occidentale qui en a fait son mot d'ordre et son programme. Comme l'écrivait, quelque trente ans après Péguy, le grand écrivain japonais Junichiro Tanizaki dans son *Éloge de l'ombre* : « Les Occidentaux toujours à l'affût du progrès, s'agitent sans cesse à la poursuite d'un état meilleur que le présent. Toujours à la recherche d'une clarté plus vive, ils se sont évertués passant de la bougie à la lampe à pétrole, du pétrole au bec de gaz, du gaz à l'éclairage électrique, à traquer le moindre recoin, l'ultime refuge de l'ombre. » Ce texte date de 1933. Le Japon, depuis lors, a rattrapé l'Occident et, si l'on est à Tokyo *lost in translation*, on n'est, en revanche, pas dépaysé par l'éclairage et sa dissimulation, aussi exubérante que dans les villes américaines, du ciel nocturne. Nous sommes tous désormais les héritiers, les bénéficiaires et les continuateurs de la civilisation des Lumières, c'est-à-dire de la répulsion à l'égard de l'obscur.

Mais l'exubérance fatigue et provoque chez certains habitants de la planète illuminée le sentiment étrange d'être spoliés de l'indisponible. De cette spoliation, de ce désaisissement de l'expérience même du désaisissement, naissent l'idée insolite, le désir inopiné de sauver l'obscur et de restituer à la nuit une part de son empire.

Toute la question est de savoir si ce désir dicté par la fatigue pourra jamais faire le poids face au jour sans fin de la frénésie artificialiste et à sa promesse de bonheur.

Ouvrages cités

Victor HUGO, *Les Travailleurs de la mer*, Hachette, Le Livre de Poche, 2002.

HÉSIODE, *Théogonie, les Travaux et les Jours*, Les Belles Lettres, 1996.

ESCHYLE, *Tragédies*, Préface de Pierre Vidal-Naquet, Gallimard, Folio, 1982.

GOETHE, *L'Âme du monde*, Les éditions du Rocher, 1993.

Pierre de COUBERTIN, *Pédagogie sportive*, Vrin, 1972.

Alfred WAHL, *Les Archives du football*, Gallimard/Julliard, 1989.

Francis BACON, *Novum Organum*, PUF, 1986.

François DAGOGNET, *Considérations sur l'idée de nature*, Vrin, 2000.

Hans JONAS, *Le Principe responsabilité. Une éthique pour la civilisation technologique*, Cerf, 1989.

Hans JONAS, *Évolution et Liberté*, Rivages, 2000.

LUCRÈCE, *De la nature*, Aubier, 1993.

Norbert ÉLIAS, Éric DUNNING, *Sport et Civilisation. La violence maîtrisée*, Fayard, 1986.

Hannah ARENDT, *La Crise de la culture*, Gallimard, 1972.

Dominique BOURG, *Homo artificialis*, Gallimard, 1990.

Witold GOMBROWICZ, *Journal*, tome I 1953-1956, Christian Bourgois, 1981.

Paul CLAUDEL, *Le Poète et la Bible*, I, Gallimard, 1998.

Johannes VON SAAZ, *Le Laboureur de Bohême*, Les Solitaires intempestifs, 2003.

Laura BOSSI, *Histoire naturelle de l'âme*, PUF, 2003.

Bronislaw BACZKO, *Job mon ami*, Gallimard 1997.

VOLTAIRE, *Candide* et *Poème sur le désastre de Lisbonne*, Hachette, Le Livre de Poche, 1995.

ROUSSEAU, *Lettre à M. de Voltaire, le 18 août 1756*, *Œuvres complètes,* IV, Gallimard, Pléiade, 1969.

Jean-Marc JANCOVICI, « Climat, énergie : les impasses du futur », *Le Débat,* n° 130, mai-août 2004.

Fritz ZORN, *Mars*, Gallimard, 1979.

Mirko GRMEK, *Histoire du sida*, Payot 1995.

Frédéric MARTEL, *Le Rose et le Noir, les homosexuels en France depuis 1968*, Seuil, 1996.

Michel ONFRAY, *Féeries anatomiques*, Grasset, 2003.

Emmanuel LÉVINAS, *Les Imprévus de l'histoire*, Fata Morgana, 1994.

Charles PÉGUY, *Le Porche du mystère de la deuxième vertu, Œuvres poétiques complètes*, Gallimard, Pléiade, 1975.

Hans Georg GADAMER, *La Philosophie herméneutique*, PUF, 1996.

Junichiro TANIZAKI, *Éloge de l'ombre*, Publications orientalistes de France, 1977.

Achevé d'imprimer en octobre 2005
N° d'impression L 69216
Dépôt légal, août 2005
Imprimé en France